ARMANDO ROMERO

LA RUEDA DE CHICAGO

Villegas
editores

Libro diseñado y editado
en Colombia por
VILLEGAS EDITORES S. A.
Avenida 82 No. 11-50, Interior 3
Bogotá, D. C., Colombia
Conmutador (57-1) 616 1788
Fax (57-1) 616 0020
e-mail: informacion@VillegasEditores.com

Editor
BENJAMÍN VILLEGAS
MARÍA VILLEGAS

Departamento de Arte
ANDREA VÉLEZ
PAOLA BERNAL

Primera edición, septiembre 2004
ISBN 958-8160-82-0

Preprensa, ZETTA COMUNICADORES
Impreso en Colombia por PANAMERICANA FORMAS E IMPRESOS S. A.

VillegasEditores.com

A Álvaro y Carmen,
y los recuerdos del Cook County.

Yo vi una rueda altísima que no estaba delante de mis ojos ni detrás, ni a los lados, sino en todas partes, a un tiempo.

JORGE LUIS BORGES, "La escritura del Dios"

The Consul was gazing upward dreamily at the Ferris wheel near them, huge, but resembling an enormously magnified child's structure of girders and angle brackets, nuts and bolts...

MALCOLM LOWRY, *Under the volcano*

Advertencia al lector:

Corren los primeros años de la década del 70. Chicago es real, lo demás es historia y ficción.

-0-

ELIPSIO VIO UNA RUEDA

No podía esperarse nada diferente de Livio Contreras. Atravesado como la punta de una espina en la garganta, siempre salía con una de las suyas: esas ideas que ventilaban desconcierto o domesticaban atrevidas imágenes literarias, aunque cuando desembocaban en el papel eran ya garabatos inútiles. Repetía, trepado en una de las cercas de los inmensos corrales abandonados del inmenso matadero de Chicago, al vacío:

—La vaquita dijo múuu…

Lo recitaba en inglés y en español, *there was a moocow coming down along the road*, alternando, joyceando ese juego peligroso que va entre la burla y las incontinencias de la locura:

—La vaquita dijo mú, y ahí mismo le cortaron la cabeza.

Y ahora era en francés que lo ladraba a pulmón abierto como si lo invitaran a la guillotina, robesperriando:

—*La vache qui rit… et qui dit meuh à l'instant même ou on la décapite*… y después se la comieron los millones de caníbales de esta ciudad.

Y se reía más y más Livio Contreras con los dientes amarillos, marlborizados, con una chaqueta gruesa de vapores londinenses, trepado en una cerca vacía, en el travesaño perpendicular de madera vieja que era uno entre miles perdiéndose rectangularmente en la distancia: todavía el olor a bosta, boñiga, caca de vaca, de puerco, de oveja, cabra, toro, buey, bisonte, regado por todos lados en éste, el corral más grande del mundo, matadero, destasadero infecto, frigorífico, donde convergieron todos los trenes del Oeste: Santafe Railroad, Texas, Pacific, Atlantic Coast Railroad, Illinois Central Railroad, Oklahoma, Denver, Kansas, atiborrados de toda esa especie de ganado para la fiesta de carnívoros hambrientos en los salones de la bolsa de valores, números, billetes, dientes pelados.

—La fundación mítica de esta ciudad se hizo sobre la mierda de los puercos y las vacas —volvía literario Livio y agregó—: Ahí ves los fantasmas de ellas cagando muertas de miedo frente a ese punzón final. ¿No creés vos que a Borges se le puede oler la bosta entrelíneas? Hay un poco de caca por esos lados.

Y su carcajada reventaba ecos contra los silencios cuadrangulares del corral infinito y abría huecos por entre los palos de las cercas. Elipsio, también encaramado en un poste, por encima del nivel de las varas, bien abrigado con su chaqueta de cuero viejo y su bufanda de color perdido, contemplaba ese panorama de repetición de líneas en el plano enorme, mar de color amarillo, olas horizontales, detenidas, página en rayas que se alternan. Tomaba fotos a diestra y más siniestra soledad, vacío. Cuántos animales de esos de cuatro patas mugiendo, bramando, por años, décadas, y ahora el silencio de la tarde, anocheciendo, y la irreverencia de las carcajadas de Livio.

Pensar, entonces, en la última de las vacas, tal vez un toro, un ternero. El último mugido. Mú y sanseacabó.

—Tengo una vaca lechera —cantaba a voz en cuello cortado el mismo Livio, divirtiéndose entre la mugre de sus pensamientos y el intenso e imposible de describir, olor, miasma, vapor de infierno de este campo de concentración, atosigante, enervante. La "infinita podredumbre abandonada".

Ciudad de carniceros: Chicago, con el matadero más grande del mundo, ahora cerrado por fin, cancelado unos meses antes, la guillotina más grande del mundo, oxidándose al sol. Todo en competencia con el mundo, en este país que en arrogancia es el más grande del mundo, pensó Elipsio.

—No es una vaca cualquiera —se desgañitaba Livio.

Ese mediodía de invierno, con sol radiante de primavera, Livio había llegado con un pedazo de salchichón y un pan italiano y una botella de vino Gallo, "de lo peorcito, pero es lo único que pude encontrar en tu sabroso vecindario", al apartamento que Elipsio compartía con Okey Peterson, "el Iluminado". Era un apartamento oloroso a gas y ropa usada, madera vieja, platos nunca lavados, sábanas sucias, basura de días y hollín de tren. Estaba en la calle North Sheffield, antes de llegar a Armitage, y por detrás, casi en la ventana del cuarto de Elipsio, pasaba el EL, el tren de la ciudad, el metro con el estruendo más grande del mundo, también, sacando de sus quicios la cama como si estuviera haciendo el amor con los terremotos, y a la hora de mayor tráfico, entre las 6 y las 8, Elipsio encontraba el satori cuando la cama y toda la casa lo tiraban contra las paredes respondiendo al trepidar del tren, a los frenazos chirriantes en la estación adyacente, y por allí se defendía entre sueños y pesadillas.

Livio cortó el salchichón con un cuchillo que dejaba herrumbre como si fuera mantequilla sobre el pan y buscó en el refrigerador algo que pareciera mostaza pero sólo encontró un frasco de Tabasco y eso le echó, más sal y pimienta.

—Es malo eso de las cucarachas —dijo cuando vio una muerta entre los platos—. Comprate unas trampas que venden y las eliminan en un dos por tres.

Livio odiaba las cucarachas, quizás un problema de familia, pensó Elipsio, a él no le importaban tanto, además Taima, la gata, se las comía o las mataba con devoción matutina; eran peores las moscas: las moscas verdes del verano, que se quedaron remolonas ahora en el invierno, las moscas más grandes del mundo. Volvieron las hormigas.

—Sería lindo tener hormigas, pero por aquí no vienen ni porque les dejo azúcar por todos lados —dijo.

—Lo primero que se lleva la polución son las hormigas —dijo Livio con un pedazo de salchichón a medias entre los dientes.

—No, las mariposas. En ciudad de México ya no queda ni una.

—Solamente esa mariposa que es Octavio Paz —dijo Livio, venenoso.

—Deberías traerte unas hormigas grandes que sólo quedan en los parques, a ver si hago nido —dijo Elipsio.

Este era un tema peligroso con Livio porque hacía varios meses lo habían echado de su puesto en el Distrito de Parques, y ahora trabajaba en lo mismo pero como empleado fantasma, comerciando con las plantas, robando retoños y semillas, porque nadie sospechaba que ya no estaba empleado allí, y se presentaba en los invernaderos públicos como si fuera el más alto funcionario, y todo lo que podía lo sacaba en su carro Fiat, y a parar iba a un negocio que abrió instantáneamente con Okey Peterson, "el Iluminado", de modo que ahora contestó que no tenía tiempo para hormigas, imaginate, escarbando hormigas en los parques, con un palito, eso es lo que querés, qué te parece, me llevan al manicomio en tres patadas, y después a la cárcel, ladrón de hormigas, vos tenés tus ocurrencias, hermano, comete el salchichón que estás muy flaco, y Elipsio le dio una mordida a su sándwich.

Livio no paraba de caminar y escarbar por todos lados:

—Caramba, que este sitio tuyo si está bien podrido. ¿Qué es esa vaina allí debajo de la mesa, en el suelo?

—Los hongos del "Iluminado", ¿te acordás? Son venenosos, pero dice Okey que ahuyentan las moscas verdes.

Esta era una de las pocas veces que Livio venía de visita, y a esas horas. Luego de husmearlo todo se tiró sobre el viejo sillón de la sala con el vaso de vino.

—Kathleen está embarazada, o eso es lo que parece —dijo por lo bajo, sombrío.

Elipsio se quedó en silencio. Con Livio la vida no era una fiesta sino una joda, una mamadera de gallo en serio, peligrosa a veces.

—¿Qué vas a hacer? —le preguntó por fin.

—Yo no estoy para mocosos, hermano. Lo mío es tirar espermatozoides al vacío, al carajo, qué más da. Esa cosa de biberones y pañales me aterroriza. ¿Entendés? La maternidad aguevona a las mujeres, se vuelven unas pelotudas tiranas, la dictadura del matriarcado, olvidate.

—¿Vas a abortar? —preguntó Elipsio sin darse cuenta de la dirección de su pregunta. Livio se rio.

—Si fuera por mí mañana mismo, maestro. Es cosa de ella. Yo le digo lo que pienso. Además, ella está a punto de irse, creo. Me sospecho que anda con un médico del hospital. A lo mejor ya lo está dando hace rato y ese bebé no es mío.

—Yo no creo eso, hombre. Kathleen es una muchacha de una sola pieza, hasta luterana es.

Livio soltó una carcajada.

—¡Qué vaina, carajo!, vos sos a veces tan pan dulce que hasta cómico te volvés. Kathleen es un ángel gringo. No hay nada que hacer. Práctico y al bolsillo. Un ángel con cerebro de Coca-Cola, puras burbujitas.

—¿Y por qué crees que te está engañando?

—Porque ya hace un tiempito que anda por las mañanas con unos brinquitos de contenta por toda la casa, las toallas están siempre limpias y bien puestas en el baño y le da por cantar cuando cocina por las noches. Además anda a las buenas con Jeanette, ya lo viste en el bailoteo de fin de año, lo cual es lo más peligroso.

—La verdad que te volvés paranoide.

—No hombre, paranoide es el que cree en Dios. Yo soy ateo como mi abuelo el "Gran Niche".

De la botella quedaba poco y Elipsio había puesto un disco de Ray Charles.

—Ese carajo no tiene alma, hermano —dijo Livio—. Es puro ornamento dulzón, es un *mashmellow* negro, una gelatina de carbón, nomás.

La verdad era que Livio no andaba muy bien ese día.

—¿Vamos a salir siempre? —sugirió Elipsio.

—A eso vine, brother. ¿No dizque querés conocer el gran matadero del mundo? Lo acaban de cerrar luego de más de cien años, pero todavía está fresquito el olor a mierda, que es la distinción de esta ciudad, sabés.

Y allí estaban ahora los dos, solos, dos puntos mínimos en un espacio repetido *ad nauseum* de palos como cruces, paralelas, triángulos, cuadrados, rectángulos; Livio a las patadas de una vaca cualquiera, vuelto al inglés, imitando a John Wayne con su sombrero invisible, en un rodeo de sueños como fantasmas. Y Elipsio, gracias al vino y sus menjurjes, sintió que la vida real los abandonaba ese momento, que todos los embrollos de su agite diario desaparecían, y que como el cine que llevaban al parque del Barrio Obrero, en Cali su ciudad, la cámara de proyección se trababa y la película de su vida en Chicago hasta el momento volvía toda entera, como ese día que desembarcó en la ciudad y todas las cosas empezaron a deslizarse en imprevista y enrevesada dirección.

I

UNA RUEDA EN MEDIO DE UNA RUEDA

No basta imaginar el poder para comprender que lo que se esconde detrás de la máscara de esos edificios viejos, fachadas herrumbrosas castigadas por un remedo de estilos de prestada elegancia decimonónica, es la mano abierta con el ojo del dios del dinero en su centro, presta a cerrarse para atraparnos en los antros de la usura, la corrupción, el robo, la peste de las necesidades del cuerpo convertidas en valores de la bolsa, mientras nos vigila para que nunca podamos escapar.

Elipsio, caminando en su primera mañana de Chicago por la calle North Wells que lo llevaba al centro, pensaba en esto, en Ezra Pound, y en la distancia que a cada uno de sus pasos se acumulaba con respecto a esos rostros encendidos por el fragor de la máquina, lámparas votivas apareciendo y desapareciendo entre puertas y corredores y calles y avenidas, más en sus carros, su ruido interno vomitando un silencio lamido por el orden y la compostura: los seres adentro de la ciudad, y él afuera desde ya, aunque pisara el mismo cemento, tocara las mismas piedras artificiales, el mismo mármol plástico, y respirara ese aire común del hollín y la gasolina con plomo. Todavía no sentía el horror de no poder tirar

una palabra por horas, días, sin que sonara como
el alarido de un loco en los pasillos de un hospital
(eso vendría después), pero ya comía las primeras
papas fritas de la soledad con un perro caliente
atravesado en condimentos, allí en el cruce de las
calles Arcade y North Clinton donde reinaba imperial un MacDonald's.

Zarandeado por un rodar de autobuses y un pedir
a dedo quien se acomediera a llevarlo otro tramo, y
de milla en milla, noches contra los puentes, días en
las estaciones de servicio, tardes de lluvia en un alero abandonado, cayó por fin la noche anterior en la
estación mugrosa del centro de Chicago en un autobús de la Greyhound, y con su mochila y un mapa
de la triple A, buscó en las sombras y las luces de
esa noche, húmeda, y a pie, por horas, el apartamento del amigo de un amigo que tenía otro amigo,
"el Iluminado" Peterson.

La abundante y aburridora inmensidad de este
país fue su trajín desde que salió de Dover, un
pueblo mediano en Delaware, cerca del mar, donde su hermano Francisco, luego de un peregrinar
por másters y postgrados en las universidades de
Pittsburgh y Filadelfia, había encontrado puesto
como profesor de una matemática multidimensional
y a más explicaciones más incomprensible para
Elipsio. Y allí vivía encaramado en las delicias y
tormentos de tres hijos y una mujer buena aunque
luterana y calvinista, MaryJo, con sus bellos bucles rubios preparando entre flores y mejorana y
fresas domesticadas, unos incomibles pasteles y

pavos y salsas para entretener paladares insípidos, monogámicos, asexuados: Elipsio se estremeció esa primera mañana de Chicago, ahora, recordando frente a las repelencias hambrientas del perro caliente, las combinaciones de dulce y salado que MaryJo se empeñaba en bendecir con un silencio respetuoso, aunque bautistoso en el fondo, por lo que quedaba de catolicismo en Francisco y Elipsio, y que ella no sabía distinguir del ateísmo devorante y maldiciente que llevaban por dentro, ateísmo que se aliaba perfectamente con las bondades sacrosantas de una empanada de carne o un tamal de carne de puerco.

Los padres de Elipsio, quienes emigraron a USA con Francisco, no pudieron resistir más esa mezcla de pudines y televisión en inglés y se regresaron a su ciudad nativa, Cali, la cual había sido arrasada por un terremoto hacía un par de años, y también con la esperanza que no muere de encontrar a Elipsio, desaparecido en ese entonces en las entrañas del ejército señor de los ejércitos, el poder militar, sin saber que éste, el mismo día del terremoto, se había escapado de la cárcel donde estuvo por un buen tiempo, y buscado refugio en los lodazales de Buenaventura, el puerto en el Pacífico, y que allí entre negras buenas como miel y leche y marineros reblandecidos por el alcohol y el sexo, esperó paciente hasta que se pudo agenciar un puesto de grumete en un barco de la marina mercante, y a Centroamérica fue a dar, huyendo sin pasaporte hasta el hallazgo de una banda de narcotraficantes que "Ratoncito" Pérez, su amigo de tiempo atrás en la cárcel de Villanueva, había inaugurado en Costa Rica para lavar dólares y bellas chicas en las playas, y "Ratoncito" le consiguió en instantes de buen comer y beber un pasaporte perfecto, "es mejor que los buenos, hermano", y gratis, "por los buenos tiempos". El pasaporte estaba engalanado con una impecable visa de turista norteamericana: "Ya los gringos no nos paran, brother, con ésta nos los comemos fritos", y "Ratoncito" metía la mano en una lata inmensa de manteca llena de cocaína y la sacaba blanca, como de novia, y así eran las carcajadas.

En Nueva York, por las prisas de Queen's, le dieron a Elipsio los datos de cómo encontrar a su hermano. Y en Dover, luego del abrazo de Francisco, echando chispas de felicidad y de la sonrisa nerviosa, cuasiprotestante de MaryJo, por fin pudo oír al teléfono la voz de su madre y el vozarrón de su padre, pidiéndole entre los llantos que se regresara a Colombia o que buscara trabajo, que ya estaba bueno eso de ir de un lado a otro, que todos lo daban por muerto, estamos reconstruyendo la casa o lo que quedó del terremoto, misía Mercedes le mandaba su bendición, en los ochenta arriba, me voy a quedar un poco más de tiempo aquí y luego decido, yo los quiero mucho también, MaryJo pensaba en lo largo de la larga distancia y en las entrañas de la ITT, y entonces Francisco dijo adiós, vente a tomar un wisky al porche, cuánto tiempo te vas a quedar, para dónde vas, no mucho, lo suficiente para hacer un poco de dinero escribiendo para unos periódicos, Chicago.

Esa primera mañana de Chicago tenía una sola dirección y la llevaba en el bolsillo, y la consultaba a cada momento para seguirla con el dedo en el mapa, deteniéndose, sabiendo que estos paréntesis eran trucos para ocultar la desazón por dentro, ese no saber cuál era la primera palabra, si había palabra. Le preocupaba que la dirección lo llevara cada vez más cerca del centro de la ciudad, donde sólo habita el poder. Estaba escrita en un papel arrugado que le pasó en un bar de Soho el pintor Alejandro Velázquez, corroncho con una pata adentro de las buenas galerías y amigo de Efialtes, el más misterioso de todos los "camisarroja", sus amigos en las bandas literarias de su ciudad. Los dos vivían juntos en el secreto a voces de la mariconería del Village. Velázquez le pasó el papel, de pintor:

—Es lo último que sé —dijo.

El nombre estaba escrito en letras grandes, buenas mayúsculas: LAMIA, se leía. Ella, la misma, su letra, y luego un cruce de números y calles, preciso.

Fácil enredarse en los nortes y sures, estes y oestes del laberinto cotidiano de calles y avenidas, pensaba escudriñando entre avisos y graffitis los números que buscaba. Y allí estaba ella, abriendo la puerta, se mirarían, casi un te estaba esperando, el abrazo, quizás un beso, difícil, casi un llanto, estás vivo, no he leído tu carta, te la dejé con el mago Malhechor, diría ella, sí, aquí la tengo, en el bolsillo, allí ha estado todo este tiempo que nos separa, pero no puedo leerla, tengo miedo que me odies por lo pasado, que me pidas nunca volver a verte, no buscarte, perderme. Se detuvo.

Sudaba y el corazón salía corriendo por entre la camisa mojada. Reflejado en el vidrio oscuro de una vitrina de acordeones se vio viejo, gastado, ajado, aunque para todos todavía era un hombre joven, demasiado joven, eres un mocoso, le dijo Velázquez, el corroncho viperino, 26 el otro día. Nadie dijo ese feliz cumpleaños nauseabundo en inglés. Sudaba y se recostó en un poste enmarañado de avisos. La sangre en la cabeza, como un mareo. Le dolía pensar.

Vio en el papel que el número era correcto y la calle también. Allí estaban juntos en un viejo edificio y sucio en la avenida Gladys. Cerca del centro, entre el boulevard Jackson y la autopista Eisenhower: el poder y la mugre. La puerta de hierro plegable se abrió chirriando y maldiciendo, Elipsio. La sombra de un par de niños o algo como eso, animal, flotó por una de las paredes de pintura espesa, verdosa, en el claroscuro de un pasillo y unas gradas y un ascensor, irreparable, y un olor extraño desde su hueco: polvo usado, congelado.

La dirección decía apartamento 7 y timbró en un panel con números. Ninguna respuesta. Habría que esperar. Timbró de nuevo. Silencio, pero desde las sombras movedizas vino una voz que dijo:

—¡Aquí no vive nadie, carajo!

Pero era en un inglés imposible y Elipsio no entendió nada.

—*Excuse me, sorry* —dijo y se oyó el cerrarse de una puerta.

Subió por las gradas y reparó que estaban vestidas con una alfombra gastada y sucia, con vestigios Pompadour en rojo y verde. En el segundo piso los apartamentos 3 y 4; en el tercero, 5 y 6. Era como para comprar lotería, pero no había 7 ni otro piso visible. "Debe ser la terraza", pensó esperanzado. Buscó de nuevo en las puertas 5 y 6, y al acostumbrarse a la oscuridad vio dos puertas más, sin número. Abrió una y un vapor infernal lo tiró contra la pared opuesta. Era un clóset de basuras y trapos sucios. Monstruos abría. La otra puerta daba a una escalera pequeña, como de incendios, aunque las escaleras de incendios no estaban dentro de estos viejos edificios. Subió por ella hasta que se encontró con otra puerta donde alguien había escrito 7 casi como dibujando una esvástica. Tocó suave, fuerte, tocó con furia y la puerta se abrió sola y adentro un humo espeso, incienso, sahumerio, yerbas, y entre algodones una voz de mujer que dijo en español, como sabiéndolo todo:

—Aquí no hay nadie, si eso es lo que buscas.

Y no era la voz de ella, su acento paisa tan adorable: era algo duro, metálico, extrañamente antillano.

—Busco a una muchacha llamada Lamia —dijo él, simple, como si estuviera en la oficina de un banco.

—Ya los nombres se fueron y no los repetimos
—dijo la voz, acerada ahora, cortante.

—En Nueva York me dijeron que aquí la podía
buscar.

Silencio y más humo. Elipsio no había pasado el
vano de la puerta y era como si estuviera en el centro de un antiguo infierno, tosiendo, atrancándose
entre las palabras y las ideas. Como pudo dijo:

—Se llama La-mi-a —espaciando el nombre al recuerdo de tantas veces en la calle, en la cárcel, en el
mar, esperándola, deseándola.

—La-mi-a —repitió la voz y soltó una carcajada de
gallina enferma o clueca, lo mismo.

Elipsio se estremeció. No le gustaban esos antros
de trabados y alucinados. Era algo malo lo que presentía por dentro. Sin embargo, con una cierta rabia
y arriesgándose dio varios pasos hasta que estuvo
en medio del aposento y pudo ver mejor, por entre
el humo y ciertas luces y velas, las diversas cortinas
negras y azules que colgaban del techo y las máscaras pendientes como seres ahorcados en las guerras
de independencia. Y entre esos rostros el rostro que
abrió una boca para decir sin que él preguntara nada:

—Ya no hay cuerpos entre estos cuerpos, sólo mi
cuerpo entre los cuerpos.

"Quién sabe de dónde saca esta güevona esos versos malos", pensó, pero conteniéndose dijo:

—Lamia. Una muchacha llamada Lamia. Colombiana. ¿No vive aquí? —al final alzando la voz.

—Lamia está en el Ática —dijo la otra voz, burlona,
inteligente.

Y allí sintió Elipsio la rabia de las rabias, ese zarpazo contra las telas negras, ese golpear las bamboleantes máscaras, y a tantos y tientas buscó el interruptor de la luz y al humo espeso opuso un estallido de neón barato que lo sorprendió, descubriendo entre cojines, en un rincón, pegada a su rostro abierto, una mujer exangüe, de trapos sucios y chillantes colores, fumando en un arguil, y a su lado un hombre joven, de pelo amarillo, pálido y barbado, como muerto.

—Lamia —dijo Elipsio, violento.

Y la mujer respondió desde sus ojos negros:

—No tengo respuestas, si esa es la pregunta.

Entonces Elipsio la levantó desde sus mechas, desde sus trenzas, y la empujó con violencia contra una pared al fondo, una pluma era, y le gritó a los ojos, a la boca:

—¡Dónde está Lamia, carajo, me lo dices ya o le pongo candela a toda esta mierda!

Y entre el miedo, el terror, lo primero veraz en el juego de las voces, la mujer dijo:

—Se fue hace meses con la gente del azar fortuito. Nada más sé.

—¿Cómo así, quiénes son los del azar fortuito?

—Yo no sé nada, ¡auxilio! —gritó ella, espeluznada, espeluznante.

Y Elipsio salió dando tumbos, corriendo, comprendiendo que el humo lo intoxicaba. Asustado en lo más por la rabia que vomitaba con su frustración. Se tiró gradas abajo y salió a la calle. Por detrás una voz:

—Aquí no vive nadie.

Y aunque esta vez era en español, Elipsio tampoco comprendió nada.

La noche de su llegada, apenas Elipsio dejó la mochila sobre el piso de madera y sintió de frente el golpe del tufo del gas, "el Iluminado" Peterson, envuelto en una bata amarilla harapienta que hacía juego con su pelambre de maíz noruego, le dijo:

—Qué bueno que por aquí andas, hermano, ya te esperaba desde hace días. Esta es tu casa, toda tuya, ¿entiendes? Lindo viaje, ¿eh? Horribles las planicies de Ohio, pero Indiana es peor, y este Illinois es feo con ganas, ¿cierto? Mira, allí en ese cuarto hay una cama, sabes, era mi cama matrimonial pero mi mujer se fue, mejor dicho nos dimos la mano y adiós, aunque por aquí se aparece de vez en cuando, todavía dejó un montón de basura. Yo vivo más en casa de mi nueva novia, pero conservo este cuarto. Así que compartimos el pago, y si no tienes nomás me dices y yo me encargo, no te hagas problemas. Es todo tuyo, pon tus cosas en donde te dé la gana. Lo siento pero vendré sólo de vez en cuando; estoy encoñado con una muchacha de la universidad, una filósofa kierkegardiana, caliente como una gata en el tejado, qué nota, sabes. Trae a quien te parezca, no hay restricciones, entiendes, hay que ser libres.

Y así iba su discurso abriendo cervezas Budweiser y pitando cigarrillos Kool uno detrás de otro, imparable, en un inglés que se bamboleaba entre las buenas consonantes de la escuela de teología de la Universidad de Chicago y el arrastre vocálico y los tics verbales a tono con esos días lentos y suaves.

Peterson había encontrado en la escuela de las divinidades la mejor manera de camuflarse para escapar de la conscripción y, por ende, la guerra en Vietnam. Servidor de Lutero y sus secuaces, más por utilidad que por convicción, pastoreaba biblias y evangelios por los pasillos de la universidad, incrédulo creyente, opositor de conciencia de una guerra que desde el Asia traía su música diaria en televisores y periódicos. A Elipsio le repugnaba todo este zafarrancho político y hacía todo lo posible por no prestarle atención a las estadísticas de la muerte, precisas y malolientes en este país de estadísticas por doquier, "está bueno que se maten de vez en cuando un buen montón", malpensaba rabioso, aunque la perspectiva de que los vietnamitas le dieran un buen coscorrón a los gringos le parecía interesante.

Era la guerra la música de fondo de esos días: *muzak*. Cuando se cierran los ojos el horror de las batallas empieza a flotar por todos lados y un culebreo de quejidos, gritos, miembros sin cuerpos, y muertos en pilas, y pilas de municiones explotando como si se celebrara el día de independencia de la vida, todo esto aparece como relámpagos de ametralladoras por los párpados; pero cuando se abren, las calles, los edificios, el vestido largo de las mujeres, los muchachos encaramados en

los techos bebiendo cerveza, el humo de la yerba,
la retozadera de los niños en los jardines, los bluejeans de las muchachas sentadas en los vanos de
las puertas leyendo a Silvia Plath, pintan un cuadro
que es el empaque perfecto de la seguridad, el bien-
estar, de la caricia dulce del dinero, y entonces la
música de centro comercial que es la guerra desaparece detrás de esos rostros de la paz: dos dedos
se levantan abiertos en la mano derecha convirtiendo en V el cielo y el sol.

"El Iluminado" le señaló a Elipsio su flamante cuarto, al lado de la cocina. Nada extraordinario, sólo
una ventana grande y negra al fondo.

—Por allí pasa el tren —dijo.

Elipsio se asomó y entre las luces de un farol pudo
ver los rieles y los palos y la armazón que ponía al
tren exactamente al lado de la ventana.

—Hay un poco de ruido en la mañana, pero ya te
acostumbrarás.

Elipsio no sabía de la explosión que lo esperaba
como despertador de sus sueños en Chicago.

Fue en *Wise Fools* Pub donde Elipsio se encontró
por primera vez con Livio Contreras, y todo por una
hermosa china llamada Sheng Hung. Exploraba Elipsio
a paso de solitario la avenida Lincoln, esa catedral salvaje de la noche con sus bares, cafés, librerías, chucherías, incienso y telas de la India, elefantes bordados
con cuentas y espejitos de Paquistán, teatros orgánicos
e inorgánicos, en un caminar de arriba abajo, el tren

chirriando al fondo de los saxofones, las baterías y el
retumbar del *rock* o el *blues*, las guitarras en la mano,
en la espalda, jóvenes de todo pelo, tatuados en flores los vestidos, esgrimiendo una sonrisa como respuesta perfecta a esa unión de nada y angustia
envolvente, y Elipsio solo, sintiendo el frío de la piedra y el calor de la madera en los edificios; el descifrar
lento o imposible de la montonera de avisos, dando y
repitiendo órdenes, consejos, sugerencias, multas, horas sí, horas no, ofreciendo paraísos, atrayendo, repe-
liendo, no traspasar, abierto, propiedad privada, y la
calle larga y su pavimento y sus andenes como espejos de los espejos de las puertas de luces reflejadas,
desvariando en un juego multicolor amparado por la
grisosa oscuridad del cielo. Y allí, en medio de una
cuadra, a la altura de la calle Wrightwood, vio el letrero no muy elegante, simple, en letras rojas, *Wise Fools*,
así como se lo había recomendado para la tristeza "el
Iluminado" Peterson.

La música era protónica en manos y boca de Mighty
Joe Jones, quien no era el gorila de la célebre película del 40, sino uno de los mejores cantantes y gui-
tarristas de *blues* al norte de Chicago, levantando
sonidos como plantas que salen de un río turbulento, o caen sobre el piso, inundándolo, corriendo por
las paredes hasta volverse parte del cuerpo que es
uno y lo agita a punta de darle a los martillos de las
terminaciones nerviosas.

Elipsio estaba lejos de entender a cabalidad el
significado exacto de los aullidos de Mighty Joe
Jones y, sin embargo, no podía despegar los ojos

de ese ir de guitarra a sonido que lo envolvía. A sus espaldas esperaba impaciente la cerveza que pidió al entrar.

Y así se quedó hasta que Mighty Joe Jones dijo un ya volvemos entre la alharaca de su risa y el nombre de sus compañeros en el grupo, *The touch of souls,* y los aplausos y los silbidos de cuanta cabeza se movía por esos lados. Elipsio buscó ahora sí su cerveza, pero al darse vuelta, torpemente, derramó con el codo parte de la cerveza de la china Sheng Hung, y nunca se sintió tan mal y tan imbécil y ofreció mil excusas, su rostro un cristo pobre y harapiento, y mientras ella reía y se sacudía la espuma, él buscaba mejores palabras que vinieran entendibles en un inglés de vidrios rotos y olor a cebada, ella reía más, y él movía la cabeza, sin saber dónde ponerla ni sus manos, entonces ella dijo:

—No hay problema, nada, nada.

Y Elipsio por fin la miró y vio su hermoso rostro de luna entre sus ojos como líneas y una sonrisa hecha para mejorar el lienzo.

—Gracias, perdone usted —dijo asumiendo, sin darse cuenta, como normal el hecho de que ella le hubiera hablado en español.

Ella sonrió de nuevo, viéndolo ahora doblemente sorprendido.

—Es nada, nada —repetía. Ese era todo su español.

Elipsio vio entonces que estaba acompañada de una pareja que también reía: eran Livio Contreras y su mujer, Kathleen.

—¿De dónde sos vos? —preguntó Livio.

—De Colombia, pero eso no importa —dijo Elipsio, recuperándose.

—Yo también —siguió Livio, y agregó riéndose—. Eso importa menos.

Esa noche esperaron a que Mighty Joe Jones se desgañitara completamente antes de salir por un último trago en *Ratzos,* arribita, en la misma Lincoln Avenue.

Livio Contreras se había metido en las tripas de Chicago, utilizando como instrumentos de guerra un título universitario de botánico, horticultor, y un inglés que mejoraba las comas de Saul Bellow, para decirlo en sus palabras. Y así se ganaba la vida (incluso después de que lo botaron del Distrito de Parques) para olvidar sus coqueteos con la literatura:

—Casi me da por esa pendejada, hermano, imagínate como estaría. Recogiendo florecitas para tirárselas a los policías, contando las historias de mi padre, pensando que tengo que hacer carrera de poeta, ¡qué aburrimiento, carajo! Yo lo único que hago son palotes, como le dio por hacer al loco divino de Artaud.

Sin embargo, su amplia cultura rumiada en la soledad en español de sus días de Chicago lo traicionaba, a cada paso algo del mundo de la literatura o del arte se le venía a la boca como chicle traicionero:

—Al Neruda ese los dioses del Olimpo deberían haberlo convertido en una papa o una berenjena, ¿no creés? Ahí sí se queda bien elemental el carajo, como debe ser —decía sabiéndose malo, gozándose irresponsable por sus palabras y opiniones.

Leía a cuanto escritor saliera al mercado, le recomendaran o anunciara el *New York Times,* el *New York Review of Books, Evergreen,* pero hablaba mal de todos:

—Te aseguro que el Ginsberg usa desodorante y se lava todas las patas por las noches para evitar los sabañones, como cualquier vieja gorda de Manhattan. Y el Evtushenko ese... chupatintas-chupamedias.

La lista no dejaba uno por fuera, lo cual deleitaba a Elipsio, quien de vez en cuando se contagiaba y contribuía a la quemazón con buenos epítetos rebuscados.

Pero Sheng Hung era otra cosa. Provocaba escribirle haikús con tinta china y pincel o llamar inmediatamente a Li Po para que trajera el vino y celebrar. Elipsio, turulato por su belleza y la torpeza de él combinadas, y luego de probar que el español de ella no iba más allá de nada, nada, empezó a hablarle en un inglés inspirado en el *Practice your English* de la secundaria, suficiente para saber que había nacido en Chicago, nunca estuvo en la China, Mao Tsé-Tung es un imbécil (Elipsio no estuvo de acuerdo aunque le hubiera gustado decir que era una mierda), estoy enamorada de Chicago (¿y de quién más?, se preguntó Elipsio otra vez en silencio), se rieron y dijo que trabajaba con Kathleen como enfermera en un hospital, qué interesante ser escritor, radiología, ¿radioactiva?, sí, soy una mujer radioactiva, risas, cuando todo está oscuro echo luces por todos lados (desnuda, iluminando, luna roja: Elipsio). Ella reía mucho, siempre reía, hasta que salieron de

Ratzos. Pero él no dijo la verdad de su verdad, que en Chicago estaba para buscar a Lamia, la sonrisa de los días de Cali, su pelo entre las manos, entre sus aventuras literarias con los "camisarroja", esos furibundos poetas y artistas entre los cuales estaba Efialtes, el más misterioso de todos, el que le mandó con Velázquez la dirección que lo había encaramado en el humero de la bruja lánguida y budista de porquería, sintió de nuevo esa rabia, pero allí estaba a su lado, caminando, Sheng Hung hecha de bambú, cimbreando. Le contó sólo la parte simple, que escribía artículos para un periódico y una revista de Caracas, y que estar allí era motivo para escribir un libro, sobre los *blues,* pero no sabía cómo.

Llegaban al carro de Livio cuando ella lo miró fijamente y le dijo que todo era muy interesante, y Elipsio sintió por fin algo tibio por dentro, algo que no había sentido desde hacía mucho tiempo, como si se hubiera quebrado un poco la cáscara de la soledad que lo acompañaba como sombra. Livio, que terminaba una perorata contra García Márquez y sus inventos de caperucitas volando preñadas en copos de nieve ascendente y en el trópico, ¿te imaginás?, agregó como despedida:

—Llamá para vernos, aquí está mi tarjeta con el teléfono, ¿jugás ajedrez?

Entonces ella, Sheng Hung, le puso a Elipsio una flor como mano en la mano y volvió a sonreir, tal vez recordando la noche, tal vez no.

No era fácil desenredar el acertijo de la sacerdotisa de la calle Gladys. Los del azar fortuito bien podían ser algunos oscuros jugadores a la bolsa, los
caballos o a las cartas marcadas, o tal vez el nombre
de algún antro o café o cosa parecida en los metederos de puertorriqueños o chicanos, o el nombre de
alguna de las bandas juveniles que azotaban esos
mismos sectores; así que buscó por todos lados y
parajes algo que coincidiera con esta definición, el
nombre de un caballo, una compañía o corporación,
en los periódicos, en los graffitis, caminando sin rumbo fijo, tal vez esperando que el mismo azar fortuito lo llevara en la dirección correcta. Estaba en éstas
cuando se decidió llamar a Livio Contreras y éste
de inmediato lo invitó a cenar a su casa, qué bueno
que llamaste, le diré también a Sheng Hung quien
quedó encantada contigo a pesar de que la dejaste
oliendo a lúpulo, el viernes, en mi apartamento,
North Clark, y allí se le ocurrió a Elipsio preguntarle sobre el azar fortuito, pero sin soltar palabra sobre su aventura de búsqueda.

—¿El azar fortuito? Pues el surrealismo, hermano,
Breton.

—Sí, yo sé. Pero algo más, otra cosa —dijo Elipsio.

—Pues encontrarnos en el *Wise Fouls*. Qué te parece, dos colombianos que se interesan por las mismas cosas, en esta ciudad de millones de gentes. El
azar fortuito es una güevonada frente a eso.

Elipsio, divertido, insistió sin embargo:

—Alguien me dijo que había un grupo o asociación de gentes que se llamaba así.

—Nada, de eso yo no sé nada, un carajo, el azar fortuito es el azar fortuito, pero si quieres saber más allí en la calle North Wells, abajo de Lincoln, los surrealistas de Chicago tienen una librería, y se conocen toda esa cartilla aburridora de los manifiestos. Son unos pendejos. Ortodoxos y comunistas. Más güevones no pueden ser, imaginate, dándole a la matraca de los dictados del inconsciente a estas alturas.

Ya desde el nombre, Gradiva, la librería en North Wells se desgañitaba por encontrar ecos surrealistas por todos sus ángulos, lo mismo un estante giratorio en la puerta adornado con postales y estampillas de Max Ernst y Ludwig Seller, que algunos homenajes altisonantes a la belleza convulsiva o a la revolución del mundo entero con fotos sacrosantas del Che Guevara en camisetas o muchachas desnudas retorciéndose de Magritte a Dalí, a destiempo lo sensual de sus siluetas y el espanto de huecos por doquier, colgantes con ojos de indios y atrapa-sueños de Taos o las montañas de Utah, un sombrero de copa floreciendo con amapolas y cannabis de plástico pidiendo la legalización de la yerba, y al traspasar el umbral el sonido de un reloj sin manecillas, a la Man Ray, con una música que sólo podría entender Breton: tres gongs y un aullido sordo, imposible. Adentro, entre anaqueles repletos de libros, otro aviso grande con las sañas, hazañas y señas del conde Lautréamont, la máquina de coser, el paraguas y como mesa de disección una tabla sobre ladrillos rojos, todo esto entreverado en candelabros y cucharas espejeantes y retorcidas, y un zapato de tacones de mujer clavado en una pared como homenaje a Jarry.

Y entre este barullo un escritorio pequeño con caja registradora que sonaba a John Cage al abrirse y cerrarse, y sentada allí una princesa lánguida que soltaba dedos al hablar como si estuviera elaborando arabescos al aire.

—¿Qué se le ofrece? —fue dulce como los olores a madera vieja y libros húmedos.

Ahora Elipsio tenía miedo de hacer preguntas directas y dijo que buscaba algo del marqués de Sade, aunque inmediatamente se arrepintió al ver que a ella le entraba un cosquilleo por su piel tan blanca como una noche perversa en La Bastilla, entre bombones y prostitutas. Dijo que sólo tenían el diálogo entre un sacerdote y el moribundo, pero que pronto llegaría un nuevo lote de Justinas y Julietas y filosofías en la alcoba. Elipsio dijo gracias, ése lo tengo, voy a echar un vistazo a los libros, ¿los objetos también se venden?, no, son de la casa, sólo los libros y las camisetas y los afiches, gracias.

Todo el material de lectura era magnífico pero previsible. Elipsio escogió un ejemplar de la revista del colegio de patafísica dedicado a Dubuffet y lo compró junto a un ejemplar de *Living blues*, con foto de Robert Nighthawk, el guitarrista de la *bottleneck guitar* que Elipsio conocía por la película de Shea sobre Maxwell Street, la cual había visto con gran despliegue en la cinemateca de la Universidad de Nueva York, en el Village. *Living blues* era magnífica para guiarse por el laberinto de clubes, cafés y bares donde imperaban los *blues* por el barrio negro o el centro de la ciudad.

Pero a éstas daba vueltas y revueltas por los estrechos pasillos de la pequeña librería sin atreverse a preguntar algo que lo llevara a empezar a desentrañar el enigma del azar fortuito, si de casualidad era ese el sitio indicado para hacerlo. Por debajo de sus pestañas grandes y ojos azules la muchacha de la caja lo miraba ir y venir, hasta que Elipsio, haciendo un esfuerzo para vencer el nerviosismo que lo acompañaba siempre y ahora más, se le acercó:

—Me podría decir usted, ¿cómo puedo hacer para hablar con los integrantes del grupo surrealista aquí en Chicago?

La pregunta, incluso en su inglés de pocas consonantes, sonó fofa y falsa como si fuera un examen oral en el bachillerato.

—Debería regresar cuando esté el dueño, Isidor Nesgoda, él sabe eso. Yo no sé mucho. Vuelva otro día —dijo ella, y rápidamente empezó a mirar entre papeles señalando el fin de la conversación.

—¿Cuándo viene él? —Elipsio no se iba a dar por vencido tan fácil.

—Por las tardes, pero hoy no, tal vez mañana.

Era temprano en la tarde y Elipsio decidió ir por una sopa de fideos y una hamburguesa en un restaurante que estaba en la intersección de Lincoln, Halsted y Belden, *John Barleycorn* el nombre del sitio. La revista de patafísica era una joya, pero la otra estaba más a tono con sus búsquedas inmediatas y un artículo sobre los *blues* y el surrealismo lo entretuvo mientras aparecía la comida a manos de una rebosante mesera en carne convertida.

—¿Todo bien? —preguntó ella.

—Sí, gracias —dijo él levantando la mirada hacia la sonrisa amable. Pero atrás, a la espalda de ella, más allá de sus bucles amarillos, Elipsio se encontró con el rostro entre trenzas inconfundible de la medusa de los acertijos de la calle Gladys. Engalanada en miles de collares, zarcillos y de boca muy abierta con un pedazo de pan integral en la mano, hablaba a pulmón quitado con una cabeza masculina de pelos largos y bulto enorme.

Elipsio casi no pudo deglutir la hamburguesa de lo excitado que estaba y no podía quitarle los ojos de encima aunque no sentía muchas ganas de acercársele. A lo mejor decidía tomar revancha por el remezón del otro día utilizando la fuerza bruta del gigante verde que la acompañaba, y por otro lado presentía que nada conseguiría, tal vez se aumentarían los acertijos, más confusión, más rabia, no valía la pena. Era cuestión de no perderla de vista por lo pronto. Mirando a los lados del bar-restaurante pudo ver una memorabilia de viajes en miniaturas de barcos a vela por las paredes o encima de los estantes. Ir a todas partes, verlo todo, la consigna de John Barleycorn. Jack London y sus "Memorias alcohólicas", y recordó sus borracheras de lecturas en la Biblioteca Departamental de Cali, en la Avenida Sexta. Lamia trabajaría por esos lados. La vez que hicieron el amor entre los yaibíes.

Pagó su cuenta y esperó entreverado en el resto de una cerveza Michelob. La sacerdotisa se tomó su tiempo pero al fin se levantó para irse y Elipsio hizo la prueba de mirarla fijamente para ver si lo reconocía cuando ella pasó por su lado, pero no, los ojos le bailaron en las órbitas sin reconocerlo. Elipsio esperó hasta verlos salir y los siguió de inmediato.

Caminaron hablando con la misma intensidad que lo hacían en la cafetería hasta que llegaron a la estación del tren, en Fullerton. El hombre se despidió dándole un par de besos y ella subió las escalas y compró un tique. Elipsio hizo lo mismo sin permitir que lo viera y esperó el tren camuflado por un poste con afiches. Ya dentro del tren, de la línea marrón, que iba en dirección al norte de la ciudad, ella se sentó y empezó a mirar hacia todos lados, como presintiendo que alguien la seguía. Elipsio, a la distancia, se metió de fondo en sus revistas y sólo se permitía echarle un vistazo de vez en cuando. Se bajó en la estación que está en el cruce de Southport y Roscoe, y Elipsio hizo lo mismo aunque ahora la seguía dándole más tiempo para alejarse. Ya en la calle ella se detuvo un par de veces para mirar a sus espaldas y Elipsio tuvo que brincar a un alero. Luego de dos o tres cuadras, al norte de Southport, se paró en una casa, sacó llaves de la cartera y entró.

Era uno de esos edificios que hacen tan distinta a Chicago, victorianos, de ladrillos rojizos, incrustaciones de mosaicos blancos como adornos mozárabes,

barandas bien labradas en la escalera de entrada, y
puertas grandes con vidrios a lo alto. Todo mezcla-
do para disolver la belleza en lo inusitado. Elipsio
anotó bien la dirección y dio una vuelta a la manzana, entró en un pequeño mercado de vegetales,
pero por más que trató de esperar nada pasó. Nadie más entró al edificio ni se abrió de nuevo la
puerta para que alguien saliera. Cansado pensó que
era mejor regresar otro día, aunque bien sabía que
había un para qué enredado en sus cavilaciones.
Sin embargo, y todavía picado por esa curiosidad
barroca que ata cabos y enhebra complicaciones,
decidió pasar de nuevo por frente del edificio, mirarlo con detenimiento. Y así estaba, como recogiendo basurita con los ojos en el suelo y arrastrando
los pies, cuando vio un carro detenerse en la puerta y dos hombres bajaron y entraron con presteza.
Al cabo de media hora vio Elipsio cerca de 10 personas, entre hombres y mujeres, de diferentes eda-
des aunque jóvenes la mayoría, entrar al edificio.
Algo extraño, indefinible, los marcaba agrupados
en una misma dirección.

Ese viernes Livio Contreras estaba del mejor humor posible, pavoneándose en un kimono imperial,
y ya se había rumbeado varios escoceses cuando
llegó Elipsio.

—Y qué mi socio, y qué mi hermano, qué pasa
que no te veo hace como cinco años —cantaba con
Daniel Santos a buen grito matancero.

Su apartamento, por los lados de North Clark, cerca al lago y al garaje de la matanza alcapónica del día de San Valentín, estaba compuesto según los dictados de la moda zen, incluso con un pequeño jardín de rocas y arena en el balcón. La etiqueta oriental que Livio adoptaba pedía quitarse los zapatos al entrar y Elipsio se sintió molesto porque no eran muchas las veces al mes que se cambiaba las medias. Sin embargo no le quedó otra que hacerlo, tratando eso sí de poner los zapatos bocabajo para evitar en algo que el miasma no saliera directo sobre el apartamento. Livio, entre gestos suaves a tono, debió sentir el golpe contra su olfato porque entre "el sake lo tomamos en la comida, por ahora tengo escocés, bourbon o cerveza, vos decís, tequila también", abrió otra de las ventanas del comedor. Kathleen, su mujer, estaba en camino con Sheng Hung y otra amiga de los dos.

—¿Jugamos ping-pong al ajedrez? —le preguntó Livio con los tragos en la mano. No había esperado la respuesta de Elipsio y le trajo un escocés con hielo.

—Perfecto —dijo Elipsio, comprendiendo que Livio tenía un buen poder adivinatorio.

Livio era bueno para el ajedrez y a Elipsio le costó trabajo ganarle dos partidas de las cinco que jugaron antes de que llegaran Kathleen y sus amigas.

Sheng Hung llevaba un vestido largo a flores que le bailaba por el cuerpo en permanente caricia. "Sus pies diminutos deben oler a rosas", pensó Elipsio cuando la vio quitarse los zapatos, los cuales dejó muy cerca de los suyos. Elipsio seguía embarazosamente consciente de los vapores mefíticos que venían desde sus medias. Sentados todos sobre la alfombra, ahora, alrededor de una mesa que distaba escasos centímetros del suelo, apoyados sobre cojines, reían de las alusiones de Livio a la noche del encuentro con Elipsio.

—Por eso no le serví cerveza, tiene malos hábitos mi compatriota —decía entre las risas.

Elipsio había adoptado una postura de extrema flor de loto sentándose sobre sus pies, mejor dicho, sobre el olor de sus medias.

La nueva amiga se llamaba Janet o Janette, Elipsio no entendió bien pero por asociación pensó en Jean Genet, el santo diabólico de la literatura francesa, y quien había pasado por Chicago durante los sucesos del 68.

—Ah, ese gordo marica —dijo Livio—. Yo lo fui a ver en uno de esos encuentros de recitales tántricos con Ginsberg y compañía. Ese es otro invento de los franceses, como las papas fritas. Allí en el parque le dieron unos buenos bolillazos por metido a yippie, bien hecho.

Afortunadamente para Elipsio, quien al poco tiempo ya no resistía más el dolor de las piernas y la sensación de cosquilleo de los dedos de los pies dormidos por la forzada posición, Kathleen dijo que era hora de empezar con la tempura y a la paila grande se fue con Janette y Livio. Sheng Hung, a paso ágil fue hasta la biblioteca y trajo un libro de Arthur Waley sobre literatura china, y eso fue suficiente para que Elipsio, ayudado por un nuevo escocés en las rocas, se olvidara de las emanaciones de sus extremidades y despertara de pies y manos y cabeza y todo lo demás.

—Aquí hay un poema que me gusta mucho —dijo ella, y abriendo el libro se lo señaló.

Elipsio empezó a leer en voz alta, pero ella le quitó el libro y dijo:

—No. No. No lo leas. Mejor te lo canto. Le puse música el otro día —y diciendo esto corrió al cuarto de Livio y regresó con una guitarra, y luego de afinarla cantó por en medio del chirrido creciente del aceite de la tempura, cantó con su voz de pájaros entre los sauces:

Mi amor se va,
se va para el gran mar.
¿Qué le enviaré para hacerlo volver?
Le enviaré dos perlas,
dos perlas en un estuche de jade.
Dicen que él no vuelve,
que rompió el estuche contra el piso.
Lo rompió y lo quemó.
Las cenizas tiró al viento.
Desde hoy hasta siempre
nunca pensaré en él.
Nunca volveré a pensar en él.
Sopla el viento del otoño,
suspira el viento de la mañana.
Ya vendrá por el este el sol
y todo lo comprenderá.

Elipsio se sintió mudo, sobrepasado por esas lanzas de maravilla que eran la voz de ella, la música tan delicada y los hermosos y directos versos del poema. Y mientras decía y repetía, mirándola a los ojos, "¡Qué belleza!", sintió que la ola de calor volvía como fuego, y que la figura de Lamia huyendo por las calles de Chicago se iba entre sueños. "Tengo que espaciar los tragos", pensó, estremeciéndose.

Luego de la tempura, las salidas y resbalones de Livio, y el sake tibio entre la música de monasterio zen que los cubría como llovizna, y que hacía buen rato había reemplazado a la Sonora Matancera, Kathleen dijo que la tenían que excusar, por qué no siguen la fiesta en un bar, ella quería descansar, perdonen pero me duele mucho la cabeza. Y así salieron los cuatro cantando o imitando los sonidos de los monjes hasta el carro de Livio. De nuevo la noche, la avenida Lincoln y la algarabía de *Ratzos*.

No había puesto en ninguna de las mesas así se encaminaron al bar. Livio saludó efusivo al barman y se lo presentó a Elipsio.

—Este es Bob, gran amigo, sabe todo lo que quieras de vinos, cosa rara en este país sin paladar. Lo único malo es que le ha dado por eso de la poesía, y a pesar de que yo lo aconsejo bien no hace caso. Va a terminar destortillado. Horrible. Se la pasa metido entre los versos como un juglar encajonado.

Bob se reía. Trajo una jarra grande de cerveza y le estrechó la mano a Elipsio.

—¿Colombiano también? Me gustaría conocer ese país, hay chicas muy lindas dicen —y dijo esto casi a los gritos con un acento de Chicago, haciendo sordina a las cadencias de una armónica que empezaba un *blues* entre el estruendo de los vasos, las voces y los aplausos. Era la noche para James Cotton.

Sheng Hung, sentada al lado de Elipsio, seguía la música con sus manos y su cabeza de rostro de luna ardiendo y Elipsio no podía dejar de mirarla directo a los ojos como si buscara el reflejo de algo sagrado allá adentro, y ella reía. Y Elipsio volvía a la canción del gran mar de la noche y la tristeza y se preguntaba quién sería el él ido, y se confundía, coño de la madre, qué me pasa, no, la dejaré ir, no se cierra la mano cuando se tiene una flor, eso tal vez es un poema, y vio que Livio le había puesto la mano en el hombro a Janette.

Cuando lo dejaron en su casa poca luz le quedaba entre cejas y pelo, pero entendió bien cuando Sheng Hung dijo, "¿Quisieras ir al zoológico el domingo por la mañana? Tengo libre", y él dijo, sí, te llamo bien temprano porque a lo mejor desde hoy ya no duermo.

—Ya le quitaron el sueño a mi compatriota, ¡carajo! —dijo Livio. Janette iba a su lado y reía, quizás no tan inocente como la banda de flores que llevaba en su cabeza.

Las primeras moscas verdes llegaron precisamente al día siguiente, sábado en la mañana. Sin poder acostumbrarse todavía al remezón del tren en su ventana, Elipsio iba en un escabroso duermevela cuando sintió el zumbido de animal grande rebotando por las paredes de su cuarto. Era un sonido irritante, chirriante, que lo hizo erizarse de pies a cabeza y meterse velozmente por completo dentro de las cobijas. Respiraba difícilmente pero los zumbidos habían aumentado al poco tiempo entremezclados con los traqueteos del tren, las voces de los altoparlantes de la estación y el murmullo de gente saliendo y entrando. Como pudo sacó la nariz y parte de la cabeza para respirar, pero la volvió a meter de inmediato cuando vio uno de los insectos venir directamente hacia él. Aterrorizado lo sintió posarse en las sábanas. Esperó paciente, impaciente y el sonido espeluznante se incrementó. Desesperado y sumando todas las fuerzas de sus miedos y estremecimientos, saltó de la cama moviendo los brazos, las manos, las piernas como banderas en guerra, y así, tropezándose con los muebles llegó a la cocina, no sin cerrar de un estrellón la puerta a sus espaldas. Allí quedaban encerrados los bichos.

Armado con la revista del suplemento dominical del *Chicago Tribune* regresó y poco a poco abrió la puerta. Entonces las vio. Eran tres moscas inmensas como él nunca había visto y de un verde espejeante contra el sol de la mañana, hermoso si hubiera sido la pintura de un carro o de una máquina de arte cinético, pero espeluznante en la intensidad del cuerpo de los horribles insectos: moscas, lo peor. Cerró la puerta con cuidado para calcular bien el golpe. Tenía que apuntar, entrar de nuevo y matar una, y luego saltar fuera del cuarto, cerrar la puerta y esperar, con el oído presto hasta que se calmaran los zumbidos. Una tras otra. Y así lo hizo aunque en la empresa estuvo casi una hora, ya que las malditas volaban vertiginosamente apenas abría la puerta y era difícil atinarles. Además había ya usado casi la edición completa del periódico. "Para algo sirve", pensó.

Recogió cuidadosamente los cadáveres y los tiró al río Chicago, vía inodoro, presintiendo que alguna de ellas podía estar todavía viva, sólo privada de conocimiento. Luego fue al cuarto y revisó por todos lados buscando el agujero o hendija por donde podían haber entrado pero nada encontró. Luego preparó café y se sentó en el sillón de la sala a tomar algunas notas para un artículo que estaba escribiendo sobre Anais Nin y su *Casa del incesto*.

Ya por la tarde salió a caminar por Armitage arriba, mezclando sus pensamientos con el rodar de los carros, los pasoniveles del tren y los avisos de negocios de toda especie, más niños en la calle jugando entre los hidrantes, uno que otro borracho sentado en un alero, una mujer mirando al infinito, todo en un amasijo de latinoamericanos de rostro desconfiado y sufrido, algunos negros salidos de madre, repelentes, o muchachos y muchachas blancas con sus vestidos a todo color y sus pelos largos y cuerpos esbeltos, y el sol que no molestaba, que ayudaba a bien irse el verano convertido en otoño. Lo sorprendían, sí, las torres negras de los edificios de apartamentos, apuntando al cielo con sus coronas como pararrayos, castillos de una nobleza disuelta en clase media. Memorias de un pasado que se iba metiendo poco a poco en los libros y que sólo dejaba ese reguero de imágenes por las calles.

Sin embargo, el recuerdo de Lamia volvía con
su repique obsesivo y la frustración de no saber
qué pasaba con ella, dónde estaba metida y con
quién, lo laceraba. La idea de que la vería de inmediato al llegar a Chicago se iba desvaneciendo
y nada bueno salía al relacionarla con la pitonisa
de los acertijos, especialmente porque él había sido
tan estúpido al maltratarla. Debía, pues, andar con
cuidado, y más ahora que sabía que la pitonisa
andaba enredada con algún grupo o asociación, y
aunque el mundo de los surrealistas, si ése era el
caso, le despertaba sentimientos de curiosidad y
agrado, no por eso consideraba fácil acercárseles.
Los surrealistas lo revertían a su tiempo escanda-
loso y palpitante cuando fomaba parte de los
"camisarroja" y toda la salsa vanguardista literaria
en la violenta Colombia, y por lo consiguiente
pensaba que algunos de ellos podían tornarse peligrosos, o por lo menos, echarle la policía de inmigración encima. El surrealismo en Norteamérica
debía tener sus paticas burguesas, no había salida,
era lo que pensaba Elipsio. Y así Lamia se le iba
de las manos, se le escurría, y desesperaba al comprobar que en algún momento toda traza podía
desaparecer por completo, y en este país inmenso
las cosas podían tornarse imposibles.

Su caminata lo llevó, luego de calles y semáforos,
hasta la calle North Wells y por allí hasta las puertas
de Gradiva. Hoy, al contrario del otro día, la librería
estaba atiborrada de gente de todo pelo y vestuario,
color de piel y peinado. Algunos hojeaban los libros,

otros charlaban en corrillos tomando té con olor a canela, había risas y alborozo. No era fácil moverse por entre los estantes y las mesas atiborradas de libros. Afuera, en un afiche llamativo con salamandras y tortugas encendidas, la foto del poeta Phillip Lamantia (a la Man Ray) anunciaba un recital para la semana siguiente. A su lado, y sentados en el suelo, varios jóvenes de melena y barba cargaban pancartas contra la guerra, *Stop the war in Vietnam now*.

Los versos del poeta recienvenido, magnificados en una repisa del mostrador principal, contagiaban imágenes y metáforas a la tarde y a las voces entreveradas en ese animado discurso colectivo que Elipsio escuchaba sin tratar de entender, puesto que sus ojos buscaban por todos lados un rostro al cual pudiera prenderse para seguir su búsqueda. Al cabo de un rato, luego de haberle dado mil vueltas a varias reproducciones de los objetos mágicos de Breton, descubrió a la princesa cajera de su primera visita saliendo de la parte de atrás de la librería con una totuma de té rebosante, humeante. Vista desde la distancia, con su largo vestido blanco, al diluirse los acentos que la identificaban como una muchacha más del medioeste norteamericano, parecía una de esas hadas madrinas que para existir se nutrían de los sueños hipnóticos de poetas como Desnos o Eluard. Era como para verla a lo lejos, con ojos de museo.

Con suavidad depositó ella la tetera en una mesa y habló de inmediato dos o tres palabras con un hombre joven y alto, con pelo como escoba rubia, a quien de inmediato Elipsio identificó por sus características especiales como uno de los asistentes a la reunión del otro día con la sacerdotisa de los acertijos.

Envalentonado y temeroso a la vez porque los hilos que se desenredaban podían enredarse de inmediato, se abrió camino hasta ellos. La muchacha, ahora en la prosaica realidad de su cercanía, lo miró y de inmediato volteó los ojos hacia el rubio:

—Esta persona vino a buscar algo del marqués de Sade y a preguntar por ti el otro día.

El hombre miró a Elipsio sin mucho entusiasmo, desconfiado, para decir lo menos:

—¿Qué se le ofrece, hombre?

—Bueno, no digamos que lo buscaba a usted precisamente. Mi nombre es Elipsio.

—Isidor Nesgoda —dijo el otro.

—Yo le dije a ella que me gustaría saber más de los surrealistas aquí en Chicago, digamos, el grupo surrealista.

—¿De dónde es usted?

—Vengo de Colombia, estoy de visita. Trabajo para una revista venezolana, escribo artículos.

—Hoy estoy ocupado, como usted ve. Véngase otro día y hablamos. ¿Cómo me dijo que se llamaba? —dijo el rubio cada vez más seco, con palabras erizadas como su pelo.

—Gracias, así lo haré, vengo la próxima semana —y mientras el rubio se volvía buscando a alguien con quien hablar, intentó una sonrisa con la hada madrina, la cual se quedó en un gesto extraño porque ella no lo miraba aunque sus ojos estuvieran en él. De pronto hubo una gran conmoción y el barullo aumentó proporcionalmente, el poeta Lamantia hacía su entrada, y así lo dijo alguien, ahora al lado de Elipsio, mientras agregaba:

—Oí que es de Colombia, ¿no es cierto?

—Sí —dijo Elipsio, comprendiendo que el otro había escuchado su diálogo con Nesgoda.

—Magnífico país. Bello. Yo estuve allí de paso cuando estaba en el cuerpo de paz en Ecuador. Me llamo Marty. Soy anticuario —y le pasó una mano fina a Elipsio.

De verdad que parecía una antigüedad el hombre, hubiera podido pensar Elipsio, pero al momento se sentía contento de que alguien le hablara.

De los volcanes Galeras y Puracé hasta la Sierra Nevada de Santa Marta con sus indios kogi, pasando por Valledupar y sin dejar por fuera Buenaventura y Quibdó, Marty se las sabía todas muy bien de Colombia, y me gusta la cerveza Costeña, recuerdo, y por qué no se viene conmigo y tomamos una cerveza en un barcito aquí cerca si tiene tiempo; usted es escritor, dijo.

Era un pequeño bar de la calle Menomonee, oloroso a cerveza y cigarrillo, con pequeñas radiolas en las mesas empotradas en la pared, las cuales entremezclaban gritos que iban en decibel creciente de Joe Cocker hasta Jimmie Hendrix sin ocultar el desgarre vital y suicida de Janis Joplin. Afiches en las paredes invitaban al gran festín de teatro orgánico los cuales chorreaban buena esquizofrenia narrativa por Lincoln y North Clark, esa noche y todas las noches, menos algunas, no importa, siempre habrá quien bote corriente aunque sea para verlos desde los tarros de basura, a la madrugada. En estos pensamientos se enfrascaba Elipsio mientras bajaba con Marty la buena cerveza Budweiser que acompañaba rítmicamente los gargarismos del tequila Cuervo, también en la mesa, con su limón y sal, no podían faltar. Pero ahora Marty se había ido de regreso a los países del sur y hablaba de las diferencias entre vivir en Ecuador y lo que sabía de Colombia.

—Colombia es muy especial —dijo en su español excelente, el cual se tropezaba con las eses y abusaba de las erres—. La gente es maravillosa. Gran sentido del humor.

—Mamagallistas —dijo Elipsio.

—Eso es, unos magníficos carajos, es cierto. Pero son un poco desconfiados, ¿no crees? Nunca lo ven a uno tan desprevenidamente como en Ecuador. Es como si todo el tiempo hubiera algo detrás, una otra cosa que no sabes qué es pero que allí está.

—¿Cómo así? —a Elipsio le parecía que Marty era más agudo de lo que se imaginaba al principio.

—Mejor dicho, ni siquiera porque tienes melena y barbas y no te pareces a los ejecutivos de las empresas y le metes a la yerba, ni siquiera por eso te ven con buenos ojos. Por lo contrario, uno siempre es como un espía de la CIA.

—Pero eso pasa en toda Latinoamérica con los gringos, y no sólo con los gringos, basta que hables con acento o que parezcas extraño...

—Sí, sí, pero en Colombia no hay muchos extranjeros, ¿verdad? Uno se siente raro, hermano. Es un país como muy de la misma gente, no hay otras caras. Lindo país, la berraquera, como ustedes dicen, pero difícil. Te meten a la cárcel facilito para sacarte plata.

—Colombia es una tierra de leones —dijo Elipsio, recordando y comprendiendo.

—Y de ovejas y cabritos. Ecuador es diferente. Por ejemplo, hay un grupo de poetas que son muy de la izquierda, pero son tranquilos, no son desconfiados. Yo me hice amigo de algunos de ellos cuando pasaron por Ambato.

—¿Los "Tzantzicos"?

—Sí, esos mismos. Los reducidores de cabezas, ¿los conoces? Qué bueno. Les gusta beber y charlar y leer a Vallejo. De la mejor gente. Nunca pensaron que yo era de la CIA.

—¿Qué haces ahora, escribes? —le preguntó Elipsio.

—No. Yo no escribo más que recibos y cheques —dijo Marty, riéndose—. No, la verdad es que mi padre, se murió el hombre, me dejó una tienda de antigüedades en North Halsted. Allí vendo cachivaches viejos con mi hermana, y cosas que traemos de Ecuador, hasta Guayasamines si quieres.

—Te escapaste de Vietnam —dijo Elipsio, aunque de inmediato se arrepintió de traer a colación ese nombre siniestro.

—Ya no me llaman, espero, pero si lo hacen me voy al Canadá, de seguro. Ahora lo que hago, fuera de la tienda, es tocar violín por *hobby,* a veces en algunos bares, pasando el sombrero.

A Elipsio le interesaba saber más de los surrealistas pero Marty conocía sólo a unos dos o tres, algunos de ellos interesados en el *jazz* y el *blues*.

—Isidor Nesgoda es un gran tipo. Pero yo no sé. Son radicales en muchas cosas. Y ahora las cosas están muy calientes con ciertos grupos, tú sabes. Hay mucho por ahí corriendo, ¿entiendes? A mí me gusta el ambiente de los surrealistas porque me recuerda mucho a América Latina. Todos esos países son muy locos, ¿no es cierto? Y además por Gradiva pasa gente que habla español.

Elipsio sintió que algo le palpitaba por debajo de la camisa de flores amarillas que llevaba.

—¿Has conocido a latinos allí?

—Claro. Buena gente, algunos pintores, gente que viaja, y cae por allí, y otros…

—¿Te acuerdas de algunos de ellos? —Elipsio trató de poner la pregunta de la forma más casual sobre la mesa, pero sintió que lo que había puesto era una araña negra y grande, de largas patas.

Marty lo miró directamente:

—Más o menos, a uno se le van los nombres.

—Me dijeron que por allí paraba a veces una muchacha colombiana llamada Lamia, tal vez la conociste… —a Elipsio no le quedaba más remedio que seguir aventándose al vacío.

—No, no recuerdo ese nombre —dijo Marty con cierta sequedad preocupante—. Pero sí había una muchacha colombiana, no muy alta, bonita, de pelo largo, eso hace varios meses. No la volví a ver.

—No importa, no es nada importante —dijo Elipsio.

—Si te interesan los surrealistas podemos ir esta noche al *Pepper's New Lounge,* en el Loop, allí van a estar algunos de ellos oyendo a Otis Rush —dijo Marty.

—Magnífico, hombre.

—Déjame llamar a mi hermana que tiene carro y se viene con nosotros. ¿Te gusta el Kentucky Fried Chicken, la comida del coronel Sanders? Es lo que come la gente del *blues.* Pero ya debes estar acostumbrado a esto, porque aquí no hay tamales ni cuy a la brasa ni llapingachos...

Elipsio reía. De verdad que Marty se las sabía todas, y más.

El *blues* viene del Mississippi, del delta, de tierra húmeda y sol de yerbas y maleza, de Memphis, de Alabama, viene por tren cantando, Illinois Central Railroad, The Creole, The Louisiane, The Southern Express, trenes chorreando humo como la cresta de un gallo negro,

Si llegas antes a Chicago,
si llegas antes a Chicago
no les digas nada de mí.

cantaban sacando las cabezas por las ventanas, con sus pañuelos anudados en la frente, las mujeres, y el sombrero blanco de los hombres, volando, apeñuscados por el calor de las planicies, el frío de los valles, remeciéndose el tren de un lado al otro, golpeando en cada riel, en cada polín saltando como si le estuviera dando duro a la materia de la tierra, el olor de sus cuerpos, la mugre de sus enseres, la sucia y empolvada maleta y el baúl con la foto vieja esa, la misma, el dolor de lo que se queda y la puerta que se abre en la estación central de la ciudad. El *blues* viene del sur, emigra, sale, busca ahora meterse en la ciudad, la ciudad de edificios de ojos que saltan fuera de las órbitas; ciudad de chimeneas y acero ardiente; almacenes a plazos; casas como castillos franceses; construcciones neoclásicas, góticas, a vidrio y ventana a cuadros que se multiplican; la ciudad de los puercos, las vacas, todo ese moverse en cuatro patas que va del corral al degolladero, Union Stock Yard, y de allí a la mondonguería de esos barrios del sur que desde ya se metamorfosean en guetos. Los blancos huyen con sus cuerpos limpiecitos, redonditos, y la música viene por las calles, trafica por los mercados y los callejones,

No les digas nada de mí.
Todo lo que conoces
dondequiera que vayas
estará en Chicago, nena.
No les digas nada de mí.

y la guitarra, y la mandolina y la armónica se ponen de acuerdo nota por nota con la voz que sale a embellecer la melodía, a decir la verdad de su verdad en tristeza y alegría en versos que se traban como metáforas que sólo encuentran su ser otro en el desgarrarse por dentro, y los pocos escogidos entienden que se trata de darle fuerte a los instrumentos, ferozmente, con el ritmo que viene del campo en esos rieles, en esa miseria que segrega, y el *blues* empieza a metérsele en la sangre a la ciudad, a circular por las avenidas y los ríos, a espejear sus rojos de carne tierna por las noches, entre los avisos de neón y las luces de los carros, sale por las alcantarillas levantando las tapas y los sesos, sale por debajo de las puertas y los sótanos acompañando al amor y al crimen, a la virgen y a la prostituta, al ladrón y al ángel, al borracho; el *blues* viene del Sur...

Y eso mismo decía Marty cuando entraron a *Pepper´s,* ahora en su nuevo sitio en South Michigan, en un edificio de ladrillos amarillos, rectangular hasta el aburrimiento, y en la puerta los avisos de cerveza, Schlitz, Hamm´s, entreverados con los anuncios desconchados a pedazos de todos los días música, Muddy Waters, Jimmy Rogers (su ir en el *blues* signado por la desgracia y los incendios), Otis Rush esa noche, precio especial:

—El blues vino del sur a Chicago, del delta, pero ahora se empieza a ir de nuevo, de sur a norte, dentro de la ciudad, va para donde están los blancos, el *blues* siempre va hacia el norte, tal vez porque busca salir siempre de la segregación, porque el *blues* es libertad, hermano, el *blues* se quiere escapar de la miseria, de la esclavitud.

Su hermana Judith vino a recogerlos en un viejo Plymouth con la que sería de allí en adelante la

despelucada Gretchen. Judith vestía con ceñido negro de cuero el vestido sobre el cuero de cuerpo,
fuerte, imponente. Elipsio se sintió pequeño, débil,
enfermizo, frente a esta amazona rebosante del ABC
de todas las vitaminas del mundo (y las proteínas), y
todavía le dolían los dedos del apretón de manos
que le dio cuando Marty se la presentó.

Suerte de la buena tuvieron en conseguir una mesa
bien colocada frente al estrado y Judith sin consul-
tarlos pidió de inmediato una jarra grande de cerveza y una porción de cebollas fritas. Judith, se veía
a las claras y a las oscuras que estaba acostumbrada a mandar y a no ser contradicha. Elipsio y Marty,
acelerados por los tequilas pidieron otro par, y Elipsio le preguntó a Gretchen qué hacía en esta vida,
no mucho, dijo ella mirando a Judith, si no haces
nada en ésta qué haces en la otra, volvió Elipsio
insidioso, pero ahora Gretchen no entendía nada y
para escabullirse del sinsentido dijo que estudiaba
en la Universidad de Loyola, la muy católica, trabajo social, y mientras decía esto movía la cabeza y el
pelo revuelto como si para hablar tuviera que
batuquear la salsa de sus pensamientos.

Dentro del humo de una mesa cercana estaban
varios de los surrealistas, Marty los señaló, y dijo ya
vuelvo y fue a saludarlos. Judith le preguntó a Elipsio cuánto tiempo se iba a quedar en Chicago y
éste le contestó que esperaba entrevistar a Carl Sandburg, entonces ella dijo pero si ya está muerto, y él,
precisamente, ahora es un edificio de apartamentos.
Gretchen se rio, tal vez había comprendido el koan,

pensó Elipsio devolviéndole una mirada cómplice, pero Gretchen se quedó seria cuando Judith sin contestar miró hacia el estrado, tal vez impaciente por Otis Rush. Luego se volteó y le dijo a Elipsio:

—¿Cuál es el problema de ustedes, por qué no hablan directamente, por qué no dicen lo que piensan?

—Extrañas cosas pasan, pero todo es lo mismo —le contestó Elipsio, parafraseando el célebre afiche de Junior Parker.

—*Bullshit* —fue lo que dijo Judith bien agresiva mientras Gretchen empezaba a azorarse por la conversación, y Elipsio:

—Tienes razón, mierda de toro es lo que sobra en Chicago.

Fortuna hubo en que esto no se convirtiera en una corrida de toros gracias a que Marty regresó al momento en que Otis Rush se abalanzaba sobre el estrado con su camisa vibrando pepas amarillas sobre negro y su barba y bigotes a la oveja brincando por las rocas de la batería, el estilo West Side del *blues*, y los gritos y silbidos de un público enfebrecido y dispuesto a entrar en oración. Por en medio de la algarabía Marty le dijo a Elipsio que los surrealistas querían hablar con él luego, unos de ellos iban para el Perú y Chile, venían de entrevistarse con Breton en París, y Elisa era chilena.

Pronto todo quedó en suspenso porque Otis Rush empezaba a largar su guitarra como si persiguiera un sueño elástico, dejando las notas pendiendo, levitando sobre la sala, amarradas al hilo invisible de la luz, arrastrando ese sonido que se perdía en una lejanía allí presente, cercana, angustiante, para luego rodar por una pendiente de alta tensión, en caída controlada y detenida, vuelta a seguir, incrementando la velocidad a medida que el lamento de las cuerdas volvía irresistible todo segundo, todo instante que desembocaba en la última terminación nerviosa de una explosión como el orgasmo de su voz torturando las palabras, las frases, y entre aullido y llanto, "el mundo va a terminar/ hoy hace frío en el infierno", y el bajo y la batería cayendo sobre las palabras, martillándolas, "soy tan estúpido / todo el tiempo necesito una amiga / me siento solo en el bar por la noche", quebrando la voz a los alaridos mientras su guitarra busca la última frontera, el límite final, "oh, sí, tengo miedo / tengo miedo desde el lunes hasta el domingo en la noche / hoy hace frío en el infierno", y todo era ritual, devoción, oración, porque hasta Judith temblaba por dentro de la dureza de sus cueros y Gretchen despelucaba más su cabeza como si quisiera verla volando: sólo Marty, imperturbable, miraba desde sus quevedos, fijo, las manos blancas sobre la mesa, y Elipsio no sabía si reír, gritar junto al griterío, dejar que la cerveza y el tequila se resbalaran hasta ese punto en que ya no hay dolor ni alegría, estupor, vacío, consternación, para luego volver a su rededor la mirada y retomar la sonrisa, el estoy aquí, la "llama de amor viva" que es la noche del *blues*, y en Chicago.

Ahora Elipsio se sentía mal por haber sido rudo con Judith pero era poco lo que se podía hacer. Aprovechando que ella y Gretchen fueron a empolvarse se lo dijo a Marty, pero éste se rio y dijo no le prestes atención a mi hermana, ya los hombres para ella son una masa informe, lo mismo Mahatma Gandhi que Pancho Villa, olvídate, a ella le importa un carajo lo que digas.

Los surrealistas, dos de ellos, se aparecieron por la mesa cargados de preguntas sobre llamas, vicuñas y ayahuasca sumando un poco de MachuPicchu, Nazca y el desierto de Atacama. Elipsio los paseó por esos sitios a los que añadió Vallejo, Huidobro, César Moro y Wesphalen para sus libretas aprendices.

—Pásate por Gradiva el lunes con tus poemas, sería de primera —dijo uno—, y te contamos de nuestra charla con Breton.

Toda la noche hubiera sido un bailar sin tropezones en los dedos de los pies a no ser por uno de los músicos, Elipsio no supo por qué, quien se bajó del estrado y le dio una fulminante trompada a un hombre sentado cerca, y si después la pelea se hizo más intensa y vino la policía, ya los cuatro estaban en el Plymouth de Judith hacia el norte de la calle Michigan, esquivando esos cuerpos nocturnos protegidos del infierno por el hambre y la miseria.

La magna preocupación cuando sonó el teléfono en la mañana por debajo de las ruedas del tren y era la voz de Sheng Hung y te recojo en una hora, no era el baño ni las moscas verdes o la leche que podía estar cuajada en la nevera, ni dónde está el Alka-Seltzer, sino cuánto dinero gasté, carajo, y empezar a buscar en los bolsillos temblando y respirar

aliviado al ver que no era mucho, sin recordar siquiera quién pagó la cuenta, de todas maneras la
podré invitar a algo más que crispetas.

Sheng Hung llevaba de nuevo otro vestido a colores tan pegado al cuerpo que Elipsio se estremeció
pensando que probablemente no tenía ropa interior
y que si acercaba la nariz podría oler de seguro rosas y jasmines. Tuvo que hacer un esfuerzo supremo
para arrancarse este pensamiento que llevaba en la
cabeza como chicle en el zapato, con esas ramifica-
ciones como tiras que se alargan por los entreveros
del deseo. Ella estaba feliz de poder llevarlo esa
mañana de otoño al zoológico, en Lincoln Park, ni
frío ni calor, por la calle Fullerton hasta North Shore
Drive, y un sol hermoso que se incrustaba por encima del lago Michigan.

—A mí me encantan los animales —dijo ella, tan
nítida como una mariposa en una rama de cerezo.

—A mí también —dijo él, sabiendo que nunca había puesto dos pensamientos en esa dirección.

—¿Hay muchos animales raros en Colombia, me
imagino?

—Sí, empezando por los mismos colombianos…

—Todos viven en la selva —dijo ella, quien parecía no haberse dado cuenta de la alusión de Elipsio.

—Sí, es una verdadera selva, hay "lagartos", "mi-
cos", "caimanes", "gallinazos", "pájaros", "sapos", "cu-
lebras", "marranos", "perros". Todo el país es un
zoológico.

—Debe ser todo muy lindo —ella no podía ver las
comillas.

—Sí, es hermoso, como para ponerlo en una jaula o en un recipiente de vidrio y verlo desde afuera.

—¿Te hace mucha falta tu país, tu gente? Yo nunca he estado en China, pero siento mucha nostalgia por los sitios que me cuenta mi madre.

—Eso de ser colombiano es algo de lo cual uno no se puede desprender nunca —dijo Elipsio y volvió a sentir el chicle en el zapato.

—¿Cuáles son los animales que más te gustan? —preguntó ella.

—Las hormigas —dijo él.

Ella se rio.

—Nunca lo hubiera pensado —dijo ella, divertida—. ¿Y por qué te gustan las hormigas?

—Es una historia larga, de niño siempre jugaba con hormigas —contestó él, sintiendo el peligro de irse por ese camino con olor fórmico.

—¿Qué clase de hormigas te gustan?

—Todas, incluso las que se comen.

—¿Se comen las hormigas en Colombia? Qué coincidencia, mi madre me dice que también en China ellos comían hormigas.

—Es bueno tener algo en común con la gran China —dijo él, pensando en Lao-tsé.

Ella estaba feliz y de ello dejaban imagen precisa el juego barroco en contrastes de sus ojos y su sonrisa.

Al llegar al zoológico ella le preguntó qué quería ver primero, antes de ir a la sección de las hormigas. Elipsio, quien nunca antes había visitado un zoológico en su vida, cosa que no le dijo a ella,

supuso que era mejor empezar por el rey de la selva, el león, así como cuando una vez le preguntaron, en el famoso bar de Lila Cuéllar en Cali, qué
música clásica prefería y a él no le quedó más remedio en su ignorancia que decir los valses de
Strauss. Pero a ella esta idea le pareció magnífica y
tomándolo de la mano lo llevó corriendo, casi arras-
trándolo, hasta ese mirador desde donde podía ver
los bostezos y los colmillos de los supergatos sin
peligro de caer adentro.

"Se parecen a los de Tarzán", pensó pero no le
dijo nada a ella, era mejor que lo viera hacia el lado
de Hemingway y no al de Edgar Rice Burroughs.
Hemingway, allá en las colinas verdes de África, ca-
zando kudus y viendo a las hienas devorarse a sí
mismas, arrancarse a tirones las tripas para alimen-
tarse de su propia muerte. Hemingway quien nació
por allí cerca, en Oak Park, donde hay varias casas
de Frank Lloyd Wright. Lilvio Contreras le diría un
día, con su silbante maldad de siempre, que Hemingway había muerto así, lo mismo, en su propia salsa
de tomate, en un pueblo llamado Kepchupt, y en
Idaho, papá vuelto papa.

Luego de las hienas, que Sheng encontraba horri-
pilantes y más ahora con lo que él decía, fueron a
la jaula de los tigres y las tigras, esos animalitos
inventados por la concupiscencia de Borges; y luego pasaron a los elefantes, bien sacados de la colección Salgari, cagando monumentalmente; las
girafas; los monos, siempre con la verga lista; los
delfines, igualitos a los políticos bogotanos; los osos;

los pingüinos, haciendo la primera comunión, y toda la tropa de esa arca de Noé anclada al borde del lago Michigan, y que él pensaba que debería moverse y llevarlo directo a la tierra prometida, a ese sitio donde el ramo de olivo no era de pringamosa.

Cuando se sentaron en una banca a descansar Elipsio sintió una paz como pocas veces había sentido antes y miró a Sheng tan intensamente que ella se sorprendió.

—¿Algo pasa? —pregunto ella.

Elipsio no sabía qué decir. Era esa paz que lo invadía y lo paralizaba sin poder apartar la vista de ella. Ese viejo deseo de poder detener el mundo, congelarse en la eternidad de un cuadro, un poema, una melodía, el silencio. Por fin dijo:

—No sé, nunca estuve en un zoológico antes, tal vez es eso lo que siento —y de nuevo a una verdad simple opuso una mentira creciente: la fórmula de su vida, sin remedio.

Luego de almorzar tarde en un restaurante tailandés de North Clark, y de enseñarle a Elipsio las maravillosas combinaciones de limoncillo y leche de coco que estos maestros cocineros ingeniaban, Sheng dijo que tenía que irse porque iba de visita a casa de su madre, no me queda tiempo en la semana, estoy muy ocupada y tengo varios turnos en el hospital. Elipsio pudo entrever en las palabras de ella, que fluían tan naturales, los pequeños recodos pedregosos de tener que pensar y repensar lo que empezaba a sentir, lo que compartían en lo inefable de las miradas, las sonrisas y los estar de acuerdo en muchas cosas. Sin embargo, insistió con cuidado pero firme en que quería verla aunque fuera un momento durante la semana, y ella, luego de abrir la cartera y mirarse los ojos, dijo que estaba bien, que lo llamaría el miércoles a ver. "Me gustaría ver lo que escribes", dijo al despedirse. "Está en español", contestó él. "No importa, me lo explicas", dijo ella, y él se rio asintiendo. En otras circunstancias lo que acababa de decir ella le hubiera provocado una respuesta cortante, incluso hiriente, pero ahora se vio tocándola con plumas, con la lengua de un gusano de seda.

De sol a noche los días en el apartamento de North Sheffield comenzaban al alterar el ritmo de vida de Elipsio. Así se descubría desayunando a las 10 de la noche, antes de salir al bar, o almorzando a las 7 de la mañana, con su plato de aluminio de comida plástica, *Hungry man,* saltando gracias al tren frente al televisor que traía como mañanitas los cuerpos descuartizados de vietnamitas y norteamericanos, o esos programas inentendibles donde a las recetas de salud se mezclaban los dientes de los actores de cine y las piernas de los avisos de jabones. Dormía, pues, cuando lo arrastraba el sueño hasta las horas del café y las aspirinas reglamentarias, para luego retomar en la máquina de escribir el terciopelo verbal de Anais Nin y el artículo acompañante entre chismoso y divertido en que presentaba a los lectores latinoamericanos los rotos en la ropa interior de Henry Miller, su mujer June y la misma Anais, añadiendo a esto referencias a su famoso y aburrido diario (en opinión de Elipsio), y luego fotocopiar el material, hacer el sobre, y ponerlo al correo con esa súplica de por favor envíenme el cheque apenas reciban esto. En lo cual tenía suerte porque un ángel de su guarda trabajaba en una de las revistas y el cheque aparecía perfecto a vuelta de correo, algo increíble tratándose de América Latina.

Pero los días también se iban caminando interminablemente, como este hoy, por los recovecos de la ciudad, perdiéndose en vecindarios que desembocaban en edificios abandonados, en ruinas, carros rotos, en pedazos, o hidrantes chorreando agua sin que nadie prestara atención, o esas fábricas o depósitos de mercancías y aparatos extraños, todo frío y sucio como el suelo y sus zapatos gastados. Caminaba frenéticamente tratando de abandonar en una esquina la idea fija de no saber dónde estaba Lamia, cuánto deseaba volver a verla, el escozor de suponer que de seguro se acostaba con alguien, que la amaba, sintiendo a la vez el dolor y la culpa de haber destruido su vida, por mí fue a la cárcel, carajo, ¿de qué color eran sus ojos?, ¿claros? Sí, pero ¿verdes o azules? Su pelo largo azotando su espalda, a lo mejor ya se lo cortó y viste como Joan Baez y toca guitarra, pero ¿qué va a pasar con Sheng Hung?

Ese miércoles pasado Sheng lo llamó y le dijo que hacia la tarde podían verse y tomar té en una cafetería cerca del hotel Allerton, entre las calles Huron y Michigan. Y allí estaba sentada en una mesa frente a un té de jasmín, esperándolo. Elipsio se equivocó de estación en el Loop y a esto se sumó el gentío moviéndose como arañas por la ciudad, el tráfico de carros, imposible. Ella le traía como regalo un libro de Lin Yutang, *The importance of understanding,* y él una de las últimas flores del otoño que se robó de un jardín vecino y que había presionado entre las hojas de un libro de poemas de Malcolm Lowry que cargaba en el bolsillo de atrás de su bluejean.

—No me has dicho cuánto tiempo te vas a quedar en Chicago —dijo ella jugando con la flor en sus dedos.

—No sé, todo depende —dijo él tratando de ganar tiempo para concebir una mejor respuesta.

—¿Depende del libro que estás escribiendo?

—Bastante, es cierto, pero también depende de mi vida, de sus días y de sus horas.

—¿Qué estás buscando en Chicago? —preguntó ella.

Elipsio se estremeció y la miró profundamente. Era imposible que sospechara de Lamia y todo este rodar buscándola. Nadie sabía nada de esto, pero la pregunta había ido vertical a la madre de todas sus preocupaciones.

—Quizás busco encontrar el que he sido para unirlo con el que seguiré siendo —dijo sabiendo que era una verdad que no respondía a nada, literatura de la buena.

Ella, quien era claro no estaba acostumbrada a este tipo de respuestas, se quedó callada, cavilando. Luego, como si buscara volver a cosas más precisas, le preguntó por sus padres, su vida en ese remoto país del cual sólo conocía el olor a café y los chistes memoriosos de Livio. Entonces Elipsio le dijo todo, viéndose verse en esas largas charlas con Lamia por las calles de Cali, le contó de la ciudad, los encierros, los terremotos y las hormigas correlonas, y sólo ocultó la existencia de Lamia y su tiempo en la cárcel. Su discurso era como un pez al cual se le han sacado las espinas.

La vería el otro fin de semana de nuevo, probablemente en *Ratzos* y con Livio y su mujer, ¿te gustaría ver el teatro orgánico? Ya Elipsio había hablado con Livio esa semana y éste le dijo que le habían gustado mucho sus poemas y que traduciría algunos de ellos al inglés. Será bueno verlos en esta lengua de consonantes atravesadas, concluyó.

Y así siguió caminando hoy por las calles hasta de nuevo enrumbarse por Armitage y descubrirse parado en la entrada del metro, vía norte. Entonces sintió el impulso de volver a la carga con la busca de Lamia y se subió al tren en dirección al metedero de la pitonisa de los acertijos y sus secuaces en Southport Street.

En su libreta de apuntes tenía las señas, así que no le costó trabajo bajarse en la estación precisa y caminar por las calles en esa dirección. Pronto vio el edificio y mirando hacia todo lado se encontró solo en la calle. Se acercó cuidadosamente hasta la puerta, volvió a asegurarse de que nadie lo veía y subió las escalas hasta llegar a los botones del intercomunicador. Había seis nombres y rápidamente los apuntó todos en su libreta. Solamente uno estaba identificado con nombre de mujer, en los otros sólo el apellido y una letra inicial. Caminó hacia la esquina y esperó a ver si alguien aparecía pero nada, la calle continuaba bastante sola y los carros no se detenían allí. Decidió regresar a la estación por la calle Ashland, que estaba bastante transitada y donde había un buen grupo de negocios. De pronto vio a Isidor Nesgoda que caminaba por la acera de enfrente charlando animadamente con uno de los surrealistas de la otra noche en *Pepper´s*. Hizo todo lo posible por ocultarse entre los avisos y algunas ventas callejeras pero sin perder la mirada en ellos. Estuvo tentado de pasar la calle y presentárseles alegando la casualidad de estar allí, pero estaba semiparalizado por el encuentro. Al pasar exactamente por el frente de donde él iba vio que Nesgoda levantaba el rostro y dirigía la mirada hacia él, pero todo fue tan rápido que Elipsio no pudo saber si de verdad lo había visto.

Ya *Ratzos* era el lugar de la noche todas las noches, el santuario, la ermita, el cenobio. Allí paraba todo pelo que tenía conciencia de estar adherido a un cerebro, a una boca que bebe o a un pulmón que aspira. La comida no era mala, buen hígado encebollado, aunque le salían yerbas por los bordes, "la peste verde macrobiótica", según Elipsio, y que él deglutía de física hambre, eso sí adornándola con Tabasco fuerte, con olor cajun de New Orleans.

Marty se aparecía con su violín tarde en la noche, luego de la algarabía mágica de los *blues,* para sacarle chispas a Miles Davis o a John Coltrane por el vocerío, y luego pasaba el sombrero de copa para beber a pico de botella en el bar donde Bob reía, barajaba buenos consejos, mezclaba bebidas, aplaudía y de vez en cuando soltaba unos versos de poetas entredientes y cantos a ellos mismos. De inmediato había entablado buena amistad con Elipsio porque éste lo enfrentó a la realidad de Robert Browning y William Blake, poetas que Bob había abandonado entre papeles amarillos por esa ignorancia típica que se le prende a los muchachos en los colegios y las universidades yanquis, y así se lo dijo Elipsio al momento de zambullirlo en los matrimonios del cielo y el infierno que Blake destilaba como licores de dioses ocultos.

También era habitual en *Ratzos* la despelucada Gretchen quien le jalaba al ajedrez como arma para la liberación de la inteligencia, así lo decía, y Elipsio le aseguró que el ajedrez era una manera de perder el tiempo ("Si no pregúntaselo a Marcel Duchamp"), y ella enfebrecida por las jugadas atrevidas de Fischer y Karpov rebatía sus argumentos con toda la cuenta de la energía vital que sacaba de gambitos y movidas audaces, porque Gretchen tenía del juego mayor la ilusión y Elipsio en pocos movimientos la dejaba paralizada en sucesivos mates, que pronto se convirtieron en la fórmula habitual, y ella sufría de verdad tratando de buscarle una salida decente al inevitable destino de su rey acorralado. A él esto no le causaba mucha gracia, pero lo hacía con saña tratando de que entendiera ella que era un juego sin importancia, "sólo un juego, como el amor", le decía mentiroso pero para hacerla rabiar a gusto, y ella, inocente de las miradas al cuadrado de Elipsio, lo miraba con el asco con que se mira un pato frío en la basura de un restaurante chino.

Judith, enamorada locamente de Gretchen como ya Elipsio había comprendido, se aparecía también y si los encontraba jugando le lanzaba a éste las puntas feroces de sus ojos buscando tal vez dejarlo pegado a la pared como esos afiches con anuncios de lecturas de poemas, Corso, Ferlinguetti, o la llegada próxima de *The Wood* o Dave Brubeck en el Auditorium Building. Ella estaba completamente segura de haber encontrado, gracias a la receta heredada de la década del 50, en los hombres latinoamericanos, de alfa a omega, todos los tipos sanguíneos del macho-macho, ese ser pegado a la freudiana madre y al maluco padre, y quien era aficionado a abusar y maltratar a las mujeres, usarlas como objetos de lujo, no importa la pobreza, o hacer con ellas el aseo de sus líquidos seminales; seres con brazos y piernas como cadenas para mantenerlas para siempre entre hijos mocosos y ropa de planchar, que despotricaban contra todo intento de las mujeres de dejarse seguir cabalgando impunemente; seres que no entienden que es hora que la mujer tome el poder, así como suena, se vaya a la cumbre de su propio destino y se suba a la cama con las botas puestas. Y esto lo decía mientras le apretaba con firmeza la mano a Gretchen, la cual estaba encaramelada en desenredar el ataque de alfiles que Elipsio le había planteado.

Elipsio, atento a traer las cervezas desde el bar, trataba de explicarle, en flamante teoría que lo bueno no era tomar el poder sino cambiar todo el orden establecido, volver a hacer el mundo en tal forma que todos los ejes masculinos en que estaba fundado, patriarcas y dioses únicos se fueran para el carajo, se inaugurara así un nuevo milenio de puro matriarcado, reemplazándolos por la diosa blanca, negra o de cualquier color, qué más da, pero al fin diosa; reducir la testosterona a punta de radiaciones intracelulares (al decir esto trataba de sonar bien académico), hacer la paz y no la guerra, en fin, voltearle la tapa a este mundo de perseguidores del poder por el poder de tener poder, y nos ponemos a cantar en medio de la calle, todos y medio maricas, y se acabó la joda, decía en español para no olvidarse de Oliveira.

Pero esta simplificación lo único que lograba era sacarle más acero de Pittsburgh a los ojos azules de Judith, quien no entendía para nada que el mundo tuviera que acabar en esa dirección tan radical, tan absurda; lo que había que hacer era llegar a lo alto de las corporaciones, darle en las pelotas a los ejecutivos, cambiar lo uno por lo otro y después ya veremos qué pasa.

En el humo de estas conversaciones viajaba la noche de *Ratzos* hasta que el reloj de la madrugada empezaba a repicar. Y Elipsio salía anudado a su chaqueta de cuero, un viento de fresco a frío se empezaba a entrometer con la gente, y caminaba las cuadras hasta su apartamento. Una de esas noches, precisamente, se encontró al "Iluminado" Peterson sentado en la sala, música de Dylan, y en sus manos el cigarrillo, la cerveza, y una gata con ojos de gato, salida de uno de los elementales de Neruda, diría Livio Contreras después.

—Taima se llama —dijo "el Iluminado", y agregó—, se va a quedar aquí con nosotros. Espero no te moleste y me ayudes a ponerle un poco de comida y agua de vez en cuando.

De dónde venía Taima se quedó en el misterio, pero Elipsio dijo bien, por supuesto, y pensó que a lo mejor le ayudaba a espantar las moscas verdes. Pero se equivocó. En lo que iba a ser buena Taima era en comerse las cucarachas, que empezarían a aparecer raudas por los huecos de la cocina.

Era viernes temprano en la mañana y el ruido del tren elevado se había hecho cada vez más intenso como cuando en una pradera se escucha venir la tormenta. Nada de sueño en la noche y Elipsio fumaba un cigarrillo contra la ventana de su cuarto viendo los cuerpos correr hacia el tren como buscando una bendición, refugio, quizás. Pocas veces fumaba pero esta mañana luego de matar dos moscas verdes con la revista *Life* y de comprobar que Taima no era en nada efectiva con las moscas, sólo las miraba con atención, se detuvo entre esas cortinas sucias a pensar. Era horrible el zumbido de las moscas enormes y verdes. "El Iluminado" Peterson no tenía una buena explicación de por dónde salían, pensaba que vivían y se reproducían en el sótano, entre la madera podrida, junto a las polillas, que se alimentaban de esos tarros de

basura pudriéndose en los aleros debajo de los andamios que sostenían los rieles del tren, y que no era
bueno dejarse picar, lo cual conseguía espeluznar a
Elipsio más y mejor. Pero las moscas verdes desapa-
recerán con el invierno que viene, ya verás, cuídate
entonces de las cucarachas, traen enfermedades, hay
que echarles buen veneno. Decía también haber encontrado un hongo que atraía a las moscas y las mataba, un hongo dulce que no huele muy bien, si puedo
te voy a traer varios para que los cultives.

Entre el correo de ayer una carta de su hermano
con unos dólares atravesados entre papeles, para que
te comas algo bueno en mi nombre, y también la
noticia de que misía Mercedes había muerto. Allá
quedaba ella metida entre las imágenes de su infancia portando el estandarte de los que desaparecían
sin remedio: don Pacho, misía Herminia, Alonso
Aguado, todos sombras entre el polvo y las piedras
del Barrio Obrero, en su ciudad blanca de sol como
un desierto. Se los había comido el tiempo pero a
más la violencia como pan cotidiano. La única he-
rencia que la historia le permitía a la gente de su
tierra. Pero él ya estaba lejos, siempre estuve y estaré lejos se decía mirando el tren y más allá del tren el
humo de una fábrica al lado del río. La tristeza venía
de saber que no volvería a ver las hormigas correlonas
en el patio de esa casa en los recuerdos. Pero Chicago
también estaba lejos esa mañana de moscas y muertes. Odiaba a veces el olor del cigarrillo y lo apagó
antes de tenderse bocabajo en la cama y ponerse la
almohada sobre la cabeza, tal vez buscando otro

día que sucediera a esta mañana de viernes que parecía más bien tarde de domingo triste.

"El Iluminado" había dejado café en la estufa y una nota de gracias por cuidar la gata. Antes de dormirse decidió que su próximo trabajo iba a ser sobre Carl Sandburg, el poeta de Chicago, *"Hog-butcher of the world"*. Caminando el otro día por Old Town, en la calle La Salle, vio que construían con acero y piedras de cemento un complejo de edificios de apartamentos que llevaba su nombre, Carl Sandburg, para burgueses y señoras de perritos y abrigos de pieles, con piscina y salón de ejercicios, bello jardín. Y ahora, hacia el mediodía, rememoraba los versos de Sandburg, pensando en el metal de sus palabras y contrastándolas con los versos que leía en el libro de traducciones de Lin Yutang que Sheng le regaló. Sheng y su sonrisa y esa ansiedad de que la vería esta noche, ¿y si de pronto Lamia se aparece, así como así, frente a él, a ella, en un bar, en la calle? No era difícil porque a Lamia le gustaban los mismos sitios, de seguro, si estaba en Chicago. Y Lamia volvía a sus adentros acelerando la cuenta corriente de su pulso y la desazón de saber que si la presencia de Sheng daba sentido a lo real de sus días, la ausencia de Lamia lo sumergía en un mundo onírico que bordeaba en el encanto y la pesadilla.

Isidor Nesgoda estaba rumiando *cadáveres exquisitos,* es decir, pollo frito, cuando Elipsio entró esa tarde a Gradiva. Pero estos *cadáveres* daban la apariencia de ser momias egipcias dado lo enigmático de su mirada, oblicua, inquisitoria, al compás del tono seco de sus palabras, en constante pregunta. Elipsio respondió lo mejor que pudo volviendo sobre sus andanzas cuasi-surrealistas en el mundo literario de su país, explicando, ejemplarizando, y a medida que avanzaba en la historia natural del sinsentido y los despropósitos de sus amigos los "camisarroja", se daba cuenta de que proyectada al nivel de los peligros y las persecuciones, este mundo de los surrealistas en Chicago semejaba un juego de abalorios infantil; lindo en sus colores vibrantes, sicodélicos-freudianos-jungianos, pero distante de ese teatro de la crueldad que es la vida diaria en Colombia.

Obviamente que se cuidó bastante de expresar estos pensamientos a Nesgoda, y haciendo brincos con su inglés y citas como chorreras de bolas de cristal, emparejó sus búsquedas con las de ellos, estableciendo plexus y nexus por todos lados. Este malabarismo pareció contentar un poco al rubio Nesgoda:

—Los surrealistas nos reunimos en casa de uno de los del grupo, algunas veces a la semana. Ahí tenemos nuestro cuartel. Si quieres venir a una reunión pásate por aquí el próximo martes, a la tarde.

Elipsio sintió que al fin se abría una de las puertas del laberinto en que Chicago lo iba enredando y dijo que aquí estaría, compró uno de los libros del divino marqués que ya había llegado, más algo de Jarry, el patafísico.

—Trae algunos de tus poemas —se despidió Nesgoda.

El teatro orgánico abría sus puertas (que más bien eran rejas) al norte de la calle Beacon; puertas que llevaban a un gallinero como coliseo y a un escenario en forma de herradura que obstentaba jaulas y metederos entre cartones y maderas más luces a todo dar, gritos espeluznantes y un babear de locos botando corriente a millón, castigando a los espectadores con la cuchilla abierta de los estereotipos de las tiras cómicas, y en especial a Elipsio que le llegaba a los chistes y salidas ingeniosas con varios minutos de retraso, de tal manera que se encontraba riéndose solo o en el momento menos oportuno, cuando había que gritar de espanto. El director de esta obra que bailaba una milonga entre Brecht, Ionesco y Artaud, era un muchacho inteligente que Livio identificó como Stuart Gordon, él lo había visto actuando en Madison, y entre los actores ya el público distinguía a "dos dementes", como dijo Jeanette, llamados Joe Mantegna y Dennis Franz.

La obra, sin pies ni cabeza o con un dolor de cabeza que era esquizofrenia de la buena, lograba las carcajadas medidas de Sheng, quien aplaudía y reía como si estuviera aplastando flores con las manos o celebrando el brincar de luces con sus dientes. Livio dijo que ya se estaba acostumbrando peligrosamente a "estos retorcijones de estómago modernos".

—Ya verás que en pocos años le venden toda esta locura a Hollywood y se acabó el cuento, casa en Beverly Hills y manicurista a las cinco.

Elipsio se había encontrado con ellos en las puertas del Uptown Center Hull House y de inmediato había notado la ausencia de Kathleen, la mujer de Livio, y sí la presencia de Jeanette a su lado. Nada preguntó, pero se imaginó mucho más de lo que pasaba y mucho menos de lo que era ese río oscuro, subterráneo, con peces blancos y ciegos al fondo.

Era obvio, al salir del teatro, que la obra con todos sus previstos y fortuitos disparates había impresionado a Livio, aunque trató de dejar bien escondida en el bolsillo de atrás su opinión favorable. Elipsio también sentía el impacto de esos ruidos buscando música y esas palabras buscando diálogo en un mundo que se debatía entre la paz y la guerra sin la ayuda de Tolstói sólo de la mano de Nixon y Kissinger. Sin embargo, esto quedaba un poco atrás porque estaba consciente de que a pesar de todo lo que lo impresionaba era que no había podido apartarse un segundo de Sheng, de su risa y del perfume oriental que exhalaba, el cual más bien imaginaba, porque el olor predominante en el teatro orgánico venía del organismo sudoroso de los actores, y no era precisamente rosas y jasmines.

No obstante, y a pesar de estar casi perdido en estos meandros de sol naciente, Elipsio notó en Livio, luego de que salieron del teatro en busca de su carro, un cierto descontrol, y en la esquina de Ashland y Lawrence se quedó un buen rato hablando con Jeanette, apartados. La noche seguía trepidando su rueda imparable y Elipsio, silencioso al lado de Sheng, presentía que el mar de esa noche traía ola brava, aunque para él era como si estuviera detenida en un cuadro japonés. En un momento de la charla Livio se fue hasta una caseta de teléfono cercana y habló por unos minutos. Luego volvió y se unió a todo el grupo. Tenía los ojos idos y cavilaba tomando decisiones que de seguro no eran fáciles. Sheng lo miraba con cierta aprehensión pero no decía nada.

Decidieron ir a comer enchiladas y tacos en un restaurante mexicano en Diversey, a la altura del cruce con Lincoln Avenue, que tenía la ventaja de servir tacos de ojo, sesos y riñones, además de la famosa exquisita pancita fuera de otras delicias intestinales que horrorizaban a Jeanette y a Sheng, aunque ésta reconoció que su madre preparaba platos similares para su padre, pero ella no los comía.

—Hay un escritor chino que sostiene que los mexicanos vienen directamente de la China —dijo Elipsio.

—La verdad es que los mexicanos son diferentes a nosotros —añadió Livio. Y luego preguntó—: ¿Qué relación hay entre un mexicano y un colombiano? Tal vez que oímos rancheras, sólo eso, pero por lo demás los mexicanos son raros para nosotros, extraña gente.

—Todos tenemos muchas cosas en común en América Latina —dijo Elipsio, envolviéndose en una de lengua, religión y madre patria.

Lilvio, a quien parecía que el chile picante le había tocado el lóbulo más atravesado de su cerebro, llamó al mesero que los atendía. Este era un hombre joven, de baja estatura y de indudable ascendencia indígena.

—¿Le podría preguntar algo en inglés para que lo entiendan las señoritas?

—Nomás diga, señor —dijo el mesero.

—¿Qué le parecen a usted los indios aztecas en México?

—Bueno, ya de eso no queda mucho en México.

—¿Pero no era cierto que se comían a sus vecinos, los tlaxcaltecas? ¿Que los engordaban, los aliñaban, y después de la guerra florida se los papiaban?

El mesero se rio nerviosamente:

—Así dicen, ellos tenían sus gustos —respondió.

—Gracias, mil gracias, maestro —dijo Livio.

—¿Se les ofrece otra cerveza? —preguntó el mesero.

Livio dijo que sí y por primera vez en la noche parecía contento, aunque era obvio que a Jeanette y a Sheng no les había hecho mucha gracia el corto diálogo.

—Y dime, Sheng, en la China, ¿no se comen también a la gente en algunas partes? —preguntó Livio.

Sheng se rio, a la defensiva. Elipsio pensaba que las cosas se le iban saliendo de las manos a Livio y ya no había cómo pararlo.

—Yo sé que tú leíste esos trabajos de mi padre —dijo ella, ahora un poco seria.

Livio se rio también, conciliatorio, y volviéndose a Elipsio le dijo:

—¿Sabías que el padre de Sheng fue profesor acá en la Universidad de Chicago?

—No —dijo Elipsio, dándose cuenta de que poco le había preguntado a ella por su familia.

—Mi padre murió hace poco —dijo Sheng.

—Lo siento —dijo Elipsio tratando de desenredarse lo mejor que podía dentro del absurdo de toda la conversación.

—El padre de Sheng trabajó acá con Mircea Eliade en el estudio de mitos y religiones —dijo Livio—. Era una berraquera el hombre como investigador, muy amigo de Joseph Campbell.

Elipsio miró fíjamente a Sheng y vio tristeza pura en sus ojos oblicuos. Le provocó apretarle la mano, abrazarla tiernamente, pero la verdad es que no pudo moverse un centímetro de su asiento.

De pronto Livio miró el reloj, se paró y dijo ya vuelvo.

Elipsio estaba cada vez más podrido con toda la situación porque algo extraño iba y venía como un yoyó entre sus amigos y él no tenía ninguna clave cierta para entender de qué se trataba.

Livio regresó sonriendo como quien acaba de pasar por una tormenta:

—Hoy leí en el *Chicago beat* que Howlin' Wolf está tocando en *Sylvio's,* en el West Side. Podemos llevar allá a nuestro camarada para colaborar con su libro, que a lo mejor nos lo dedica.

Pero Sheng dijo que lo sentía mucho, que estaba ya muy cansada, mañana estoy de turno en el hospital, y me voy.

Ya en la calle Jeanette se apartó para hablar con Livio mientras Elipsio trataba de establecer un diálogo con Sheng sin buen resultado. Ella estaba seria, distante, hermética. Tal vez dolida por la inconsciencia de Livio y sus cuculeitos a la Gombrowicks.

—¿Cuándo nos podemos volver a ver? —preguntó por fin Elipsio, venciendo el miedo a una respuesta negativa.

—Yo te llamo —dijo ella, cortés.

Livio se acercó a los dos:

—Bueno, parece que hoy es noche de machos —dijo.

Jeanette se despidió de Elipsio, le dio un beso a Livio y con una sonrisa se llevó a Sheng de la mano. Sus cuerpos hermosos confundiéndose con los avisos de neón y el tropel de gente en la calle.

Sylvio's estaba exactamente debajo de la estación del elevado, en la intersección de las calles Lake y Kedzie, en el vecindario cerca al parque Garfield que había sido epicentro de los disturbios e incendios luego de la manifestación encabezada por Martin Luther King en el 66, y después cuando mataron a King en el 68 se volvió a prender toda la vecindad más otras partes al sur de la ciudad. En el 66 los negros se acercaron peligrosamente a los polacos y al resto de italianos, alemanes, que quedaban en esas zonas y se instaló por varios días la fiesta a los quemonazos.

Cool it, baby!, Soul Brother!, eran los gritos como estampillas en las paredes, en los parapetos del tren o en los muros derruidos de los callejones mugrientos. Livio prefirió dejar su carro cerca del apartamento de Elipsio en North Sheffield y tomar el tren.

—Nuestros vecinos en esa parte del West Side son muy curiosos y les gusta lo ajeno que da calambre —dijo.

Y en todo el trayecto del tren que los llevó hasta el Loop y luego por vía recta por la calle Lake, su único comentario sobre la deserción de Sheng y Jeanette fue que con las mujeres todo esfuerzo era imposible, son animales raros, más complicados que las holoturias en los versos de César Moro, y por allí la emprendió para hablar mal de Vargas Llosa, a quien llamaba el Magnífico Escupidor de Literatura, comparándolo con las llamas Carlos Fuentes, "el bonito del paseo, escribe mejor que Pedro Infante"; y luego, por asociación extraña, contra los caníbales de Fernández Retamar. "Todos le coquetean al comunismo pero viven como burgueses, te lo aseguro".

Elipsio lo oyó con atención pero no se sumó esta vez al deporte de la maledicencia, porque el hueco en la noche que dejó Sheng se lo tragaba casi completamente.

Sylvio, el dueño, era un italiano locuaz y alegre, quien empezó con ese legendario bar en la década del 50, el cual fue centro en ese entonces de las audiciones vivas en radio que organizaba como maestro de ceremonias el "bocaza" de Big Hill Bill, un negro inmenso como las montañas de su nombre. Sylvio había decorado el bar con varias cabezas disecadas de venados cazados en las praderas de Illinois y en la puerta como adorno de terapia preventiva mantenía dos o tres policías bien uniformados por si las moscas, que por estos lados eran más grandes y más verdes que lo que Elipsio se podía imaginar.

Unos pocos rostros blancos entre *hippies* y atrevidos trasnochadores fanáticos del *blues* o músicos con rostros morfinómicos se mezclaban a la rabiosa y altiva muchedumbre negra. Livio y Elipsio tuvieron que esperar un poco más de media hora en la puerta para entrar, y eso que ya había pasado la medianoche cuando llegaron. Al fin se abrió cupo y se acomodaron a empujones en un pequeño recodo del bar. Al olor a costilla de cerdo a la barbacoa se unía el tufo de la cerveza, el humo de los cigarrillos y la miasma de los cuerpos. Poco aire circulaba en el inmenso salón, pero nada de esto tenía importancia al golpe sonoro de los aullidos de Howlin' Wolf y su banda.

Elipsio sintió que algo eléctrico subía por sus venas, como si el flujo de su sangre se hubiera lanzado a galopar a rienda suelta de pulmón a corazón a esternón a riñón, sonando y rompiendo en su correr todo dique, toda represa. La música que asperjaba a gritos Howlin' Wolf por la sala lo dejó desde el primer momento prendido a una primaria de alta tensión que lo llevó a empujones hasta el borde del escenario. Livio divertido, silbando y aplaudiendo lo veía ir diluyéndose en el sonido.

Difícil imaginar sin tener en las manos un pedazo de su propia realidad esos demonios que Howlin' Wolf le sacaba a la tierra como magma hirviente, no sólo por sus voz atronadora, aullante, sino por los alaridos de las cuerdas vibrantes, fuertes, pesadas, que salían de su guitarra, golpeada contra el marco monumental de su cuerpo. Era el sonido de West Side que hacía par con Otis Rush y Muddy Waters y que Elipsio amaba sobremanera, embrujado ahora por la energía que Wolf imponía con sus saltos en el escenario, por el agudo dolor de las notas en su rostro, y la tristeza de sus canciones como poemas de una derrota que lo llevaba a los orígenes y a todo fin.

Junior Wells, con su armónica maravillosa, alternaba esa noche a Wolf, así que cuando Livio y Elipsio salieron del bar, a la oscura madrugada, los oídos les zumbaban en miles de fragmentos de ruidos impresos como lobos que devoran por dentro.

Imposible conseguir un taxi a esa hora y en ese sitio, además Livio tenía hambre y quiso buscar un restaurante para desayunar.

—Si subimos por Sacramento Boulevard podemos llegar a Division Street —dijo—. Allá es tierra de portorros, pero todavía quedan algunos "polacks", los polacos, ¿entiendes?, y podemos comer salchichas Kolvassis con mostaza y café negro, ¿qué te parece?

—Division Street y Ashland, esos son los metederos de Nelson Algren —recordó Elipsio.

—Sí —dijo Livio—, a lo mejor nos encontramos al hombre por esos lados. Al carajo no lo saca nadie de Chicago. Lástima que le dio por meterse en los calzones sucios de esa franchuta Simone de Beauvoir.

Caminaban por la calle Lake buscando la intersección con Sacramento, por debajo de los rieles del elevado. Elipsio, a pesar de que la cuenta del licor había ido más allá de sus bolsillos, tenía suficiente conciencia para sentir que el vecindario era bastante peligroso y miraba con recelo cada recoveco o callejón animado por las ratas y otra fauna esotérica comiendo en los desperdicios. Varios trasnochadores a los tumbos salían de bares como *Smoot's* o *Kansas City Red's* y los miraban al pasar con ojos por debajo de los sombreros, tal vez preguntándose qué hacían estas dos aves sin nido en medio del ghetto negro en el West Side. Livio, despreocupado, los saludaba levantando el brazo con el puño apretado, hermano, hermana; y a paso largo se fueron hasta la calle Chicago que era una de las fronteras raciales de la ciudad.

—De aquí en adelante todo era hasta hace unos años lechesita pura, maestro, polacos, irlandeses brutos y otras bellezas, pero ahora la mayoría es gente de "mi barrio" —dijo Livio, subrayando—. Pero no hay que confiarse mucho porque estos resultan a veces más jodidos que los negros. Odian a todos los que huelen a *hippies,* a artista peludo, además de los negros, por supuesto. Pero no te preocupés, nadie se va a meter con nosotros. Por el momento vos y yo somos hombres invisibles en este país.

En la esquina de las calles Division y Western encontraron una vieja y olorosa cafetería con buenas salchichas polacas, rojas y grasientas, huevos fritos y café malo, como siempre.

—Qué lástima que nuestras amigas se fueran. Howlin' Wolf y Junior Wells son del carajo. Inolvidables —dijo Elipsio.

—Con las mujeres no se puede, maestro —dijo Livio mientras reventaba la yema de uno de los huevos con un pedazo de pan.

—¿Qué pasó con ellas?

—Nada, hermano, qué va a pasar. Bueno, es que a mi mujer le ha dado por ponerse celosa porque me he acostado unas cuantas veces a Jeanette, ¿me entiendes mendes?

—No es nada raro eso —dijo Elipsio.

—Todo estaba claro como el chocolate Luker cuando nos casamos. Yo le advertí que me casaba si ella se aguantaba el varillazo de que de vez en cuando yo tenía que tirarme una peladita, ¿sabés? Y ahora viene con cuentos y llantos porque me cojo a su mejor amiga.

—¿Y Sheng? —preguntó Elipsio, a quien este *ménage a trois* lo empezaba a preocupar.

—Yo sé que la chinita te gusta, pero allí no hay nada que hacer, es más fácil cogerse a Chou-En-Lai. Es una buena amiga, pero no entiende un carajo de mi arreglo con Kathleen y Jeanette. Pero ya se les pasa, o si no qué más da.

Asunto concluido. Livio no dijo nada más. Rato después se quedó mirando a un hombre viejo, derrengado, que entró a la cafetería arrastrando los pies y con manos grandes, rojas, torturadas por las máquinas.

—Ese es un personaje de Algren, ¿ves? Por aquí se reproducen como conejos —dijo.

Luego se metió la mano al bolsillo de la chaqueta y extrajo unos papeles cuidadosamente doblados, y agregó:

—Aquí tenés algunos de tus poemas en inglés. No suenan como los asfódelos de William Carlos Williams pero algo se hizo.

La entrevista con los surrealistas empezó como un examen de inspectores escolares en la escuela primaria. Elipsio tenía terror al pensar que lo primero que iba a enfrentar era el rostro vapuleado de la pitonisa del Loop, quien de verdad era la única clave que tenía al momento para encontrar a Lamia, y que allí en medio de los surrealistas empezara a acusarlo de asalto, golpes y quién sabe más, y que de seguro lo iban a llevar a la policía, descubrirían su pasaporte falso, visa falsa, a la calle, deportado para siempre, y para siempre Lamia perdida en el laberinto.

Pero para su sorpresa, ya que daba por seguro que el cuartel general era el viejo edificio de la calle Roscoe que él conocía, y donde vio un par de veces entrar a gente ligada al grupo, Isidor Nesgoda lo llevó en el elevado hasta la estación de la calle Sheridan, la cual estaba muy cerca del estadio de beisbol Wrigley de los Cubs, famosos y adorados por todo el mundo en proporción directa a lo mucho que Elipsio los aborrecía, siempre enemigo de todo deporte o sudor inútil. Y desde la estación caminaron unas pocas cuadras hasta una calle muy especial llamada Alta Vista Terrace, la cual parecía sacada de un almanaque con apuntes londinenses. Casas de dos pisos alineados en desfile de varios estilos: gótico, holandés, Tudor, y una miríada de adornos en los que sobresalían las columnas jónicas y dóricas, en un eclecticismo tan anti-surrealista que maravilló a Elipsio atento al juego de las paradojas. Con ganas de ver todo el conjunto y para aprovechar la última luz de la tarde le pidió a Nesgoda que caminaran hasta el final de la calle y luego volver por la vereda de enfrente. Las fachadas producían una extraña ilusión óptica, porque se reflejaban simétricamente en la otra acera pero en sentido inverso.

—Esta es la calle de las cuarenta puertas —dijo Nesgoda.

"Tal vez para los cuarenta ladrones", pensó Elipsio sin abrir la boca.

Y ahora estaba sentado en la sala semioscura de una de las casas, rodeado de varios surrealistas con ojos cortantes como preguntas y cerveza en la mano. Elipsio reconoció a uno de los aspirantes al baile de ayahuasca en el Perú y lo saludó efusivamente. Y al pasar los ojos por todo el cuarto notó que la sacerdotisa golpeada no estaba, y respiró aliviado. El dueño era tal vez el más viejo, aunque su pelo canoso no señalaba mayor edad. Estaba vestido formalmente y su tono profesoral delataba a un profesor de inglés en la universidad.

Elipsio repitió toda su historia literaria con más pelos y señales, tratando de hacer inteligible su inglés gangoso y de acento fuerte. El dueño de casa prácticamente no lo dejaba terminar la cerveza para traerle otra, así que pronto se sintió volando por sus palabras y en un inglés que alcanzaba la perfección a los sorbos. Al terminar les pasó una copia de algunos de sus poemas traducidos por Livio. Nesgoda leyó uno, al azar, en voz alta.

—Magnífico —dijo uno—. Recuerda a Prevert. Muy divertido.

La esposa del profesor, una rubia hermosa y fragante, trajo pasabocas y más cerveza.

—Yo he estado en Guatemala —dijo—. Bonito país. Gente buena.

—Sí —contestó Elipsio—, pero también son unos miserables. Se están comiendo a su propia gente.

Hubo luego un largo silencio y un cambiar de vasos y mover cervezas como si se estuviera planeando una película de Buñuel. Elipsio tiraba risas amistosas hacia todos lados y golpeaba de nuevo la cerveza. De pronto uno de los surrealistas más serios, que todo el tiempo había estado callado, se paró de su asiento y empezó a caminar cerca donde estaba Elipsio. Era un hombre joven, alto y flaco, con lentes de abuelo y una melena controlada por una banda de colores a la Miró. En una de sus vueltas se quedó mirando fijamente a Elipsio y le dijo, sin tapujos:

—Bueno, hombre, ahora si está bueno y nos puedes decir qué has venido a hacer aquí.

—Soy un viajero, escribo —respondió Elipsio.

—¿Y de qué vives, entonces?

Elipsio sintió como un golpe de dados el tono violento de la pregunta donde no había ningún azar que abolir, y quiso contestar de la misma manera pero se reprimió:

—Escribo, ya te dije…

—Nadie vive de escribir —dijo el otro.

—Yo no tengo muchas necesidades.

Elipsio notó entonces que todos los ojos, las narices, los senos, las barbas, los bigotes y las pestañas y cejas estaban frente a él, en masa con forma de cuerpo rebelde e inquisitorial.

—Bueno, hombre, nosotros sabemos que trabajas para la policía secreta, para la CIA, así es que pongamos las cosas en claro —dijo el surrealista flaco con cierta tranquilidad, como si hablara del tiempo.

—Mierda —dijo Elipsio—. ¿Es un chiste esto?

—No. Nosotros somos gente seria —dijo el otro.

Elipsio, comprendiendo por fin que estaba metido de lleno en una situación que a más de incómoda era absurda, dijo:

—No es posible, ustedes no pueden pensar eso.

—Sí, podemos, además tenemos pruebas.

—¿Cómo, pruebas de qué?

—De que perteneces a la CIA, nosotros no somos tontos.

Isidor Nesgoda le devolvió las copias de sus poemas en silencio.

—¿Cuáles son esas pruebas?

El flaco no contestó. Se limitó a mirar a los otros.

—Yo no soy policía de nadie —dijo Elipsio—. Ustedes están locos si piensan eso.

—Ya es hora de que ustedes nos dejen de vigilar y joder —dijo Nesgoda—. Dile a tu gente que ya basta, nosotros tenemos nuestros derechos. Es bueno que se nos respete.

Se veía que Nesgoda, al hablar, contaba con la aprobación unánime del grupo. Ellos habían concluido, por una extraña razón, que él era un espía y santo remedio, a la picota.

—Y si soy un espía, entonces, ¿qué estoy espiando? —preguntó Elipsio, sabiendo que no era bueno estar todo el tiempo a la defensiva.

—Nosotros tenemos todo derecho a reunirnos como nos dé la gana, este es un país libre —dijo uno, bien patriota en ese momento.

—¿Son ustedes criminales, qué esconden? —preguntó Elipsio cada vez más firme y molesto.

—Nada —dijo el profesor.

—Entonces, ¿cuál es el miedo? ¿Qué busco yo?

—Es mejor que te vayas —dijo Nesgoda—. Ya viste que aquí no hay nada que esconder.

—Bien —dijo Elipsio incorporándose. Las cervezas habían hecho su efecto, evidentemente.

La esposa del profesor le señaló la puerta con la punta de sus pezones porque él tenía la cabeza baja, cavilando.

Al llegar a la puerta Elipsio sacó su libreta de apuntes y en una hoja suelta escribió su nombre, teléfono y dirección y se la pasó a Nesgoda.

—Aquí está mi dirección —dijo—. Si ustedes tienen tan buen sistema de contraespionaje, tan buenos informantes, esto les facilita todo. Pueden pasar a tomar un café cuando les convenga.

Era la noche de nuevo en Chicago. Ciudad mugrosa, de viento sucio, de mente sucia, pensaba Elipsio caminando por el cementerio judío hasta North Clark.

Difícil de explicar pero se sentía un poco intoxicado por las cervezas. No tenía miedo de que los surrealistas le hubiesen echado una burundanga al licor, pero a más de vomitar estaba la necesidad de aclarar sus ideas y algo lo entorpecía. Decidió caminar por la calle Racine, calle solitaria y oscura, la cual lo llevaría directo a Lincoln Avenue.

Racine, pensaba, y el arte de la tragedia, esos zafa-
rranchos entre los seres humanos y sus pasiones,
Racine y el raciocinio, Racine y la razón. El sueño de
la razón seguro que engendró a estos surrealistas.
Qué extraño haber sido juzgado y encontrado culpable y lanzado fuera de esa casa sin que nada me-
diara, sin defensa. Todos ellos erguidos en el pedestal
de la omnipotencia. Tan seguros de ellos mismos.
Cambiando el mundo, transformando la vida. Y a
pesar de que sentía una rabia profunda no dejaba de
percibir una cierta inocencia en la lucha de ellos
contra un sistema lógico, racional, implacable, que
tenía la cara pecosa de la benevolencia. El abuelito
Sam bombardeando Camboya, apoyando a todas las
dictaduras en América Latina, entrenando asesinos,
durmiendo tranquilo con todos sus muertos en
Hiroshima, sin conciencia, sólo *corn flakes*.

Y en sus cavilaciones entre las luces del tráfico
seguía pensando que era posible que detrás de esto
estuviera la pitonisa fumadora o sus asomos de pesquisa barato por la calle Roscoe, donde de seguro
estaba el verdadero centro surrealista. Pero, ¿quién
lo había acusado? Irónico pensó en Marty y en aque-
llo de que todo gringo en América Latina es sospechoso de ser un espía de la CIA. Y ahora él era el
espía. Juego surreal con una pata fea en la realidad.
¿Cuál era el juego de los surrealistas? ¿Hasta dónde
era ilícito, subversivo? Y volvía a pensar que daban la
impresión de ser inofensivos, la rebelión del inconsciente, nada más. Lamia, ¿dónde estás? Maldita sea. Qué
ganas de estar con ella, mirándola, acariciándole el

cabello. Ella comprendería, se reirían juntos, y les explicaría a los surrealistas quién era él. La carta de ella siempre en ese bolsillo secreto de su chaqueta. Las ganas de abrirla y leerla. Su letra grande. Pero no resistía el dolor. Mierda. La mandé a la cárcel. La jodí. De seguro me odia. No. No podía pensar eso. Tan linda con sus bluejeans por la Avenida Sexta. Leían a Michaux. Nosotros dos aún.

Al llegar a la intersección con Lincoln Avenue estaba visiblemente cansado, su pulso alterado repicaba como una campana que no sabe para quién toca. Todo lo anterior era otra vez el sueño de un sueño y aquí estaba él, despierto en la noche de Chicago, la ciudad daba otra vuelta pero él se encontraba en el mismo sitio siendo otro. Se sentó en el quicio de una puerta y metió las manos en la cabeza, en el pelo.

Sheng no había llamado más, Livio tampoco. A lo mejor están todos cogiéndose en una cama real. No. Sheng era dulce y simple. No retorcida como Livio. La llamaré y la invitaré a ir a Maxwell Street, la calle de los judíos, los negros, los latinos, el Evangelio y el *blues,* el mercado de todos. Allí donde debería ya haber estado. Donde señalaba la famosa película de Shea, o el poema de Carl Sandburg, leído estos días que tomaba notas para su artículo sobre el viejo cabeza gris:

Conocí a un judío que vendía pescado a gritos en Maxwell Street, con una voz como el viento norte soplando sobre las espigas desnudas del maíz en enero.

¿Cómo hacer para encontrar a Lamia, dónde buscarla ahora, estaba en la correcta dirección? Le diría que se fueran a México. Viajando juntos por Oklahoma. Kafka, Amérika. La K era su letra. La kábala, el kybalión, el Korán. Kaka, pura ka ka.

Siguió caminando por Lincoln, sin detenerse, hasta que pasado un buen rato se encontró en *Ratzos*. Estaba mejor. Desintoxicado por la polución de los carros. Y cuando Bob le lanzó una cerveza con una sonrisa y un verso de Blake ya pudo reír por fin frente a la noche absurda.

—¿Quieres jugar ajedrez? —era la despelucada Gretchen con su pequeño tablero.

—Déjame explicarte la defensa Caro-Kahn —dijo Elipsio, feliz de saber que esto lo sacaba de lo lúgubre de sus pensamientos.

Se sentaron en un rincón del bar, donde seguían ventiando las cervezas de Bob más unos tequilas con limón que le ponían fuego a las jugadas en el tablero.

—No veo a Judith esta noche por aquí —dijo Elipsio luego de un largo rato de explicaciones técnicas del juego y sus silencios correspondientes.

—No. No va a venir. Anda en una convención feminista organizada por Betty Friedam, en San Francisco.

—Se va a mejorar el mundo —dijo Elipsio.

—Tú no le caes bien a ella —dijo Gretchen.

—A mí ella me da un poco de miedo, de verdad.

Gretchen se rio:

—Sí, Judith es muy fuerte. Es buena gente pero muy vengativa. Ella dice que tú eres tramposo, como todos los latinos.

—Pero si a duras penas me conoce.

—Judith no necesita conocer a una persona para saber si le gusta o no. Ella tiene un olfato especial.

—Yo me baño todos los días —dijo Elipsio.

Gretchen volvió a reírse, contenta:

—¿Me dejas jugar con las negras ahora? —preguntó.

—¿Por qué no vamos a mi casa y seguimos jugando allí? —le sugirió Elipsio, casi sin pensarlo.

—Bien, me gustaría —dijo ella, todavía sonriente.

En ese momento Bob se acercó a Elipsio:

—¿Qué vas a hacer el día de acción de gracias? —le preguntó.

—No había pensado en nada, a la verdad. Tal vez es que no tengo muchas gracias que dar. Pero todavía falta tiempo para eso…

—Es que mis padres organizan cada año una comida, y les gusta prepararlo todo con mucha anticipación. Es el rito anual, ¿te gustaría acompañarnos?

—Magnífico, déjame saber cómo llegar, entonces —dijo Elipsio, sabiendo desde siempre que odiaba el pavo y sus aderezos insaboros.

—No hay problema, es en Oak Park. Vamos juntos.

—Gracias, gracias también por las cervezas —dijo Elipsio. Bob no quiso pasar la cuenta, "es por la casa", dijo.

—Ahora te dejamos, vamos a seguir jugando en mi apartamento —y Elipsio le tomó la mano a Gretchen.

—Juego de manos, juego de villanos —dijo Bob, quien había aprendido este quite de torero español en un viaje a Tijuana.

Hacer el amor con Gretchen no fue cosa fácil para Elipsio. Ella de verdad quería seguir jugando ajedrez así que colocaron el tablero sobre la alfombra de la sala, al lado de sendos vasos con ginebra, regalo generoso del "Iluminado" Peterson. Taima dificultaba el juego porque le había entrado una de darle mate al rey con sus patas al menor descuido, lo cual le hacía perder concentración a Gretchen y terminaban cada momento a los zarpazos. Elipsio pensaba, con terror, que una cucaracha podía aparecer de súbito con sus antenas enhiestas por debajo de los sillones. Por fin, ya bien entrada la madrugada, cuando Gretchen se dio por satisfecha con las alternativas de la defensa Caro-Kahn, suspendieron el juego y ella se dejó acariciar la cabeza, los brazos y el cuello, pero cuando le rozó con la punta de los dedos el nacimiento de los senos Elipsio sintió un vivo temblor por todo el cuerpo, y comprendió que tanto tiempo sin el contacto de una piel de mujer con la piel de su cuerpo lo ponía nervioso al extremo, tembleque y sudoroso. Y no era este el cuadro de amante que quería pintar frente a ella cuando estuvieran desnudos. Entonces, para ganar su tiempo, le pidió que hablara de sus cosas, de su familia. Gretchen se sintió contenta, era obvio que como toda mujer no le producía ninguna emoción mayor esa zarpa masculina desnuda y al grano.

Venía de ese pueblo de agujas como iglesias llamado Springfield, tierra fecticia de Lincoln y capital del estado de Illinois, de una familia luterana de origen nórdico europeo, semi-liberal. Su padre trabajaba toda la vida para la compañía de seguros Aetna y su madre estaba ahora en una clínica rehabilitándose de los excesos de alcohol y pastillas tranquilizantes.

Su hermano mayor acababa de regresar de Vietnam un par de meses atrás, y desde el día en que puso sus pies en tierra y maldijo la bandera de estrellas y barras azules y blancas y su padre le gritó que no se decían malas palabras en su casa, "desde ese día está sentado frente al televisor en su pequeño apartamento, no dice una sola palabra, no trabaja, y con la plata que le pasa el gobierno como desempleado bebe cerveza, come crispetas y a veces llora como un niño, solo".

Y al decir esto Gretchen tenía también sus ojos llenos de agua cristalina. Elipsio sintió la guerra, la soledad y la tristeza envueltas todas en esos cuerpos tan rubios, tan limpios, y la abrazó mientras le seguía acariciando la cabeza. Ella se dejó besar en la boca, sin mucha pasión pero cálida, con firme respuesta.

Dijo también que estudiaba trabajo social en la Universidad Loyola, cuando podía; en *Ratzos* conoció a Judith y ahora salían juntas, ella sabía bien que Judith estaba loca por ella, que era terriblemente posesiva y que todavía no podía decidirse entre si ir con hombres o con mujeres:

—Estuve un tiempo largo con un muchacho de la universidad, un muchacho negro del sur de Chicago, muy bueno y cariñoso, pero su familia no nos dejó casarnos, odiaban a los blancos, tú sabes. Luego se lo llevaron para Vietnam y allá lo mataron. Judith fue muy buena conmigo y entendió todo.

—Pero ahora no entendería para nada que estés aquí conmigo —dijo Elipsio.

—No. Ella le tiene odio a los latinos que conoce en Chicago, ya te dije.

Y el diálogo siguió así hasta el estruendo animal del tren elevado y el acento negro del café con el que Elipsio abría la mañana. Él se comió un pedazo de pollo viejo que había en la nevera pero ella no quiso compartirlo, lo cual era bien entendible.

Gretchen tomaba café y se dejó desnudar lentamente mientras miraba y escuchaba por la ventana del cuarto de Elipsio los rostros veloces prendidos al tren y el ruidaje de las bielas y tornillos que venía de la estación. La suavidad de las curvas que describían sus senos pequeños, de pezones rosados, contrastaba con el chirrido reinante en la mañana, y por entre las cortinas el sol sacaba chispas del vello rubio de su vagina. La despelucada Gretchen era una diosa escandinava entre las manos de Elipsio, un sueño feliz de Bergman.

Pero Elipsio no podía apartar sus pensamientos de lo sucio de las sábanas y cobijas de su cuarto cuando aparecieron las moscas verdes con su música característica, y ella gritó, horrorizada.

Elipsio, frenético, y también espeluznado por los horribles bólidos golpeándose contra los vidrios de la ventana y las paredes, les tiró las cobijas y de un sólo barquinazo la sacó a ella del cuarto y cerró la puerta a las patadas.

—¿De dónde salieron? Me dan mucho miedo esos bichos —dijo ella, temblando.

—No sé. Vienen por la mañana de visita sin que nadie las invite. Ya se irán, no te preocupes.

Cuidadosamente la abrazó y la llevó a la sala. Pensando rápidamente se metió de paso en el cuarto del "Iluminado" y sacó sábanas limpias, suficientes para hacer una cama decente en la sala. Taima, al oler tal vez el fresco de la tela se metió por entre los pliegues y después de desobedecer las súplicas pacientes de Elipsio salió a los empellones. Y entonces Gretchen tiró por fin el blanco de su cuerpo blanco entre las telas contra el blanco de la cama, y se lo llevó a él por la pendiente de los deseos y los excesos, hasta que sólo quedó un grito al unísono ya tarde en la mañana.

II

LA RUEDA GRANDE GIRA HACIA ARRIBA

De una u otra manera tenía que volver al principio, darle otra vuelta a la rueda. Su tiempo se iba entre las ramas de sus pensamientos, cayendo sobre el piso como las hojas del otoño que se aproximaba y el caminar por los pasos de Carl Sandburg en Chicago, las noches en *Ratzos* oyendo a Tommy Long, un joven cantante de *blues* de la banda norte de Chicago, excelente en el jugueteo con la guitarra y su voz puesta en el tono sombrío de la letra y la algazara de los ritmos. Bob, el barman, en peroratas fragmentadas por los licores y su dinero contante y sonante, arremetiendo hacia Blake, Donne o Browning, esos amigos de Elipsio gracias a la mano anglosajona de Borges, y a cambio de ello la cerveza gratis, dos monedas de un cuarto de dólar en la mesa, nada más, toda la noche.

Y ahora era Carl Sandburg quien lo acompañaba por las calles, en sus manos los *Chicago poems* que había sacado de la biblioteca pública, y allí también encontró sus artículos en el *Chicago Tribune*, sus libros sobre Lincoln, además de sus poemas y canciones. Carl Sandburg había muerto pocos años atrás en North Dakota, donde criaba ovejas y cabras con su báculo de pastor tostado por la naturaleza humana y divina. Interesante, pensaba Elipsio, que a Sandburg le tocó el servicio militar cuando la guerra contra los españoles y por varios meses lo mantuvieron estacionado en Puerto Rico, el país de la madre de William Carlos Williams, y ahora los puertorriqueños revendían boletas de béisbol en las afueras del estadio Wrigley, se las ingeniaban para ganarse unos dólares a como fuera y cada vez los empujaban más de un lado al otro, sin saber cómo acomodarlos, la ciudad que todo lo mueve.

Carl Sandburg, metido hasta los cascos en el Partido Socialista, luchando por los obreros y los campesinos, "Dios nos libre y nos favorezca", rezaba Elipsio conocedor de la ferocidad de la máquina hacedora de dinero en este país, y acusado de comunista, anarquista ("Viva la anarquía", gritaron al unísono los cuatro anarquistas ahorcados en Chicago en 1887), y esto en los tiempos de "ardiente impaciencia" cuando John Reed le dio electrochoques al mundo en diez lecciones de periodismo yanqui, tiempos en que la gente creía en algo, cuando la fe todavía rodaba como marañas de paja seca por las praderas del medioooeste.

Elipsio había encontrado entre sus notas de trabajo el texto de un *spiritual* negro:

Ezequiel vio una rueda
una rueda en medio de una rueda.
La rueda grande gira por la fe,
la rueda pequeña por la gracia de Dios.
Ezequiel vio una rueda.

"La pondré de epígrafe al artículo", se dijo. Había que pensar entonces en ese otro creyente que era Ezra Pound, quien publicó sus poemas junto a Sandburg en la revista *Poetry* de Chicago. Los compararía en el artículo, escribiendo, aunque no será fácil encontrar un edificio de apartamentos llamado Ezra Pound. Las barbitas pelirrojas de este poeta se resisten al uso en el mercado, sus *Cantos* todavía tienen ese chirrido de lo que se vende mal pero se roba sin piedad. Los poetas norteamericanos con los antifaces del coloquialismo robándole a escondidas los versos a Pound. Y eso escribió. Con Sandburg la cosa es diferente, es un honor robarle todo, hasta las chamizas de su pelo. Sandburg y Pound, enemigos mortales de la usura, del robo, de los banqueros, los prestamistas, Chicago, "la ciudad que trabaja, que funciona", así lo proclama el alcalde Richard Daley, el jefe, *The Boss*, trabaja para los ladrones, para los policías que sobornan. Días atrás tuvo que pasarle 10 dólares a un policía porque lo cogió *infraganti* pasándose una calle contra el semáforo. Elipsio, aterrorizado, casi cae en la cárcel porque le daba miedo pasarle el billete al policía, y el tombo se lo embolsilló y así aprende a respetar la ley, como lección, le dijo con una sonrisita Pepsodent. Elipsio en la esquina todavía temblando, papeles falsos, pasaporte, visa: Chicago, ciudad en movimiento, llevándose por delante al que puede, nada le pertenece a nadie. Inestabilidad, símbolo del progreso. El progreso y la usura, la miseria. Pound y Sandburg, dos voces en el camino desierto, peleando contra lo

mismo de esos ángulos convergentes norteamericanos. Pound el aristócrata, criado con leche de la buena, vaquita lechera, paseado en cochecito de lujo por
los parques; Sandburg, a pura leche de cabra, tirado a
la marcha de los trenes, vagabundo pobre por esas
planicies inhóspitas. Pound: Londres, París, Venecia,
Rapallo. Sandburg: Nebraska, Topeka, Chicago. Pound
loco contra la gran maquinaria del comercio y el progreso. Sandburg loco contra la maquinaria que se de-
glute al hombre. Pound en la cárcel, en el asilo.
Sandburg entre cabras y ovejas. Pound, Sandburg (escribía frenéticamente, con ira), todo esfuerzo de cambio es inútil. La rueda grande gira por el dinero, la
rueda pequeña por la gracia del tío Sam. Pero nadie
ve la rueda, invisible, está en el rostro de los poderosos, en la mesa de centro que gira y determina la vida
de los otros, sin piedad.

La casa de Sandburg, en North Hermitage, echaba
puertas afuera toda su humildad. Elipsio, plantado
en su mesa escribiendo, escarbando con las palabras ese su estar allí al frente de la casa, pegaba sus
ojos a las ventanas del segundo piso donde el poeta
vivió con su mujer y su hija, y en las noches de 1912
escribió los versos de *Chicago poems*:

*Me dijeron que eras perversa, y lo creo; porque he
visto tus mujeres pintarrajeadas bajo las lámparas
de gas tentando a los muchachos campesinos.*
*Y me dijeron que eras malvada, y yo contesto: Sí, es
cierto que he visto a los asesinos salir libres para
volver a matar.*

Y me dijeron que eras brutal, y mi respuesta es: He
visto en los rostros de las mujeres y de los niños las
marcas de un hambre feroz.

Al poner las cartas sobre el tapete de hollín y mugre
en que se acomodaban sus días de Chicago, Elipsio
se encontró solo entre el ruido del tren elevado a la
mañana contra los rieles y la estación inmediata, y el
tecleo de su máquina, Sandburg, Pound, a la noche,
al día, las horas desperdigadas en su propia danza y
salsa, sin ritmo ni control.

Agotadas las pocas fuentes que había explorado
para encontrar a Lamia empezaba a pensar que
todo era inútil, que ella seguramente a esas alturas andaría sorbiendo visiones indígenas en Taos,
tropezándose con los cactus en los desiertos de
Arizona o encaramada en las montañas rocosas
como potros congelados por el tiempo, tal vez tirando su cuerpo desnudo contra la arena de las
playas polutas de Los Ángeles o comiendo cama-
rones de río en New Orleans, al lado del viejo río,
en el delta; ¡maldita sea!, este país es tan grande
que podría estar aquí a mi lado, en el apartamento
del vecino, y no la veo, o perdida en la inmensidad como espacio habitable.

Fue por esos días que Taima empezó a desarro-
llar una gran pericia en capturar cucarachas y luego de matarlas con las patas y jugar a la pelota
maya con ellas por toda la casa, las dejaba en los
sitios menos pensados, ya fuera entre los platos
de la cocina, entre sus papeles y libros, al fondo

de un vaso, dentro de los zapatos o entre las sábanas. "El Iluminado", quien estaba empezando un
pequeño negocio de ventas de matas y flores, había cumplido con la promesa de traer los hongos
prometidos en una matera negra y de plástico, y
allí proliferaban esos bichos que iban de lo animal
a lo vegetal y que según él espantarían definitivamente las moscas verdes. Sólo que tendrían que
esperar que crecieran y para eso era preciso colocarlos en un sitio húmedo y sombrío, debajo de la
mesa de la cocina que servía de comedor, y allí
los dejó:

—Cuando crezcan un poco ya estarán más fuertes
y entonces los metes en el cuarto y se acabó todo
con las moscas.

Elipsio recordó después que no le preguntó cómo
iban los hongos a espantar las moscas, pero se imaginó algo con el olor a diantres y demonios, y con
su poder de atracción para los bichos infectos que
no paraban de visitarlo en la mañana, tanto que ya
muchas noches dormía en el suelo de la sala, arrobetado en las cobijas junto a Taima, esperando atenta el desfile de las cucarachas.

Los días se iban también con el silencio de Sheng,
y Livio le dijo al teléfono que andaba enchufado en
mil versiones y tergiversaciones de su vida diaria, ya
te cuento pronto, tengo que ir a Milwaukee, te llamo
cuando todo vuelva al viejo desorden, por ahora es
una de gatos maullando en el tejado, dijo enigmático, a la jeroglífico egipcio. "Debe ser que su mujer le
dio una patada en el culo", pensó Elipsio rabioso

porque este despelote lo había alejado de Sheng Hung, a quien no se atrevía a llamar para no complicar las cosas más de lo que estaban.

Así que todo esto lo dejó en las noches de *Ratzos* que terminaban a veces en el apartamento de Bob en North Clarke, revisando a Blake y descifrando sus enigmas gráficos en desafíos de libre asociación. Bob estaba contento porque por este medio ya había conseguido ensartar varios poemas abstrusos, bellos en su decir nada hacia lo más profundo. Gretchen, atada firmemente a la pata de la mesa de Judith, quien de San Francisco regresó con nuevos ánimos para emprenderla firme en su cruzada mujeril, lo miraba de reojo cuando podía, tal vez esperando que un ataque de salida Ruy López por parte de él venciera las defensas indias de Judith. Y esto se logró de pura "chepa" (como llamaban en su barrio de Cali al azar).

Una de esas noches *Ratzos* estaba más lleno que de costumbre porque además de la banda de Tommy Long se había venido, del South Side, Hound Dog Taylor con sus *HouseRockers*. Hound Dog Taylor y su camisa a los mil diagramas y colores, el sombrero tirado a lo alto, de ala ancha, flaco y eléctrico como su guitarra maravillosa, y detrás de él empujando una multitud que de oídas y bocas se encontró con ese regalo único allí al comienzo de la Lincoln Avenue.

Elipsio llegó tarde esa noche y en la puerta le dijeron que se olvidara, ya temían que la policía iba a venir a sacar unos cuantos por sobrecupo, vuelve mañana. Nada valía insistir pero sin perder el buen ánimo se despidió amablemente solo para meterse por un callejón oscuro y ratuliento que lo llevó a la parte trasera de *Ratzos,* basura entre cajas y tarros atiborrados. Figurándose que la puerta que veía daba a la cocina la abrió y se encontró en un pasillo lleno de botellas y más cajas y la mano en el pecho de un empleado alto, delantal blanco, quien le dijo por aquí no hay entrada, amigo, sin violencia pero firme. Elipsio, sonriendo, le pidió que hablara con Bob, en el bar, él fue el que me indicó que entrara por aquí, mintiendo, pero por suerte el otro lo reconoció en ese momento y dijo, "Ah, el suramericano, pásate por la cocina y sales al bar", y como si lo hubiese programado el cerebro a cuadros del ajedrecista ruso Botvinnik, en uno de los recovecos se encontró a Gretchen esperando que desocuparan el baño, y allí mismo se prendieron en un beso largo con lenguas de fuego y poco a poco se fueron trastrabillando detrás de las cajas, las botellas, hasta que se encontraron en un pequeño cuarto donde había una mesa pequeña, casi a lo oscuro y con los aullidos de Hound Dog Taylor, y la despelucada Gretchen se dejó besar por todo el cuerpo, arrastrados ambos por las urgencias de ese deseo que se enfrentaba duro contra la soledad que los unía, pero que buscaban como fuera combatir. Y ese fue el comienzo de esos encuentros que burlaban la vigilancia estricta de Judith y les daban a ambos el placer gratuito de lo prohibido.

"Cuando me muera la gente dirá que no pude tocar ni mierda, pero que de todas maneras hacía buenos ruidos", eso fue lo que dijo una vez Hound Dog Taylor. Elipsio pensaba en esto como fórmula para los que algunas vez quisieran escribir poesía y recordaba esa noche ardiente de días atrás. Tommy Long, devoto, orante, a los pies del maestro, Hound Dog Taylor con los dientes en fila para dar paso a su voz vibrante, al acero de sus dedos en la guitarra a todo color. Semanas más tarde Elipsio lo seguiría hasta su metedero en la calle 55, donde quedaba ese club abarrotado de gente y casi en las tinieblas, el *Expressway Lounge:*

Devuélveme la peluca que te di
devuélveme la peluca que te di
voy a dejar que tu cabeza se quede pelada,
no te va a quedar nada en la cabeza
porque no te voy a comprar otra peluca.

Moviendo todo el cuerpo Hound Dog Taylor, golpeando el suelo al ritmo de sus pies, y toda la audiencia de aquellos que descendieron en el tren de New Orleans, el del Mississippi, los recién nacidos en la Chicago del afro y la protesta, siguiéndolo a pies juntillas en el alboroto y la gozadera: Elipsio uno más a bordo de su tequila y la cerveza Budweiser.

Pero en el hoy estaba la tristeza de esta mañana silente, tecleando, sorbiendo el café aguado, recolado, y el no saber hacia dónde: Lamia y su sombra metidas en la rueda que no se detiene. Absurdo pensar en seguirla buscando en Chicago, pero algo lo mantenía adherido a esa idea como única tabla en el océano. Entonces, ¿por qué no volver al principio? Y a este pensamiento siguió el presentimiento de que había dejado algunas piezas sueltas en el tablero. Recordó la voz recia, de ultratumba, que lo recibió en el edificio de la bruja del azar fortuito, la dirección de Lamia en Chicago con las letras grandes de ella que le dio el bagre Velázquez en Nueva York todavía en su bolsillo, presente. "Qué carajo, voy a volver, y si sale de nuevo la bruja esa le doy otro coscorrón", y con esto se armó de valor.

Temprano a la mañana del día siguiente se encaramó en el El, el tren elevado, el El, el El, el El, tratando de palatalizar con fuerza ese sonido como onomatopeya del material flotante (le gustaba esa sinonimia para vagón) sobre las vías o rieles, y así distraía el miedo creciente de lo que le esperaba, la nada como respuesta o un nuevo empezar.

El edificio en la avenida Gladys, calle perdida entre la avenida Jackson y la autopista Dan Ryan, que Elipsio conocía bien, tenía las diferencias características de lo que se vio y no se vio una vez, la puerta semiabierta, chirriante, más pequeña probablemente, pero sí la misma mugre, el olor a papel periódico viejo, mohoso. Las diferencias aumentaban a medida que revisaba con mayor detenimiento el lugar. El ascensor inservible y las gradas estaban allí, pero entre la semipenumbra vio un corto pasillo y al fondo una puerta: *Genitor*, era el aviso sucio a mano y tinta. Comprendió que de ese atrás había salido la voz tajante que lo recibió antes.

Tocó fuerte y el ruido retumbó por todo el corredor. Tocó de nuevo. Un arrastrarse de pies por dentro y una voz gangosa, murmurando algo inentendible, como despertando. Tocó otra vez, no tan fuerte:

—¡Aquí no vive nadie, mierda! —definitivamente en español.

Elipsio decidió no entrar en un diálogo inmediato a través de la puerta, así que volvió a tocar, recio.

—¡Váyase pa la puta chingada que aquí no hay nadie! —la voz inmensa, iracunda.

Entonces Elipsio sacó un billete de cinco dólares y lo metió por los intersticios de la puerta, cerca de la cerradura. Una mitad adentro, otra afuera. Silencio. Elipsio tocó suavemente esta vez, cerca de donde estaba el billete.

Se oyó de nuevo un arrastrarse de pasos y Elipsio sintió que alguien estaba bien cerca de la puerta, casi podía oír una respiración, mirando fijamente el billete. De pronto la puerta se tragó el billete de una sola dentellada, tiburona.

—Hay otro de los mismos si me da cierta información —dijo Elipsio a la puerta.

—¿Qué quiere? —la voz de fuerte timbre aunque desconfiada parecía trabajada ahora con un ablandador de carnes.

—Quiero información sobre una muchacha que vivió aquí, hasta hace poco.

El silencio se iba haciendo metálico al otro lado. Elipsio puso un nuevo billete en el resquicio. Luego de unos instantes desapareció, ingurgitado de un solo tirón.

—Si abre la puerta y podemos hablar puede que yo encuentre otro billete de los mismos —dijo Elipsio, tratando de ser lo más convincente.

—Tal vez el otro hace el milagro —dijo la voz ronca, profunda, de barítono.

Elipsio puso varios billetes de a dolar, hasta cinco, en la rendija. Se evaporaron en un segundo. Temía Elipsio que la alcancía al otro lado no tuviera fondo. Sus recursos eran escasos, como siempre.

Pasaron unos minutos y nada se oía. Impaciente y nervioso Elipsio se pegó a la puerta. De pronto la cerradura hizo un crujido y una de las naves se abrió. Y Elipsio sufrió un choque fuerte porque esperaba encontrar un cuerpo acorde a los tonos fuertes de la voz, y lo que vio adentro, iluminado por una luz de pobres bujías, fue un enano de cabeza grande y pies pequeños con pantuflas, bigotes tenía en la cara y manos como aletas de pez.

—Elipsio, ese es mi nombre —dijo poniendo un pie adentro y bajando la mano derecha hasta alcanzar esos dedos pequeños, regordetes.

—A mí me puede llamar Jeremías —dijo el enano, como si lo hubieran sacado entero de la Biblia y no de *Las mil y una noches*.

El apartamento estaba a la altura liliputiense de Jonathan Swift: una mesita, una cocina, asientos pequeños, una camita de niño adornada en la cabecera con despliegues eróticos de *Playboy*, una virgen

de Guadalupe con su respectiva veladora, una alfombra de color perdido entre los años y todo lo
demás envuelto en un papel de pared a cuadros
amarillos, repugnante.

—¿Cómo se llama la muchacha que busca? —preguntó Jeremías sentado en la mesa.

Elipsio, acomodado más o menos en uno de los
diminutos asientos se sentía como dentro de una
casa de muñecas, muy poco a la Ibsen más a la
Lewis Carroll, faltaba que salieran de algún hueco
los amigos de Alicia.

—Lamia —dijo—, es una muchacha colombiana.

Jeremías se quedó en silencio.

—¿Sabe algo de ella? Por favor, es importante.

Jeremías se puso una de las manitos en la cara,
acariciándose el bigote.

Elipsio sacó un billete de diez y lo dejó en la mesa,
a su alcance:

—No tengo más, lo toma y me dice lo que sabe o
me voy y asunto concluido.

—Aquí vivió una muchacha colombiana, cierto,
allá arriba se quedaba con Penélope y otra gente
metida en eso del arte, qué sé yo.

—¿Cuánto hace que se fue?

—Hace, exactamente, como año y medio. No la
volví a ver. ¿Es usted de la policía? Yo tengo todos
mis papeles en orden y no me meto con esa gente.
Ellos pagan el alquiler y a mí no me importa lo demás. Algunos tienen sus problemas, usted sabe.

—Sí, lo sé. Pero no soy de la policía. Soy un amigo
de la familia de ella que la está buscando. Su mamá

está muy enferma y quiere verla antes de morir. ¿Quiénes son esa gente que usted dice?

Elipsio había puesto uno de sus dedos en una punta del billete. Jeremías no le quitaba el ojo de encima, cavilando.

—Bueno, usted no le va a decir a nadie que yo le dije nada.

—No tenga cuidado. Soy una tumba.

Elipsio se arrepintió inmediatamente de su salida de película mexicana porque Jeremías se estremeció al oír esa palabra.

—Mejor digamos que usted es una caja fuerte.

—Sí —dijo Elipsio, sonriendo—, mejor.

—Ella andaba con uno de los Young Lords y con otro gringo —dijo Jeremías y alargó su manecita rosadita hacia el billete.

Elipsio lo sostuvo, apretando fuerte con sus dedos el billete contra la mesa:

—¿Cómo se llamaba este tipo, el de los Young Lords?

—No sé, pero le decían el "mono", el "mono" González, creo. Esa es gente peligrosa, usted no parece ser como para esa gente, están en la droga, y algunos hasta les da por el comunismo, peor, usted sabe, contra la guerra, contra todo, le dan a la cosa fuerte. Dizque quieren la liberación de Puerto Rico.

—¿Y el otro, el gringo?

—Mucho no sé, nada. Era un chavo muy bien vestido, como cosa del pasado. Lo vi unas veces. Elegante. Pero esa muchacha Lamia era buena muchacha porque venía a veces a hablar conmigo y me dejaba una que otra cosita como presente. Antes de irse me dijo que le guardara unos papeles.

—¿Podría verlos? —dijo Elipsio, temblando.

—No. Son de ella. Usted me perdona.

—Entiendo. ¿Y dónde cree usted que anda esta gente ahora?

—Andan por el Westtown, por la calle Division, por todas partes, yo no sé.

—¿Podría ver el sitio donde estuvo ella aquí? —preguntó Elipsio, consciente de que empezaba a arriesgarse más de lo debido.

—Allí se queda esta Penélope con su novio. Yo no me paso mucho por allí. Mejor no, ya le dije lo que sé.

Jeremías estiró los dedos hasta tocar el billete y Elipsio lo dejó ir.

Lo primero para ver serían los indios, esas tribus Potawatomi rodando por las ciénagas, arrancándole peces al río y al lago, bisontes a las praderas, pero fue un negro de Santo Domingo, La Sable, quien inventó este sitio para los europeos y todos los demás, *Checagou,* y con él los franceses, La Salle, Franchette, Joliet, más los ingleses, alemanes, irlandeses, suecos, bohemios, polacos, judíos, negros, italianos, japoneses, griegos, mexicanos, chinos, puertorriqueños, cubanos, colombianos, Lamia, él ahora sentado en el parque Grant, cerca de la Buckingham Memorial Fountain, en una bolsa de papel un *gyro,* esa hostigante y deliciosa comida griega que le despertaba los mejores apetitos. Pensando en su charla con el enano, sin saber qué hacer con eso, por dónde volver a empezar. Lamia en la cama con el "mono" González. Dolía de verdad.

A la distancia la chorrera de carros del Lake Shore Drive y luego el puerto de Chicago y los barcos, los veleros, los yates, más el sol del mediodía contra el infinito del lago. Todo esto en llamas en 1871, la ciudad que en menos de treinta años había ido de un cacerío a una metrópoli, ardiendo como paja y leña seca. La vaca de la señora O'Leary pateó una lámpara de aceite. Mú y sanseacabó. La ciudad en brasas, barbacoa al por mayor, pollo asado y quemado, puerco al horno. El fuego corría como una liebre alimentado por los vientos, la ciudad del viento que se lo lleva todo de este a oeste, de norte a sur, 18 000 edificios volando en cenizas por las praderas de Illinois, y allí iban 1600 almacenes, 28 hoteles, 60 fábricas, y las casas de las casas de las casas de todas las cien mil personas a la intemperie, la candela persiguiéndolos cuadra a cuadra, los caballos relinchando y huyendo despavoridos. Mú y sanseacabó. Los parroquianos a esconderse que viene la basura en combustión, metiéndose entre las tumbas del antiguo cementerio en Lincoln Park, algunos cargando maletas para dejar tiradas en medio de las calles, el horror, los niños gritando, las ambulancias rechinando, los bomberos sin agua, sedientos, huyendo: muertos por centenas, achicharrados, quemados, asfixiados, y los vivos al pillaje, al robo, pero también para morir en la algarabía, las mujeres espantándose el pelo como hogueras, las enaguas ardiendo, saqueos, los policías sálvese quien pueda, asesinatos, el calor reventando a millas a la redonda, la ciudad del fuego eterno ocultando el sol con el humo y el esplendor de la conflagración, y de esa floreciente y joven Chicago sólo quedó la hoy vieja Torre del Agua entre las calles Chicago y State.

Chicago, la "ciudad de las ratas", como se la conocía en el entonces de reconstrucción que empezó de inmediato, dinero lloviendo desde Buenos Aires a Copenhague, celebraría 22 años después, en 1893, la Gran Feria Universal en celebración de ese día de octubre cuando al buen ciudadano del mundo, don Cristóbal Colón, le tocó en suerte empezar con el zafarrancho americano.

En los días de festejos previos a la inauguración oficial, la poeta Harriet Monroe, quien luego fundaría la célebre revista *Poetry*, leyó su "Oda colombiana" (a Elipsio le gustaba traducirla de esta manera), y cobró mil dólares por el poemita: "Si a todo el mundo le pagan por trabajar, ¿por qué un poeta no puede cobrar por su trabajo?". Neruda hubiera aplaudido, zapateando, pensaba Elipsio, mientras volvía a la historia como solaz y escape: Lamia en el carnaval del cuerpo del otro. Eso era.

A la fenomenal parranda de la gran exhibición estaba invitada de honor la infanta doña Eulalia, sobrina del rey Alfonso de España, y para homenajearla una de las señoras más encumbradas de la ciudad, misía Bertha Palmer, le arregló una *suite* en la Palmer House para que se alojara de acuerdo con su dignidad y abolengo, y de paso le preparó una supercena con 200 invitados en el espejeante Salón Imperio de la misma Palmer House, invitados de honor estaba algo de lo mejorcito que Chicago tenía por esos días, semilla pura de políticos corruptos y mafiosos.

Pero doña Eulalia, quien de seguro no entendía ni pizca de inglés u otras lenguas, y de paso le daba duro con un palo y duro con un garrote al whisky y al vinillo bien fermentado, creyó que la buena Bertha Honoré Palmer, pionera del feminismo americano, fundadora del Instituto de Arte de Chicago, era la esposa del mayordomo y la trató acorde con el máximo desprecio y despotismo semi-ilustrado. El magnate y todopoderoso Potter Palmer, esposo de la indignada pero silenciosa Bertha, quedó echando chispas, y no sería raro pensar que una de esas chispas fue la que 5 años después incendió el buque Maine en el puerto de La Habana, pequeño baile que le costó al buen rey don Alfonso los territorios de Cuba, Puerto Rico, Las Filipinas y una que otra isla de ñapa, terminando allí lo que restaba del viejo Imperio español. Otra victoria de los "salchicheros" de Chicago.

Pero en esta ocasión al lado de la bandera de las barras y las estrellas estaba la bandera roja de Castilla y la bandera blanca con las iniciales de los reyes católicos, Fernando e Isabel; además, sentados junto al presidente Cleveland y a todos los poderosos de Chicago, incluido el citado mister Potter, se veían las humanidades sonrientes del duque y la duquesa de Veragua, la marquesa de Barbales, don Cristóbal Colón y Aguilera y su doña, y por supuesto, la elocuente borracha Doña Eulalia.

Todo fue un jolgorio a calzón quitado. Los impuestos y pagos en las casas de prostitución se aumentaron para ayudar a financiar los gastos de la feria. Mike McDonald, jefe mayor de ladrones, apostadores, carteristas, dueños de casinos, tahúres, prestamistas, había señalado con reglas estrictas dónde y cómo robar, estableciendo asimismo los porcentajes de ganancias para los políticos y la policía.

La gran procesión inaugural fue por la amplia avenida Midway Plaisance, que une los parques Washington y Jackson, centro este último de la gran exhibición industrial. El presidente Cleveland encabezó el desfile seguido de los dignatarios de la ciudad y el mundo presentes. A su paso, leones amaestrados rugían poderosamente. Pero también allí estaba el más grande circo humano que pueda imaginarse: faquires como esqueletos de la India, gitanos y gitanas con sus violines y sus ombligos retorciéndose modulosamente, monstruos de todo tipo y deformación sacados de las pesadillas del Génesis, acróbatas levitando de para atrás como san José de Copertino, payasos a la Garrick en una sola carcajada, cocodrilos hambrientos esperando las moscas verdes, hipopótamos desembarcados en el río Chicago, camellos como versos de poetas colombianos, alargándose y contrayéndose a discreción; en fin, un arca de Noé para lo extraño y lo fantástico, todo a buen precio y al alcance del consumidor.

Al fondo, en Jackson Park la multitud de edificios en estilo neoclásico que Burnham, el arquitecto jefe de la exposición, había mandado a construir; sólo el edificio del transporte diseñado por Sullivan, con su "estilo Chicago", se escapaba del nauseabundo conjunto imperial que imitaba la vieja Roma, grotesco en su exaltación del poder y la arrogancia del dinero. Burnham mandó a construir 1600 edificios para alojar las decenas de países asistentes a la feria.

La algarabía era mayor. Los niños gritaban, los hombres empujaban, las mujeres aullaban, un buen despelote de asfixiados, golpeados, heridos, ambulancias, puestos de socorro. Sin embargo, a las doce en punto Cleveland oprimió el botón que puso en actividad toda la maquinaria de esa "ciudad blanca", como la llamaban, la cual consumía tres veces más energía que toda la ciudad. "Ciudad blanca" también porque a los negros no se les permitía trabajar en las obras de construcción, y los que asistían tenían que ir a la casa de Haití para hacer sus necesidades corporales.

En medio de la atareada Midway Plaisance podía verse desde cualquier distancia la rueda de Chicago. Imponente, "The Ferris Wheel", la rueda Ferris, era la respuesta de George Ferris, ingeniero de Pittsburgh, a míster Eiffel y su torre parisina. La rueda se apoyaba en dos torres de 50 metros, cada una con un eje de 15 metros, las piezas de acero más grandes forjadas en el mundo hasta ese momento; su diámetro era de 80 metros, la circunferencia de 240 metros y la altura máxima llegaba a los 90 metros. Con un peso de 4800 toneladas se necesitaban mil caballos de fuerza en sus motores reversibles para darles vueltas y revueltas a 2100 personas en 36 coches de madera.

El 16 de junio de 1893, a las 6 y 15 de la tarde, exactamente 11 años antes de Bloomsday, la rueda de Chicago empezó a girar, primero muy lentamente, con sus pasajeros nerviosos entre risas y champaña, y luego a más velocidad en las alturas, y la extensa ciudad de Chicago quedó a sus pies: el humo de las fábricas y las casas, los edificios, el ruidaje de la fiesta y la música de occidentes y orientes, los barrios y sus ghettos, la miseria y la riqueza de esos seres humanos que vinieron a "hacer la América", las avenidas, el río, el lago, los rascacielos, el sol radiante en el poniente, el matadero y sus puercos, las empacadoras de carne, los frigoríficos, las vacas que por más que patearan ya no iban a quemar nada, sólo engordar los símbolos del poder, la conquista de la última frontera del descubrimiento de América.

No era fácil entrarle a esa muela de juicio final que eran los metederos latinos, por más español y adobo con carne *diablito* que le mezclara al asunto. "El barrio", el vecindario, era tierrita abonada con desconfianza y reticencia en el paisaje de la ciudad, y por otra parte Elipsio empezaba a tomar conciencia esos días de otoño que allí mismo en North Sheffield, cerca de Armitage, estaba rodeado de puertorriqueños y mexicanos, que el supermercado de la esquina era de gente de las Antillas, y que todo el silabeo español estaba más cerca de lo que se imaginaba. Era como si el aviso de Jeremías

lo hubiese despertado del sueño americano y colo-
cado de frente a la realidad cruda de la calle, una
realidad que lo acercaba como carne de ghettos a
su propio ser. Desprendido del mundo y de las cosas
por la acumulación de rabia y resentimiento, dolor
y tristeza, ironía y sarcasmo, la búsqueda de Lamia
lo había plantado en la dirección de sólo ver ese
camino, pero ahora de súbito aparecían con nitidez
de realismo peludo los cuerpos de hombres y mujeres que lo rodeaban, y allí estaba él en el supermercado *Mi bohío,* en la esquina de su apartamento,
contemplando los rostros en canela y fantasía de ese
ungüento étnico que empezaba a llamarse "lo latino" o "lo hispano". Esos rostros que sin proponérse-
lo expresamente había tratado de evitar, quizás para
no contagiarse de los huecos en las mejillas, el oro
de los dientes postizos, la vaselina en el pelo negro,
entintado, los pantalones de bocas amplias, las ca-
misas y blusas chirriando a todo color, algunos de-
macrados hasta el esqueleto, señoras de bustos
enormes y caderas imposibles de pasar entre los pasillos atiborrados de latas, harinas de maíz y de trigo, raíces de ñame a ocumo a yuca, malanga o yaitia,
trepadoras en zapallo, calabazas, chayotas, papa-
yas, cilantro, plátanos para tostones, condimentos,
pimientos, chiles, ají picante, veladoras, rosarios,
fríjoles, maíz, tortillas, sin saber qué comprar esta
tarde, sólo una lata para abrir encima de un poco
de arroz, de la congeladora las amenazantes cajas
de *Hungry man,* hombre hambriento, mejor, sediento, con ganas de salir corriendo, encontrar la paz

otra vez de la vida dulce, la vida dulce es la que no se ha vivido nunca, la que viene con el zaz de un latigazo, el cielo negro se abre y sale el sol por un instante, luego se cierra. Al fondo del supermercado un niño chilla, la madre le pega en las nalgas para que se calle. Chilla más. Todos somos niños chillando con una madre grande que nos dice que tenemos que sostener el mundo entre los hombros y la cabeza, llevarlo arriba y abajo, sí señor, ¿cuánto cuesta? Son tres dólares con cincuenta. Me podría decir si hay un sitio por aquí donde se pueda oír música latinoamericana y se hable español. ¿El señor es de dónde, que no cojo el acento? Colombiano. Ah, por aquí no hay colombianos, sólo gente de Puerto Rico y chicanos, yo soy de Cuba, hay cubanos pero por los lados de North Clarke y Lincoln Park. La verdad que no busco colombianos, sólo que quiero oír hablar español, usted sabe. Por aquí arriba, por Clybourn, allí encuentra bares pero yo no se los aconsejo mucho, mejor vaya a *La Hacienda del Sol,* en North Sedgwick, es un sitio bueno si quiere comida mexicana.

Clybourn Street era el sitio para empezar. Esa tarde llamó a Livio pero no estaba en casa, Kathleen le dijo que andaba por Gary, Indiana. Le preguntó por Sheng y ella le dijo que estaba bien. Pero de todas maneras le digo a Livio que te llame y a lo mejor nos vemos el fin de semana. Elipsio le dijo que si hablaba con Sheng le diera sus saludos, que extrañaba no verla. Su madre ha estado un poco enferma, dijo Kathleen, pero le daré tu recado. Muchas gracias,

Kathleen, dijo Elipsio, tú eres una magnífica persona. Gracias, dijo ella.

Hubiera sido bueno tener un traje de pachuco o de anacobero para meterse por esos vericuetos, pero no le quedó más remedio que echarse encima la chaqueta de cuero, el viento frío en la ciudad daba de frente estos días, y caminar por North Clybourn, calle que bordea el canal norte del río Chicago. Calle atiborrada de fábricas, de pequeños bares y restaurantes, casas entre la miseria y la baja clase media, grandes extensiones de terrenos vacíos, depósitos de desechos industriales, trenes abandonados o en lento movimiento, carros atropellándose entre luces y semáforos. Inmensa, la ciudad negra y cruel lo empequeñecía, y Elipsio, sintiendo que una angustia como escarabajos kierkegaardianos empezaba a brincarle por el pecho, decidió entrar pronto al primer café abierto y tomarse algo contra los estremecimientos. La puerta estaba semiabierta y el olor a cigarrillo viejo, fumado hasta las colillas, lo recibió como saludo y divisa.

Sentado en el bar pidió una cerveza, dos equis, en español claro y reluciente. El barman lo miró con ojos como monedas con águilas aztecas y resbaló la cerveza por el mostrador. La música de Armando Manzanero era probablemente lo que venía de la radiola pero ya no el tintineo de los vasos o el bolabola del billar ni las voces, de ese silencio, puro, congelada una parte del bar, a sus espaldas. Elipsio se dio vuelta y vio rostros, cuerpos, casi todos de hombres, tal vez una o dos mujeres que no podía distinguir, las miradas hacia él, directas, sin tapujos, silencio, ahora más, por todos lados. El barman lo miraba también. Dijo:

—¿Se puede saber qué busca?

—Nada. Sólo pasaba por aquí. Una cerveza. Gracias. Pagó.

—Ahora te puedes largar —dijo el hombre, con cierta elegancia.

—Sí —dijo Elipsio y salió a la calle. Casi no había probado la cerveza.

Livio apareció temprano en el teléfono, rubicundo, disculpándose porque "estuve embolatado, la gran cagada con los tipos del Distrito de Parques, los mandé a la mierda, y estoy por abrir un negocio de venta de plantas". Elipsio le dijo que por coincidencia "el Iluminado" andaba en lo mismo. "Tengo que hablar con el hombre". Vender matas era tal vez la salida para no contaminarse con la gran maquinaria, aunque los pesticidas reinaran. El encuentro sería en *Ratzos,* como de costumbre, propuso Livio; pero Elipsio le preguntó si sabía de un restaurante latino, algo no convencional.

—Claro que sí, conozco uno colombiano, arriba de North Lincoln, allí nos vemos.

—A lo mejor me podés ayudar en algo —empezó Elipsio—. Busco información sobre un grupo llamado los *Young Lords.*

—¡Épale, maestro!, usted parece que va pa'rriba en la movida chueca con el jefe Daniel Santos —dijo Livio.

—¿Cómo así?

—Bueno, porque alguna de esa gente anda por lo de la estrella solitaria, ¿entendés?

—No —dijo Elipsio, confuso.

—Los *Young Lords* fue un grupo activista puertorriqueño hasta hace pocos años. Allí mismo en tus narices, en la esquina de Armitage y Halsted se tomaron una tierra para hacer el People's Park. Almas caritativas eran.

—Y ahora, ¿qué pasa con ellos?

—Dispersos, creo. El alcalde Daley con sus demócratas apestosos los dejó en la olla. Pero ya te contaré más, si querés, luego. Se ve que tu libro sobre los *blues* se está contaminando de pachanga.

El restaurante colombiano en la Lincoln era una mezcla de café barato en la séptima de Bogotá con restaurante popular en La Pintada, Caldas. Hasta los ceniceros anunciaban "cerveza Club Colombia" y las servilletas de papel tenían motivos pijaos. De música vallenatos alternando con guabinas y bambucos, para el viernes el conjunto *Los Cumbiamberos,* se puede bailar; hoy tenemos todo lo que ve en la carta y como especial tamales tolimenses, dijo la mesera.

Elipsio sentía la desazón de la movida patriótica: por un lado el saberse adentro de todas las cosas, cada ángulo de ese espacio le pertenecía; y por el otro las ganas de salir corriendo, de volver a la memoria donde la realidad era más llevadera. Livio y Kathleen estaban retrasados y Elipsio dijo: "Gracias, voy a esperar unos amigos, una Club, por favor".

No tenía la menor esperanza de encontrar a Lamia en un sitio como éste. La conocía bien y sabía cuánto aborrecía el comercio de la bandera nacional.

Por fin, luego de media hora, llegaron acezando Livio y su mujer, y detrás de ellos, sonriendo, Sheng, y a Elipsio le empezó a palpitar hasta la suela de los zapatos. Jeanette estaba ausente, lo cual no era difícil de entender.

La dueña del lugar conocía a Livio y vino a saludarlo, inmediatamente:

—Don Livio, don Livio, qué agradable sorpresa.

—Por aquí me tiene de nuevo doña Ramoncita, listo con mis amigos a pegarle duro al chunchulo.

Sheng se sentó al lado de Elipsio, quien se había levantado para acercarle el asiento y de paso darle un beso en la mejilla, más cortés que mandarín en Nanking. Ella reía oliendo a cerezos, otra vez.

—No te he visto por un buen rato —dijo Sheng—. ¿Qué has estado haciendo?

—No mucho —dijo Elipsio—. Escribiendo. Y le habló rápidamente de Pound y Sandburg, de Hound Dog Taylor.

—Al maestro le ha dado por el latinismo también —dijo Livio metiéndose en la conversación de ellos.

—¿Y eso? —preguntó Kathleen, a quien Elipsio notaba bastante contenta, cosa extraña.

—Está religioso el hombre, a lo mejor se mete en las cruzadas de "Los caballeros de San Juan" —dijo Livio, riéndose.

Todos celebraron el chiste, hasta Elipsio, quien no entendía nada.

—No. Es que me dio curiosidad por saber quiénes son los *Young Lords,* y le pregunté aquí a don Livio —dijo Elipsio.

—Esos ya no existen, ahora los que andan fuertes son los del Spanish Action Committee, pero *El puertorriqueño* los acusó de comunistas y están jodidos —dijo Kathleen.

—Kathleen sabe todo lo que quieras de nuestra gente "legal" —dijo Livio—. En el hospital le caen los apuñaladitos por montones.

—¿Y por dónde andan estos del comité este? —preguntó Elipsio.

—Bueno, por Division Street y también en alianza con los de Pilsen.

—¿Y dónde está Pilsen?

—Abajito de Maxwell Street —dijo Livio—. Es el antiguo barrio alemán que ahora les quedó a los mexicanos. La cancha de la pelota brava de los *Brown Berets,* los *Latin Disciples* y los *Latin Kings,* como quien dice nadita, hermano, la candela en pandillas. Heroína de la buena, pura Policarpa Salavarrieta para jeringuiar.

—Me gustaría ir a Maxwell Street —dijo Elipsio—. Los domingos en la mañana en el mercado dicen que todavía hay buen *blues* por las calles. ¿Vamos todos este domingo?

—Yo no puedo, tengo una cita importante —dijo Livio y miró a Kathleen. Ella le tomó la mano y sonrió. "Luna de miel", pensó Elipsio.

—Yo sí puedo —dijo Sheng, y a Elipsio la noche se le hizo casi nochebuena.

La comida era excelente, el aguardiente Cristal mejor, y el chunchulo reinaba frente al espanto de Sheng y Kathleen. Livio, bien elevado en su dirigible de alcohol, le dijo a Elipsio:

—Hay algo que tienes que ver en este restaurante. Algo único. Y no creas que son las cucarachas en la cocina, nada de eso. Lo que tienes que hacer es que cuando vayas al baño te detienes y abres las neveras grandes que están en el pasillo, cerca a la cocina, y miras a ver qué ves adentro. Procura que no te vean.

Kathleen y Sheng reían.

Elipsio, curioso, fue al baño inmediatamente y en efecto vio las dos neveras grandes en el pasillo haciendo su ruido característico. Nadie había por esos lados así que abrió una, la cual estaba bastante llena con diferentes comidas y bebidas, pero en la parte baja, sobresaliendo, vio tres trampas preparadas con quesos y carne cruda para caer violentamente sobre la cabeza de ratas y ratones.

Livio lo vio regresar sonriendo y empezó a cantar el himno nacional, "Oh, gloria inmarcesible, oh, júbilo inmortal".

Doña Ramoncita reía también, contenta de verlos tan felices en su patria.

—Nos están quemando el barrio —dijo en español la señora con la pañoleta en la cabeza y las manos rojas: frío en la calle y fogón ardiendo en la cocina.

Lo dijo dirigiéndose a Elipsio, parados los dos en medio de un grupo de personas en la acera. Viento fresco al mediodía, verano indio. Estaban en una calle cerca de Wicker Park, en la frontera norte del área de Westtowm.

—Sí. Es todas las noches la corredera de los bomberos, y ahora hasta de día que nos meten candela a las casas. Ya no se sabe cuándo le va a tocar a uno —dijo otra señora, un poco más joven, pero sin mirar a Elipsio, como pensando.

Los bomberos habían hecho posibles e imposibles para apagar el incendio, impedir que se propagara a los edificios vecinos. Otros eran los bomberos que seguro lo iniciaron, estaba sugerido en los periódicos en español esos días, pero Elipsio no los había leído. Ahora tenía *El puertorriqueño* bajo el brazo.

De la casa grande y vieja de tres pisos sólo quedaba un armazón de ladrillo ahumado, sucio, huecos por ventanas y puertas.

—El techo se cayó rapidito —dijo la señora con la pañoleta.

—Sacaron 5 esta mañana, muertecitos —dijo la otra señora con espeluznante ternura—. Achicharrados. Toda una familia, qué crimen. Apenitas llegando de Bayamón, los cinco. Había una gente abajo que dizque sí pudo salir corriendo, dicen.

—¿Y usted los conocía, a los muertos?

—Que sí, pero poco. A la esposa, que era joven y bonita, la vi unas veces y hablamos en la bodega, a él, sí no lo conocía. Dizque trabajaba en un restaurante por el centro.

—¿Y los niños?

—Ah, los sacaron tiesitos, tiesitos. Tres guaguas, fi-gúrese. Qué pecado, Dios mío. La Virgen nos ampare.

—¿Y quiénes le prendieron candela al edificio? —preguntó Elipsio a la señora de la pañoleta.

Ambas lo miraron.

—Y quién más va'ser sino los dueños, el *lanlor* —dijo una de ellas.

—¿Por qué?

—Usted no vive por aquí, por Division —dijo la otra.

—No. Vivo por Armitage.

—De por allá también están sacando a la gente, tenga cuidado.

Un policía se acercó al grupo y dijo que mejor se dispersaran. Los escombros del edificio podían ve-nirse abajo de un momento a otro. Había un poco de pánico en sus ojos azules.

—Estos también son los que le prenden candela a las casas —dijo la señora de la pañoleta señalando al policía.

Empezaron a retirarse lentamente. Los bomberos recogían las mangueras todavía chorreando agua. La policía había acordonado toda la calle con sus cintas amarillas, "zona de crimen". Las señoras caminaron al lado de Elipsio hasta la esquina de la avenida Milwaukee, y se fueron sin despedirse, tristes, una de ellas arrastraba uno de sus pies.

Las noticias en los periódicos del barrio, en la ciu-dad, e incluso en algunos nacionales, denunciaban los crímenes de esos incendios premeditados que buscaban ahuyentar a los puertorriqueños, y uno que otro polaco o italiano pobre, de esos barrios cerca del centro de la ciudad. *Gentrification*, era la palabra en inglés para designar la arremetida de los inversionistas en bienes raíces que buscaban recuperar, con suculentas ganancias, los vecindarios antes perdidos por el éxodo de los blancos a los extramuros de la ciudad. Preparaban a punta de incendios y otras estratagemas el regreso de una clase media joven, empresarial, la cual tenía el poder de pagar bien por las remodelaciones, los reacondicionamientos, las bellezas de esos vecindarios venidos a menos y ahora puestos a más.

Elipsio leía esto, recostado contra un semáforo en esa esquina de Milwaukee, en el periódico. Era un artículo de fondo, iracundo, impotente. La maquinaria política de la ciudad, encabezada por el alcalde Daley, se había dispuesto a limpiar toda esa zona para los blancos o los afortunados en los negocios. Estaba claro en el periódico: libertad de prensa, democracia, pero los cadáveres de los 5 de Bayamón iban camino a la morgue. Muertecitos. Santo remedio. Que se vayan los *spics* para la mierda, deberían pensar los políticos corruptos.

"Spic es el nombre que me toca por latino", pensó Elipsio. Recordó que en el bolsillo guardaba la lista de epítetos insultantes que la ciudad, paso a paso, había otorgado como marca indeleble a los distintos grupos étnicos que se habían sucedido en olas de inmigración: a los *micks* (irlandeses) los sucedieron los *krauts* (alemanes) y los *bohunks* (ucranianos), y luego con los *polacks* (polacos) descendieron los *kikes* (judíos rusos), y allí mismo los *guineas* (italianos),

los griegos, los serbios (por inentendibles parece que no necesitaban apelativos), los *niggers* (negros), los *chinks* (chinos), los *japs* (japoneses), los *gooks* (vietnamitas) y los *spics*, aquí caminando enfrente, ¡para fuera carajo que estamos limpiando la casa!

Siguió por la calle y se detuvo a comprar una "piragua", ese helado puertorriqueño con sabor a frambuesa, pidió. ¿Cómo desenredar la madeja que lo llevara a Lamia y al "mono" González? Entremezclada toda con incendio y "piragua", dulce y violencia, Lamia.

Los *Young Lords* estaban disueltos, era cierto lo que decían Livio y Kathleen. En la biblioteca pública, revisando periódicos viejos, pudo reconstruir en parte la historia de ese grupo político en la ciudad. El FBI y la CIA lo desmantelaron por completo, y algunos de sus miembros se sospechaba andaban enterrados en la subversión nacionalista del FALN, el Frente Armado de Liberación Nacional. Tira-bombas por la independencia de Puerto Rico, peligrosos, decía el periódico. Otros se sabía aliados al Spanish Action Committee, activos en la lucha por los derechos de la gente de la isla, pero comunistas: otra vez la prensa libre calificando.

"Maldita sea", pensó Elipsio; aparentemente Lamia se había ido radicalizando poco a poco y eso hacía su búsqueda difícil y peligrosa. Debería tener cuidado de ahora en adelante. El olor a guerra armada, a pandilla violenta, a pistola humeante o cuchillo nocturno le llegaba directamente, lo envolvía en una de recelos y miedos difíciles de controlar. Y eso que apenas estaba de entrada en "la colonia", el barrio de "la raza", pa'lante siempre pa'lante.

En la biblioteca también consiguió información sobre Nelson Algren. En el *Chicago Tribune* encontró un artículo extenso sobre Algren y Division Street. Más allá de su relación con la señora francesa de *Los Mandarines* y con Frank Sinatra en la versión de su famosa novela, Elipsio concluyó que en América Latina pocos conocían a Algren, probablemente algunos de los ociosos "camisarroja" en su país, y que escribir un trabajo, con fotografías, sobre él, era una buena forma de ganarse unos dólares, urgentes, necesarios, pero también la posibilidad para penetrar con esa cobertura los recovecos de Division Street. Y hoy, esta mañana de incendios, quería caminar por esas calles, ir hasta el cruce de Ashland y Division, llegarse a esa esquina y tomarse un trago doble en honor de "el hombre con el brazo dorado".

Las voces venían desde la sala ovalada de su apartamento, es probable que llevaran buen rato dándole vueltas a la habitación porque sonaban animadas, risas había también. Pero eran las moscas otra vez las que despertaron a Elipsio arrullándolo con su zumbido marcial. Las moscas como bombas cayendo sobre Camboya, en la cabeza de Hô Chi Minh. La guerra y las moscas tenían algo en común, eran una metáfora mala, podrida. Lo sacaban de casillas como una partida de ajedrez mal jugada, lluvia sobre la mierda mojada, la iteración de la repetición. De niño, recordaba, el horror estaba en la repetidera, ese machacar de lo mismo sobre lo mismo: el espejo de Borges vuelto palabras, sonidos al vacío, duplicándose al infinito. Y aquí entraban las moscas en la mañana, ese ritual de carne de gallina matutino. Lo peor de las moscas es que son como los poetas malos, pensó, se sienten felices con sus ruidos.

Las moscas parecían crecer día a día. Cada vez más grandes, más verdes. Un matamoscas comprado en el abasto no servía sino de momento porque regresaban al día siguiente, alimentadas por el ritmo de la rima de sus alas espeluznantes. Y en la pared, en la ventana, en los libros se paraban, restregándose las alas con las patas traseras, esperando el batacazo. Algunas veces se necesitaban varios golpes, estrellándose contra el vidrio, torpes, atontadas, temblando frente al remezón que producía el tren allí mismo, los frenos chirriando, las moscas susurrando, y Elipsio dándoles en la madre. Muertas, ahora sí, de un totazo, pero vivas mañana, resucitando como en una eucaristía diaria, matutina.

Las voces, reconoció Elipsio luego de la batalla cotidiana, eran las de Livio y "el Iluminado" Peterson, claras, audibles. En el silencio entre dos trenes cantaban a la flora, la fauna y los negocios. Livio, gracias a la información de Elipsio, le había propuesto al "Iluminado" la posibilidad de compartir en capital y trabajo la aventura del vivero que éste empezaba en North Wieland, en una casa vieja convertida a negocio, cerca de Piper's Alley, en el corazón de Old Town. Allí venderían todo lo que de verde y en colores crece en el mundo para las señoras y los señores amantes y domesticadores de la naturaleza, las muchachas y muchachos que celebraban la pérdida de todas las virginidades en la flor de la edad, las flores de la maravilla que todo lo curaban, y ese echarse flores de todo el mundo a todo momento por cualquier cosa, y a flor de agua vendría el buen dinero; Livio saboreando los billetes y el futuro de su libertad. Sin embargo no mucho tiempo después, maldiciendo, le dijo a Elipsio: "Me gustaría meterle una araña-mona a alguna de esas plantas que le vendemos a cierta gente", y sin embargo seguía sonriendo todo el tiempo, "La hipocresía es una de las cosas que mejor me queda con las señoras", decía esgrimiendo la más encantadora de sus máscaras.

Elipsio, luego de retirar los inmensos cadáveres de las moscas fue hasta la sala con una taza de café en la mano.

—Qui' hubo hermano —dijo Livio, contento como estaba.

—Matar moscas todos los días parece que es mi destino —dijo Elipsio, cavernoso.

—Los hongos pronto, pronto estarán listos —dijo Peterson, esperanzado.

—¿Y por qué no las coleccionas como hacía Nabokov con sus mariposas? Hasta las puedes clasificar —dijo Livio.

Elipsio se rio. Sería interesante ver un libro empastado en oro, reluciente, lleno de moscas disecadas: Archetypum: Aplastata cum zapatus, extingui cum periodicus, mortuus cum libris; mortalita a escoparum: supplicium iracundus, furiosus implacabilis, pestilentia furibundis, infectum cum garrotus;

infernus infernalis. Más o menos esas serían las clasificaciones: Insecto díptero, de la familia múscidos, ojos salientes, cabeza elíptica, alas transparentes, patas largas con uñas, cuerpo negro, azul o verde o rojo, Dios nos libre, boca en forma de trompa, despichadas en North Sheffield, todas.

—Ya pronto las espantan los hongos —repitió "el Iluminado", y a la esperanza le había añadido fe y caridad.

Elipsio permaneció en silencio mientras sus amigos volvían a discutir a calzón quitado sobre precios y porcentajes, hipotecas, alquileres, sociedades limitadas, en comanditas, acciones, juegos de la bolsa. En verdad muy espirituales, leídos o rebeldes, pero hábiles como nadie en el manejo del dinero, se maravillaba Elipsio, siempre torpe en esa dirección.

Por fin, luego de galletas de soda y café en abundancia, llegaron a un acuerdo y se dieron la mano. Era hora de escuchar a Bob Dylan y "el Iluminado" trajo a la sala esos alaridos de protesta con guitarra.

—Vamos a hacer plata de la buena —dijo Livio, en una pata.

Y al "Iluminado" le salió una risa fina por entre las barbas.

Elipsio, quien no entendía mucho del cambio de las estaciones, no sabía que días como éste de verano indio eran para darle carta blanca a la eternidad.

Metidos entre el feroz y húmedo verano que acababa de pasar y el acechante invierno tenebroso que se avecinaba, la ciudad encontraba su ser edénico en esos cortos días que se denominaban "verano indio": ni frío, ni calor, ni lluvia, sol entre el verde y las flores tardías en el otoño. Y así Elipsio, en los vericuetos de su ser a los tropiezos, pensaba que ver a Sheng lo sacaba de lo taciturno de sus días, olvidándose de que el verano indio lo regresaba a flor de piel a los pueblos montañeros cerca a su ciudad: Felidia, El Saladito, La Cumbre, donde quedaba resguardado para la infancia algo que podría llamarse felicidad.

"¿Por qué las mujeres bellas siempre andan en un Wolkswagen?", pensó como escribiendo un anuncio publicitario. Esto era una verdad ahora con ella mirándolo entre sonrisas mientras buscaba cómo parquear su carro por las inmediaciones de Maxwell Street.

A pedido de Elipsio, quien hoy quería ver el sol desde las autopistas, Sheng tomó la Expressway Kennedy hasta la Dan Ryan hacia el sur, y para sorpresa del mismo Elipsio, unas cuadras antes de la salida en la avenida Roosevelt, pudo leer a la distancia el aviso de la calle Gladys, allí donde el enano Jeremías estaba encerrado con algunas de las claves de la vida de Lamia entre sus dedos pequeños y regordetes.

Maxwell Street, "Jew town", la calle de los judíos. Así todavía la señalaban los viejos negros del *blues* aunque de judíos sólo quedaban algunas sinagogas desocupadas en el vecindario, y tiendas de cachivaches, para abrirlas de lunes a viernes, escapados todos a los barrios de las afueras, el ser limpio y puro de las comunidades suburbanas. Hoy por hoy lo primero que se les prendió en los sentidos al abandonar el carro ya no fue el olor a repollo, chocrú, tan propio de los judíos, bohemios o alemanes, ni la algarabía del yiddish, sino un revoltillo de tacos con tortillas, gyros con salchichas polacas, chicharrón y arroz con gandules, costillas a la barbacoa, pollo frito, hamburguesas, perros calientes, y los gritos a todo dar de los que vinieron a venderlo todo, hasta el alma que no les hace mucha falta.

Sheng estaba maravillada. Nunca había estado en algo semejante:

—Es como en la vieja China —dijo—. Mi padre me contaba de las calles atestadas del centro de Peking, cerca de la Ciudad Prohibida.

Elipsio, feliz de saberla estableciendo puentes entre la mítica China de sus padres y este menjurje de Chicago, la empujó un poco más sobre sus comparaciones y cavilaciones. Y ella volaba como ave libre por palacios y murallas mientras trataba en la realidad de no resbalarse en los papeles grasientos, pedazos no bien comidos de salchichas, frutas y sus cáscaras, huesos de pollo rodando por el suelo.

—La diferencia —dijo Elipsio, siempre literario—, es que ustedes en la China son uno entre lo mismo mientras que aquí se es uno entre lo otro. Así es todo este continente americano. En Colombia llamaríamos a toda esta mezcolanza un buen "sancocho" humano.

Y se vio caminando por la carrera diez, en Cali, cerca al parque de Santa Rosa, revisando libros viejos entre el gentío vendiendo de todo, o en San Victorino en Bogotá, hasta las palabras abrigadas en busca de la gran venta.

En efecto, de todo había allí donde estuvo el pueblo que se autodenomina elegido por Dios, esa Jerusalén como gatuperio: negros, italianos, puertorriqueños, mexicanos, gitanos, gitanas (con la palma de la mano y estrellas en el pelo), griegos, vendedores de biblias a todo pulmón, salvaciones adventistas, bautistas, luteranos, se está acabando el mundo, mormones, calvinistas, vengan rápido para la salvación, Testigos de Jehová, el Señor te llama, alabado sea el Señor, monjas, monjes, el Ejército de Salvación, y por en medio y al lado y al costado de toda esta gracia divina una miríada de vendedores en carritos, mesas, remolques, camiones y camionetas, vendedores de todo para todos, estafadores, dónde está la bolita, ladrones, y al centro, sonando, cantando, aullando, silbando, armonizando, danzando, la gente viva del *blues* que a la calle Maxwell venían desde la mañana del domingo a descargar sus voces y a rasgar sus guitarras eléctricas, a soplar sus armónicas, sus cornetas y saxos, el timbal de los cueros traducido a sus cuerpos.

Caminaban ellos dos yendo de un grupo al otro, encantada ella entre el rebulicio, y como algo casual, para poder seguir juntos y no separarse, le tomó la mano a él, y a Elipsio le pasó un corrientazo que ya no era *blues* sino un hervir de electrones que iban desde los pelos de su cabeza hasta el palpitar de sus pelotas; y así de la mano casi bailaban entre la música y las negras contoneándose, el sombrero pasando, y el fárrago de lo que no se vendió o se compró siempre, de medias tobilleras a sacacorchos, de llantas a cosméticos, de comida para pájaros a tocadiscos, de enlatados a destornilladores, de viejos televisores a máquinas de escribir, de revistas empolvadas a postigos, de vestidos y pantalones a relojes en un tiempo detenido, innombrable.

En la esquina de Halsted, un negro fuerte, de mediana estatura, gordo, de estómago prominente y cara redonda, tocaba la mandolina y cantaba algo triste pero que a Elipsio le alegró siempre el corazón: era Johnny Young, quien lo acompañaría en amistad desde ese día hasta el día de los días en que Chicago volvería a ser punto y coma en el mapa.

—Usted canta y toca maravillosamente —le dijo Sheng mientras dejaba un billete largo en el sombrero al lado.

—Usted es muy dulce —dijo él, sonriendo, y agregó—, esta es una canción de mi tierra allá, en el Mississippi.

A tanta alegría Elipsio había pasado de la mano de ella a su mano en la cintura de ella, y ella en juego recíproco a la cintura de él, y Johnny Young cantaba alternando ahora con la armónica, solo en la calle, único y ellos dos, todo el silencio, y me estoy enamorando de esta china, qué carajo, temeroso de que ella regresara a una realidad anterior con las distancias, pero al volver sobre sus ojos la vio radiando desde la línea fina de sus párpados, y los labios entreabiertos, blanca en la sonrisa, la luna puesta al sol.

Johnny Young estaba listo para tomarse el "descanso" correspondiente a esa fracción de la mañana. "Un refresco", precisó Elipsio y le preguntó si podían acompañarlo.

El bar no podía tener mejor gusto humano. El humo diluía los cuerpos así como el ruido mezclaba el licor por entre las mesas. Era tarde en la mañana pero parecía que la clientela había llegado antes de misa. Religiosa en el beber, fumar y hablar. Sheng encontró asiento en el bar y Johnny y Elipsio permanecieron de pie con el *bourbon* inmediato entre sus manos. Sheng le preguntó a Johnny sobre su vida y él se fue por el Mississippi abajo, el río y los pueblos pequeños, la pobreza y la música, dijo de un primo a su lado, el era de los pocos que tocaba la mandolina para el *blues,* la verdad de su instrumento, otras cosas fueron inentendibles, al menos para Elipsio, Chicago durante la guerra, Maxwell Street:

—A Muddy Waters no le gusta que yo siga tocando aquí —dijo.

—¿Por qué? —le preguntó Elipsio.

—Es cosa de sindicatos. Pero uno hace su billete aquí. Doscientos en un domingo, casi.

Pidieron otros *bourbon* y al rato Johnny dijo que volvía a la calle. Elipsio compró una caneca de whisky barato, a Johnny le gustaba esa marca, y se la puso en el bolsillo de atrás.

—Nunca estuve en un sitio así —dijo Sheng temblando. Él no se había dado cuenta de que ella estaba aterrorizada todo el tiempo en el bar.

Elipsio pagó la cuenta y la estrechó a ella contra su hombro. Johnny Young le agradeció con un gesto de la mano:

—Toco en el *Checkerboard,* allá estoy este martes —dijo.

Relampagueando al sol Maxwell Street era ahora más fiesta y carnaval. Al rato de oír los *blues* de Johnny Young, y de bajarse la mitad de la caneca, se fueron los dos de la mano por esas calles atiborradas y Sheng escarbó entre el surtido algunos objetos para decorar su apartamento, dijo, y Elipsio, aligerándose otro de la caneca, pensó que nunca había estado allí, sintió lo cálido de esos interiores como el cuerpo de ella, y se distrajo del avasallante pensamiento erótico viendo a ver si el azar fortuito le traía entre las baratijas una cucharita con un zapatico de mujer en la manija, recordando a Nadja, Breton en París buscando los signos que resolvieran el enigma del amor, y allí de la mano de Sheng, él, haciendo variaciones al tema, Lamia enredada entre las barbas y los brazos de alguien más esperanzado que él, luchador por la libertad de su pueblo, adelante cubanos que Cuba premiará vuestro heroísmo, tira-bombas, "mono" González, obsesivo.

Pasado el mediodía, ahítos de las viandas callejeras, Sheng dijo que tenía que pasar por el apartamento de su madre, que no estaba muy lejos, y que luego, si él quería, podían ir a sentarse en un parque.

—Este es el mejor momento del clima de Chicago, no podemos perder un instante. Ya verás que el viento frío y la nieve que viene es de lo peor.

La madre de Sheng tenía un apartamento en el complejo de edificios Marina City, al lado norte del río Chicago. Algo de vegetal había en estas dos torres inmensas que desde que llegó a Chicago atraían la atención de Elipsio. Contrastaban barrocamente, a su parecer, con la abundancia de edificios cuadrangulares, de vidrio y acero que él sabía había impuesto Mies van der Rohe. Era lo *heapster* contra lo *square*, lo curvo contra lo cuadrado.

—Si no te molesta, te voy a pedir el favor de esperarme aquí en esta plaza mientras vuelvo —dijo ella.

—Bien —respondió Elipsio, bastante desilusionado porque estaba ansioso de ver por dentro alguno de los apartamentos, y por demás ver la ciudad desde esa otra rueda de Chicago que eran estos edificios redondos, en forma de silos, mazorcas de maíz.

—Mi madre no recibe a nadie desde que murió mi padre —se disculpó ella.

—Entiendo perfectamente, no te preocupes.

No tardó mucho en regresar. De la mano otra vez fueron caminando hasta el parque adyacente al Instituto de Arte, en la calle Michigan. Ella se tendió en la yerba con los ojos al cielo mientras los niños gritaban sus juegos por todos lados y un buen grupo de jóvenes en bluejeans y pantalones cortos dejaban sus cuerpos irse entre lo verde. Elipsio, a su lado, recordó que en sus primeros días en Chicago, luego de visitar el Instituto, al salir preñado de impresionistas, expresionistas y los viejos tristes y saltimbanquis de Picasso, creyó reconocer a Lamia en el cuerpo y el pelo de una muchacha a la distancia. Tembloroso la siguió hacia el norte de la avenida Michigan hasta la esquina de Randolph Drive, y tiritando a pesar del calor se le acercó, casi hasta tocarle el hombro y dijo "Lamia", dos veces, y ella cruzó la calle y él se tiró por entre los carros, pasó adelante, y Lamia no era ese rostro también hermoso que lo miraba con ojos azules.

—Perdón —dijo él—, la confundí con alguien.

Y ahora Sheng lo miraba, tan adentro de sus pensamientos. Él sonrió y ella dijo:

—Algunas veces pienso que hay algo misterioso dentro de ti.

—A todos nos pasa lo mismo —dijo él.

Empezaba a caer el sol cuando ella dijo de súbito que tenía que irse, así como así, lo que él se temía, el escape en el último segundo, pero no se sentía con fuerzas para presionarla. Le dejó un beso con la mano de su boca a su rostro, se sonrió tristemente mirándolo de frente a los ojos, en North Sheffield, y Elipsio sintió que algo redondo y duro como la soledad se le metía por el pecho.

Al poco rato estaba en *Ratzos*, otra noche para Marty y su violín. Elipsio, con ganas de hablar de algo, cualquier cosa, le contó esa noche a Marty con señales todos los pelos de su problema con los surrealistas, riéndose los dos de la paradoja de ser ahora él, en USA, el espía de la CIA. Marty le dijo que aunque él no los conocía muy bien, suponía que los surrealistas, sonámbulos por naturaleza, exageraban la nota en su celo político, y que mejor se olvidara de ellos, no valían mucho la pena.

Hablaron otro rato y Marty se fue con su violín y su chaleco y corbatín. En el bar, Elipsio se acercó a Bob, había poca gente, y se entretuvieron manoseando la relación de Blake y su mujer hasta que apareció Gretchen con su pequeño tablero de ajedrez. Tan sola como él terminaron en las cobijas de la sala de su apartamento, haciendo el amor casi sin ninguna palabra, ansiosos los dos tal vez de que llegara la hora de un café por la mañana.

No fueron las moscas esta vez, fue el teléfono repicando y Elipsio como pudo oyó la voz de Marty:

—Me dijiste que hoy martes toca Johnny Young en *Checkerboard,* ¿no es cierto?

—Sí —dijo Elipsio todavía enredado entre espacios, puertas, cortinas, más las perennes moscas en residencia, en la tierra de su habitación.

—¿Vamos juntos? Yo te recojo.

—Bueno, no sé… —Elipsio dudaba. La noche anterior, mientras leía *Chicago: city on the make* de Algren, se encontró con la idea de que se deshacía, él, económicamente, mientras que todos en la ciudad lucían bien sus billetes, prostitutas en noche de soldados: *on the make.* El cheque de salvación sandburgiano, proveniente de Caracas, no había llegado.

—Yo te invito —dijo Marty, rápido.

—Está bien. Ando corto de dinero. Nos vemos esta noche.

Elipsio había pasado el día lunes jugando ajedrez al desnudo con Gretchen. Interesante juego porque cada vez que ella se comía una pieza levantaba sus brazos en alegría, y sus senos saltaban contrastando con los cuadros blancos del tablero, y a veces, estudiando profundamente una jugada, se agachaba tanto sobre las piezas que las tumbaba con los pezones. Se necesita la frialdad de un cabecipelado ruso o la locura del gringo Fischer para no perder la concentración de inmediato, pensaba Elipsio.

Biringa y vikinga, Gretchen era una mujer hermosa, inteligente, pero desalada por la vida que se le escapaba de sus manos sin ella poder evitarlo. Sólo el ajedrez, ese sueño de la razón, la mantenía atada al mundo, gracias tal vez a la irrealidad de sus movimientos. "Es mi droga", decía desde sus ojos tan claros como una playa en el Caribe, y su pelo siempre revuelto, moviendo la cabeza, despelucada. Compartieron sendos *Hungry man,* y Elipsio leyó *El puertorriqueño*, que había encontrado de casualidad en una venta de esquina cerca, mientras ella se vestía para ir a una cita con Judith. El surtido de sus orgasmos era bien diverso, le señaló Elipsio, pero ella no lo encontró divertido. "Eres malo", dijo. "Es verdad, contestó él, no tengo remedio".

En la página de sociales del periódico se anunciaba para el miércoles una lectura de poemas y canciones de protesta en el Latin American Boys Club, en la zona de Division Street. Una sonrisa como la del conejo de la suerte lo acompañó por toda esa tarde, solo, escarbando los jeroglíficos sajones de Algren.

En el *Checkerboard* no había mucha gente cuando llegaron. Marty iba vestido como Wyatt Earp, faltaban sólo los Smith-Wesson. Elipsio llevaba su única

y bienaventurada chaqueta de cuero: una lluvia fría
venía de visita por las noches.

Johnny, acompañado de la *Chicago Blues Band*
de Bob Riedy, cantaba y tocaba como si los santos
estuvieran marchando y danzando por la sala grande y los parlantes negros sobre negro fueran espejos
de la fuerza de su voz y su mandolina electrificada:

Eres una mujer loca, loca,
eres una mujer loca, loca,
y eres de allá de Tennessee.
Y ella dijo: "No soy tan loca, Johnny Young,
es sólo el demonio dentro de mí".

Sonreía desde su micrófono al verlos en primera
fila. Elipsio sintio con gran satisfacción que lo hubiera reconocido, y lo saludó con la mano, devolviéndole el mismo gesto del domingo en Maxwell Street.

Lo seguidores de Johnny Young eran más bien
un grupo selecto, le había dicho Marty, porque la
mandolina no era un instrumento popular en el
blues, venía de su uso en canciones y baladas del
Sur, y casi nadie en Chicago igualaba la maestría de
Johnny, quien le sacaba todos los aires finos a sus
cuerdas pinzadas, haciéndola ulular por entre los
otros instrumentos.

Era ésta otra de esas noches para jalarle los pelos a
la felicidad porque toda la música era para ellos y el
grupo pequeño, y a cada descanso Johnny se les unía,
previa invitación con suma cortesía de Marty, para
aligerar un buen vino o un *bourbon* de Kentucky.

Fue esa noche cuando Marty lo invitó a Johnny a tocar en *Ratzos,* y concertaron para luego un encuentro en Lincoln Avenue.

Restaba poco de la noche cuando lo dejaron a Johnny cerca de Odgen Park:

—Mejor se van de aquí rápido, muchachos —dijo—, porque por estos lados las cosas no están muy buenas.

Aunque ya habían pasado algunos años, no muy lejos de allí, en Western Street, todavía olía en recuerdo vivo el humo de carro quemado, caucho, almacén destruido y gritos y sirenas de los disturbios violentos del 66, los blancos tirándole piedras y botellas a Martin Luther King, y los negros respondiendo, *Burn, baby, burn.*

Sin esperarlo, al día siguiente, miércoles, se vio de fondo, caído de culo, en el centro de la vorágine que era el Westtown y sus facciones políticas y pandillas latinas peligrosas.

El Latin American Boys Club, en pleno corazón de Division Street, fue y era el centro de gran parte del despelote político y las persecuciones policivas que trataban de impulsar o frenar los cambios sociales que la comunidad latina ansiaba. Avispero de activistas y policías secretos infiltrados, el club desafiaba con su presencia el juego de libertades que la "maquinaria" del alcalde Daley manejaba a discreción. Elipsio, sentado en el suelo por entre la multitud, oía una canción de protesta contra los incendios y los desalojos, contra los bancos negando préstamos e hipotecas, contra los "cerdos" de la policía, y esperaba el anunciado recital poético de María Esther

Vásquez, poeta perteneciente a la Unión de Estudiantes Puertorriqueños, y quien había formado parte del casi desaparecido Spanish Action Committee.

La marihuana y el ron corrían por los pasillos como gatos en una fiesta: estaban y no estaban deslizándose silenciosos para luego maullar en la cabeza o arañar la garganta. Una caneca de *bourbon* cargaba Elipsio como precaución contra todos los peligros, y a escondidas le daba duro mientras aplaudía y lanzaba comentarios elogiosos a los participantes: uno más de la rumiante manada.

La entrada de María Esther, poeta querida por todo el barrio como se veía por los aplausos y los saludos, fue motivo también de sus gritos y silbidos. Previo a su lectura de poemas, la poeta habló en detalle del *Proyecto Pa'lante,* un programa de acción para ayudar y promover la presencia de estudiantes puertorriqueños y latinos en la Universidad Northeastern Illinois. Luego, empinada sobre el micrófono, con el pelo revuelto (se sentía que algo había bebido o fumado), leyó con voz de soprano:

Todas las calles de mi pueblo
allá, en el viejo San Juan,
vienen a las calles de mi barrio
aquí
en Division Street,
para decirme que del sol de
nuestro sol
sale la fuerza que nos ilumina;
que de la risa de nuestra gente

sale el grito de protesta
que nos libera;
que del canto de nuestros niños
sale la fe que nos acompaña;
alma de isla, en la isla,
el alma de nuestro barrio aquí
no nos aísla:
Para siempre nos une
en el sol, en la risa, en el canto,
y un día llevaremos sus calles
hasta el viejo San Juan
para unirlas a esas calles
para siempre nuestras.

Elipsio aplaudía a rabiar, *bourbon* en mano, aunque esta poesía social, mala y sensiblera, según su juicio, bien podía desaparecer con la botella vacía. Al terminar la lectura, experto en cocteles y recepciones artísticas, Elipsio se escurrió hábilmente por entre los asistentes y se acercó a María Esther para señalarle, con lo mejor de su falaz inteligencia, cuánto había gustado de sus poemas. Y como cada poeta lleva su narciso o narcisa de cabecera, pronto estuvieron enfrascados en una animada conversación, él mintiendo a medias y a grandes, conocí a Roque Dalton en El Salvador y a Cardenal en Solentiname, soy colombiano, poeta, estudio literatura comparada en De Paul University, vivo en North Sheffield; ella, estudiante de literatura latinoamericana, poeta, vivía cerca del campus, amaba la poesía del padre Cardenal, un santo revolucionario, dijo ella, y él,

Cardenal es el mejor poeta latinoamericano después de Neruda; se sintió horrorizado al verse tan mentiroso pero siguió adelante, mi sueño es ir a Cuba un día, y casi iba a decir viva el Che Guevara cuando ella dijo:

—Hay una fiesta ahora en casa de amigos, por aquí cerca, ¿quieres venir?

—Chévere caimán —dijo él—, gracias. Me llevo una botella de algo, ¿te parece?

La fiesta era un zafarrancho completo en un apartamento de un viejo edificio en North Street. El ruido salía por todas las ventanas como mujeres gritando en pantaletas y hombres tocando saxofón. Era el ruido de la salsa caliente que vía Puerto Rico, Nueva York, llegaba a esos huecos donde no entraba "la migra": Ray Barreto, Richie Ray, El Gran Combo, Héctor Lavoe, La Sonora Poncena, Ismael Miranda, Bobbie Cruz, sacudían el cuerpo de las mulatas y las caderas sedosas de los hombres.

Elipsio, viejo habitante de los fantasios y bailaderos de Juanchito en su ciudad, se movía con cierta agilidad, y bailando con María Esther trató de perfeccionar al máximo sus pasos pachangueros, aunque con espacio tan reducido el baile era un sobajeo de cuerpos y no un ritual estético. María Esther, cansada tal vez de recibir manos y penes rastrilleros por todo el cuerpo, dijo que fueran a la cocina a tomar algo, lo que era para ella prender un "cacho" de marihuana tamaño habano.

En la cocina un grupo de hombres y mujeres hablaban y discutían sin parar, arrebatados en un *spanglish* inentendible para Elipsio, pero María Esther, bastante locuaz como era, le dijo entre sus largas pitadas que el dueño de casa era un viejo militante de los *Young Lords,* y que la discusión iba contra *Los caballeros de San Juan,* la vieja guardia católica, apostólica y romana que organizaba la vida social del barrio. Luego, acicateada por sus preguntas, le confesó que conocía a casi todos los *Young Lords,* que ya muchos se habían retirado, otros estaban en la subversión o en la cárcel, y así habló sin parar, producto del ron con yerba, Elipsio oyéndola decir, temeroso a veces de que le soltara tanta información, pero con ella las cosas parecían casuales, comunes, todo el mundo lo sabe todo.

—No te preocupes —dijo ella a los trompicones de su traba—, aquí se puede hablar sin problema, la mitad de esta gente es de la policía.

Y se echó a reír, sin parar, él también, qué maravilla la policía, decía ella, cada vez más arriba, dicen que cuando le dan a la yerba se ponen azules, los muy puercos, mean azul, cagan azul. Y es que les dan un colorante para reconocerlos.

El tiempo de la noche se fue enredando dentro del baturrillo latino, pero de pronto, sin previo aviso, todo el mundo, menos ellos, salió corriendo, y a las preguntas de Elipsio una muchacha le dijo que había una pelea a bala en la calle y dentro del edificio entre los *Brown Berets* y los *Latin Kings.* Elipsio no había oído nada.

—Ya deberían haber crecido estos muchachos tontos —dijo María Esther mientras lo arrastraba a

Elipsio a un rincón de la cocina, sentándose los dos en el suelo debajo de una mesa.

Luego de un rato largo un par de hombres jóvenes entraron a la cocina y trataron de llevársela, convenciéndola, arrastrándola, pero imposible, ella no lo permitió. Elipsio estaba paralizado porque los dos cargaban grandes y temibles pistolas en la mano. Eran sus amigos, dijo ella cuando salieron.

El ruido y los gritos más el relumbrar de las luces de la policía por las ventanas se hizo cada vez más distante y pronto hubo un buen silencio, como si el edificio hubiera quedado vacío por completo. Ella se acurrucó contra el pecho de él y se quedó dormida. María Esther no era fea, la vio así entre sus brazos, era una mulata "chusca" como dirían en su pueblo.

Alguien les había tirado encima una manta indígena, gruesa, fue lo primero que sintió al despertar. María Esther todavía dormía con la boca entreabierta. El ruido de los carros, la luz del sol y el golpazo del alcohol en las sienes lo hizo incorporarse. Se lavó la cara en el lavaplatos, bebió agua por montones, y escribió en una servilleta su nombre y teléfono más un corazón como flor, y se la metió a ella con cuidado entre la blusa, en medio de los senos sin sostén.

Estaba hamletiando toda la mañana del día siguiente si llamar o no llamar a Sheng cuando cayó en el teléfono la voz de María Esther para hablarle del *Proyecto Pa'lante* y preguntarle si podían empezar algo similar en De Paul. Mala y buena cosa, pensó Elipsio: le tocaba empezar de nuevo a rezar el rosario de las mentiras y los ocultamientos, pero ella y sus amigos sentía que lo acercaban a Lamia, quien debía andar por ahí cerca, en el trote activista.

María Esther le dijo que lo esperaría en la tarde en la estación terminal del EL, en la esquina de Kimball y West Lawrence, que trajera sus poemas, tú también los tuyos, magníficos ya te dije.

No era fácil desenredar la cuerda anglosajona de Algren, y menos ahora que se había contagiado de Theodore Dreiser, y su artículo para Caracas gozaba de un paralelismo parecido al que logró con Sandburg y Pound, pero todo esto lo extendía en el tiempo, y además el correo le depositó esa misma mañana el cheque apetecido más la urgencia de otro trabajo. La gente los quiere con pasión, decía su amiga editora.

Livio al teléfono le dijo que él se lo cambiaba esta noche, en *Ratzos*, "las cosas van de pinga con 'el Iluminado' y a lo mejor se nos une en el bar la chinita de tus sueños de mariposa".

Era hora de empezar a construir, cimentar bien, el castillo de mentiras para María Esther, así que antes de ir a la cita se pasó por el Departamento de Inglés de De Paul University y consiguió toda información sobre literatura comparada, y luego fue por el de Español y apuntó nombres y clases y costos y empezó a memorizarlo todo, haciéndolo cotidiano mientras lo rumiaba al lado de una hamburguesa MacDonalds o esperando el tren, y ya en éste, con la

nariz pegada al vidrio que lo llevaba a viejos edificios, ropa colgando, carros esperando el semáforo,
pasando, trenes cruzando, niños jugando con agua
en los hidrantes, pensó por fin que las cosas empezaban a complicársele por el lado fémenino, porque
con María Esther ya eran 4 las mujeres que lo acompañaban en el galope de sus días: "Si una mujer es
difícil, con dos es imposible, más allá está el infierno", le dijo una vez el mago Malhechor.

Estaba sentada en uno de esos escaños coronados
por anuncios y direcciones de la estación. Una camisa
a colores chillones anudaba su cintura, y unos pantalones de bota ancha, con signos de paz y amor, se
adherían religiosamente a su hermoso trasero. No era
bella, en verdad, pensó Elipsio mientras bajaban las
gradas y ella hablaba a todo trapo de la otra noche,
los *Latin Kings,* el negocio de la heroína que entrete-
nía esta gente, aseverándole que no todos por Division
eran así, son muy buena gente, justificándose ante él,
inocente ella, un desconocido él, sin importancia, y
Elipsio pensando insistentemente que no era muy bella,
"chusca", se repetía, eso era, la carne tensa y tierna
espejeando desde su cintura desnuda, los brazos largos y oscuros, el pelo revuelto, no muy alta, delgada.
No tiene por qué justificar nada.

—No te preocupes. Yo sé lo que cocina nuestra
gente. Lo que sí me aterroriza son los "fierros". Nunca me gustaron —dijo él tratando de hablar chévere,
"legal".

—Esos que viñieron por mí son gente de los viejos *Young Lords* —dijo ella sin añadir más.

A lo mejor era el "mono" González. Quiso preguntarle pero sintió temor de que ella empezara a sospechar de él y descubriera la camándula de mentiras que iba pasando como si fuera un árabe tomando café en una esquina de Alejandría.

Caminaron varias cuadras por entre el rebullir de personas confundiendo el español con el inglés y viceversa, hasta que cerca del *campus* universitario ella encontró su sitio en un pequeño bar-restaurante con mesas a la calle.

—¿Cómo están las cosas por De Paul? —preguntó. Empezaba el juego.

—Bien. No muy bien —tenía que recordar lo aprendido en los panfletos—. Yo estoy muy metido en mis trabajos para la maestría, en comparada, y estoy más con la gente de inglés. En español he tomado sólo algunos cursos.

—¿Con quién? —preguntó ella.

Era de esperarse esa pregunta así que la respuesta ya la tenía bien preparada:

—Con la profesora Staronbinsky y el profesor Lindo.

Perfecto. Y además lo dijo con despreocupada naturalidad. Se superaba como actor. Importante no sobreactuar. Vigilancia estricta.

—¿Cómo te parecieron?

—Bueno, los conozco poco.

—¿No te parece que ella habla un español de mierda?

—Sí, comete sus buena burradas.

—Y además nunca sabe de qué está hablando.

—Yo no soy muy buen estudiante, que se diga, para evaluarla, pero es cierto, eso decía la otra gente.

—Y el español ese, Lindo, ¿qué te parece?

—No muy lindo —era tarde. No pudo contenerse. El riesgo era terrible.

Ella se rio:

—Tal vez lo ves así porque eres hombre —dijo, maliciosa, y agregó—: Fuera de estar bien, es muy buena persona. A veces nos da clases acá en Northeastern.

Se había salvado por milímetros pero era hora de cambiarle rumbo a este viaje por caminos oscuros y académicos, así que pronto empezó a preguntar él, y cuando ella se cansó de hablar mal de sus profesores, de la estupidez burguesa que los caracterizaba, entonces él la llevó de nuevo a Division Street.

—Hagamos una cosa —dijo ella, entusiasta—. Yo te acompaño por el Westtown que me conozco bien, ese es mi barrio ¿sabes?, y te presento a algunos viejos que seguro conocen a Algren, y a cambio tú me ayudas con el *Proyecto Pa'lante* en De Paul.

—¿Conoces Pilsen? —le preguntó él sin todavía darle respuesta a la sugerencia de ella.

—Sí —respondió ella con la boca abierta. Provocaba besarla. En la boca se concentraba el atractivo de su rostro, preciso, pensó Elipsio.

—Me gustaría conocer el área de Union Park, por donde vivió Dreiser —dijo.

—Hay candela por allí pero podemos ir, de día —dijo ella.

—Bien, magnífico. Dame toda la información del proyecto y luego te digo qué se puede hacer.

Tomaron más cervezas con pasabocas y ella habló en extenso del proyecto y él de poesía. Encarrilado en la locomotora de mentiras de la tarde habló maravillas de la poesía social, de que el *Calibán* de Fernández Retamar superaba las proclamas de Martí, y llegó al extremo de decir que uno de sus poetas favoritos era Mario Benedetti.

—¿Trajiste tus poemas? —preguntó ella.

—No. Me dio pena, ¿sabes? No son muy buenos.

—Me gustaría tanto conocer lo que escribes —dijo ella, seductora, y en solidaridad le tomó la mano que él tenía encima de la mesa.

—Gracias. La próxima vez que nos veamos te muestro algunas cosas.

Si el agua continuaba fluyendo por este canal tenía que volar a casa y escribir un montón de estrofas y versos políticos, comprometidos, a tono con su nueva máscara. La mano de ella era suave, delicada. Sintió entonces que algo familiar lo tocaba por dentro. Se estremeció al pensar que si cerraba los ojos en ese momento podía ver aparecer el rostro de Lamia por entre las sombras.

María Esther quería seguir la tarde en la noche, habló de una fiesta cerca a la universidad, a su casa, pero él se excusó arguyendo que una gente amiga de su familia había llegado de Colombia y tenía que verlos esa noche, pero si ella le dejaba la dirección él podía aparecerse un poco más tarde, "digamos hacia la medianoche, ¿está bien?" Ella contenta le puso los datos en un papel, dibujó una cara sonriente con trenzas y zarcillos, y le dijo que más tarde quería mostrarle otros de sus poemas. Al despedirse ella abrió los labios y los juntó estirándolos hacia él. En la boca la besó y ese perfume de nada y todo que es el sexo lo dejó sin aliento.

Se veía que Livio había bebido toda la tarde porque otra vez estaba allí de nuevo en *Ratzos* hablando mal de los escritores. Ahora la tenía con Borges.

—¿No te parece que Borges tiene una libido que no le cabe en los pantalones? —fue como recibió a Elipsio.

—Yo lo veo más bien de monasterio al hombre —respondió Elipsio.

—No, no, brother. El hombre coge candela que da miedo. Un amigo mío, obrero peronista sin mentirte, me dijo que don Jorgito se la pasaba siempre rodeado de muchachitas en la universidad de Buenos Aires. Yo lo vi una vez en Cali, te lo aseguro, y eso de ciego debe ser puro cuento porque no le bajaba el ojo a las muchachas —todo esto lo decía en un inglés de acentos rebuscados, y Kathleen, Jeanette y Sheng que lo acompañaban reían cortésmente, sin saber a quién se refería.

—Un tipo como él debe tener todo el menjurje sexual muy bien sublimado, la verdad —replicó Elipsio.

—Si sublime es el clítoris de Beatriz Viterbo entonces de acuerdo, maestro, allí está el "Aleph" —Livio empezaba a sentirse feliz de saberse maldito hasta el cansancio, allá en los huecos de su soledad crítica, y por allí la emprendió con analogías y rebusques de comparación entre Borges y Dalí, el Gran masturbador.

Elipsio, quien, estratégicamente, había hecho todo lo posible por ser cortés y distante a la vez con Sheng, fue a saludar a Bob y en el camino entre mesas se cruzó con Gretchen que iba al baño.

—Allá te espero —dijo ella en voz baja.

Estaba sentada esa noche en una mesa al fondo con Judith, Marty y algunos de los surrealistas, entre ellos Isidor Nesgoda. Elipsio los saludó con la mano en alto, un poco desafiante, y luego de intercambiar dos o tres versos de Blake con Bob fue al baño donde Gretchen lo esperaba.

—Tenemos que cuidarnos porque Judith sospecha algo de lo nuestro, parece que alguien le sopló algo —dijo con voz de niña asustada.

—Yo no le tengo miedo a Judith. Que se vaya pa´la misma mierda, si quiere.

—No. No. Por favor. ¿Me quieres, un poquito?

—Sí —dijo él, compungido al verla tan asustada, tan indefensa.

—Entonces ayúdame y no dejes que se dé cuenta. Me mata si se entera que ando con un hombre otra vez.

—Okey. Andate ahora que ya debe estar sospechando que estamos juntos.

Luego de un beso largo Gretchen regresó al bar y Elipsio se las ingenió para salir por la cocina y regresar a *Ratzos* por la puerta delantera.

Sheng, quien estaba sentada a su lado, sonreía de algo, Jeanette y Kathleen hablaban del próximo concierto de Dave Brubeck, y Livio daba muestras de sorpresa al verlo ir por un lado y regresar por el opuesto. Era una noche complicada y difícil para Elipsio, metido en los imprevistos de las relaciones peligrosas. Livio volvió a la carga contra el *establishment* literario, hablando mal de Jorge Icaza, Ciro Alegría, Mattos Turner, Rulfo "y todos esos vernacularistas tierrosos que creen que somos indios. Que le dejen esa vaina a los antropólogos, ¡qué carajo!"

Por suerte para Elipsio, quien estaba pendiente de la hora, Sheng, como era de esperarse, decidió irse antes de la medianoche. Elipsio se ofreció a acompañarla hasta su carro. Al salir con ella sintió que Gretchen lo traspasaba con sus ojos claros pero no miró hacia atrás. A lo mejor se encontraba con toda la sal de la medusa Judith.

Ya en la calle le tomó la mano a Sheng y así, sin decir palabra, llegaron hasta su Wolkswagen.

—Mañana tengo libre en la tarde, ¿quieres que salgamos? —preguntó ella. El iceberg se estaba derritiendo.

—Claro, por supuesto.

—Te llamo en la mañana.

Otra vez el beso fue en la mejilla pero ella le apretó la mano en ese preciso momento.

Se sentía seguro con el dinero del cheque que le cambió Livio en el bolsillo. Luego de una larga hora de taxis, trenes y deambular por calles oscuras llegó a la dirección que María Esther le había dado. La fiesta descolgaba rocas y piedras de las voces de los Rolling Stones y aires nórdicos por las flautas y trompetas de Jethro Tull. María Esther, sentada en un rincón entre cojines, y rodeada de varios estudiantes, iba embalada en un discurso muy reflexivo y sesudo cuando lo vio, y por un instante se quedó en silencio para abrirle lugar a su lado.

Elipsio estaba aterrorizado de que hubiese por casualidad alguien de De Paul entre esta gente, así que hizo lo posible por pasar desapercibido.

—El problema nuestro, aquí en Estados Unidos —decía María Esther—, es que no sentimos que esta tierra nos pertenece. Los latinoamericanos siempre estamos de regreso a nuestra tierra. Un europeo llega y al momento ya es gringo y toma control. ¿Qué es Estados Unidos? La tierra de nadie y del que la quiera. Estados Unidos no existe realmente. Es una idea de la burguesía. Llegas, te bautizas en el capitalismo feroz, y ya eres gringo. Nosotros no. Vivimos de alquiler en algo que nos pertenece. Por ejemplo, siempre pensamos que los gringos se cogieron a Puerto Rico. Bueno, ¿por qué no pensamos lo contrario y nos cogemos a los gringos? Esa es la idea. No que ellos nos dominen sino que nosotros tengamos control sobre lo nuestro. Y esta tierra a mí me pertenece como le pertenece a un checo, a un ruso, a un griego, a un italiano, y al mismo descendiente del Mayflower, ese inglés mítico que ya desapareció entre el *Ketchup,* la carne molida y dos rebanadas de pan. Tenemos que apoderarnos de este país porque si fue nuestro una vez ahora puede ser nuestro de nuevo, de hecho lo es, sólo que nadie nos lo dice. Por eso debemos meter más gente de la nuestra en las universidades, en el poder, y hacer todo lo posible por darle una patada en el culo al burgués de mierda que nos dice que no somos de aquí, que nos explota, que prostituye a nuestros niños, que nos quema las casas. Cada uno de nosotros tiene una responsabilidad, y esa es la de apoderarse de esta tierra, tomar control. Esto es nuestro, así como es de los otros que ya están en lo suyo, ¿me entienden?

Elipsio la observaba seguir con su carreta política, maravillado de ver tanta fuerza y convicción en su cuerpo diminuto. Nada de la timidez de Lamia, de sus indecisiones. Pero era posible que Lamia fuera así ahora, peor, mucho más comecandela, radical, tira-bombas. Carajo, a lo mejor se iba a encontrar una hija de los guardias rojos, quemando libros, despreciando a gente como él. Con Lamia no podía mentir. Con ella era todo verdad. Desnudo.

Al rato todos estaban bailando con Tito Puente y la Sonora Poncena, y María Esther, elevada en su trajinar político, aceptó la botella de *bourbon* que Elipsio cargaba en su chaqueta. Santo remedio. Entraba de nuevo en el mundo de la algarabía, del amor y la paz.

Elipsio, quien odiaba todo lo relacionado con vida estudiantil y escuelas y universidades, se las ingenió para convencerla de seguir bailando y tomando pero en el apartamento de ella, que no estaba muy lejos.

Era un apartamento de dos habitaciones que ella compartía con otra estudiante. Estaba decorado con afiches y anuncios políticos del Spanish Action Committee, de los *Young Lords,* People´s Park, y un afiche grande con la foto de Allen Ginsberg y parte de su poema "Aullido".

María Esther puso un disco de Joan Baez y trajo hielo para el *bourbon*. Pero no fue necesario más. Entre cojines y mantas de tejidos trabados indios y orientales, María Esther quedó desnuda en sus brazos, ardiendo como una paloma que busca desplumar a su pájaro deseado, retorciéndose en éxtasis de gritos y quejidos, y Elipsio la poseyó con fuerza, descubriendo que el alcohol en exceso retrasaba su eyaculación y que ella pasaba de un orgasmo al otro como si estuviera dando vueltas y revueltas en la rueda de Chicago.

Amanecía cuando ella se quedó por fin dormida entre las sábanas, más pequeñita que cuando la tenía entre sus brazos. Elipsio, atolondrado por esa noche a pedazos extraños, fue a ver salir el sol por la ventana, contra los árboles y los edificios al frente. Al regresar al cuarto donde ella dormía, pasó por la cocina para tomarse un vaso de agua y allí, en una pequeña mesa, vio la cartera de ella más sus cuadernos de notas y algo que parecía una libreta de teléfonos. Con cuidado la abrió y buscó Lamia por la ele, nada; pero encontró dos González, seguidos, Daniel el uno, Joselito el otro. Anotó los nombres y números con cuidado, no había direcciones. Se acostó a su lado, abrazándola, y tal vez agradeciéndole la bondad de su existencia.

Era la voz de Sheng en la duermevela, su sonrisa, la que lo llevó de la cama a la alfombra en un brinco. Estaba solo en la habitación. Nada se oía. Se vistió rápidamente y salió a la sala, la cual recordaba diferente la noche anterior. Había más libros y cojines y en uno de ellos estaba sentada, en posición de loto, una muchacha joven con trenzas amarillas. Parecía una muñeca sacada de una de las bolsas de cereal. Saludable. Leía un libro lleno de ilustraciones, probablemente *Do it*, esa mezcolanza de lugares comunes y chillidos adolescentes de Jerry Rubin. Al entrar él a la sala ella levantó la mirada del libro y no dijo nada. Elipsio buscó un reloj por las paredes, sólo los afiches políticos y un tapete indígena y una foto grande, en negro de las calles viejas de San Juan. Fue a la cocina, tomó agua ahuecando las manos y regresó a la sala. La dueña de las trenzas lo miró de nuevo.

—¿María Esther, dónde está? —preguntó él.

—Salió.

—¿Regresa?

—Probablemente. Dijo que iba a comprar algo.

—¿Sabes qué horas son?

—La una y media.

Era la voz de Sheng en la cabeza. Apretándole la mano. Recordó que en la cocina había visto un teléfono. Marcó el número de ella que llevaba siempre en la cartera. Nadie contestó. Fue al baño y se duchó por largo rato. Utilizó para secarse una toalla que olía a María Esther. Cuando salió la muchacha lo miró:

—María Esther llamó —dijo— y no va a venir pronto. Mañana ella te llama y te explica. Come lo que quieras.

—¿Tienes Alka-Seltzer?

—Sí.

En las burbujas del Alka-Seltzer bullía la salvación como de la mano de Jonás. Se puso la chaqueta y salió a la calle. El sol de la mañana había desaparecido y algo gris y espeso se avecinaba. Empezaba a hacer frío. En un pequeño restaurante mexicano de la calle Foster comió un buen número de tacos con ají picante y Coca-Cola. Se sintió mejor. Consiguió un teléfono público y volvió a llamar a Sheng. Nada. Caminó por la avenida Kimball en dirección al elevado. El El, el El, el El, el El. Sintió unos deseos infinitos de estar solo en su apartamento, no importaban las moscas. Tenía que darle de comer a Taima. Echarle agua a los hongos. Seguir leyendo a Algren, a Dreiser. Apenas había cruzado el puente sobre el río Chicago vio un taxi y se metió en él. El asiento trasero era como una cuna, de hierro.

La rueda de Chicago estaba en "la ciudad de hierro". Así se llamaba el parque de diversiones que cada año se instalaba en la avenida Estación, al lado del río Cali, en su ciudad. Él iba con su madre y su hermano, asidos los tres de la mano, comiendo algodón dulce o crispetas. Y allí multicolor y con banderines de fiesta estaba radiando la rueda que al cielo los llevaba para luego devolverlos a los brazos y el rostro sonriente de su madre. Tal había sido la aventura que no terminaban de contar los detalles, uno por uno, vuelta por vuelta. Feliz su madre al verlos gozar en palabras y emoción ese momento de niñez dentro del absurdo envejecedor de la violencia cotidiana. La rueda de Chicago como antídoto contra los venenos de la guerra de los adultos que a diario vivían.

La muerte como carnaval con festones de sangre y gritos. La muerte era el parque de diversiones para los poderosos señores del exterminio.

Con las narices en la ventana veía esa tarde llover en Chicago mientras las hojas de los árboles se desprendían y bailaban descendiendo por los quicios de los andenes hasta las alcantarillas, y por allí al río que las llevaba al lago, el lago que en algún sitio iría a tocar el mar. Luego del domingo pasado María Esther no llamó más, lo mismo Sheng, y ahora era miércoles de otoño. Silencio venía de Livio, seguro molesto de que él no regresó al bar la otra noche. "El Iluminado" apareció una de esas mañanas imposibles, cuando Elipsio apenas empezaba a conciliar el sueño, e hizo todos los ruidos característicos atados al tráfico de la limpieza. Luego se fue dejando una nota de saludo y una cesta de manzanas. El martes apareció Bob, de paso al bar, con un cuadernillo atiborrado de poemas cuasi-bíblicos que Elipsio prometió leer y comentar. Descifrar fue la palabra correcta que no usó. Bob estaba contento de que su hermano, quien vivía en España intentando ser torero, vendría a la visita regular de cada año para la cena del día de acción de gracias, que daban sus padres en Oak Park. "No te la puedes perder, es genial", decía. Bob también le dio la noticia de que Johnny Young estaría tocando en *Ratzos,* gracias a los oficios de Marty.

Varias veces en esos días oscuros intentó hablar con Sheng pero no hubo respuesta, ni siquiera porque la llamó tarde en la noche. "María Esther de seguro descubrió todo el cascajal de mis mentiras y me mandó a la basura", pensó. Como ayer cuando fue a tirar la basura a la parte de atrás de su apartamento, al callejón que se escurría entre mugre y ratas por debajo de la trama de vigas de hierro, cables y madera podrida que sostenía el El, el El, el El, y su ruido. Ese ruido que no oía desde la sala, tampoco el de la lluvia cayendo, como en una burbuja esa tarde de miércoles, sin atreverse tampoco a usar los números de teléfono que sustrajo de la libreta de María Esther para localizar a los González. El mono. Más allá, en la alfombra, los libros de Algren y Dreiser y las fotocopias de los artículos que sacó de la biblioteca pública.

Frankie Machine, ese era el nombre del "polak", de *El hombre con el brazo dorado*, personaje de esa novela de Algren. Francisco, Paco Máquina, buen nombre para lucir como prenda en las noches tenebrosas de Chicago, o en una tarde de lluvia como ésta. "La máquina", la armazón política de la ciudad organizada por Richard Daley, el alcalde demócrata, irlandés, del barrio Bridgeport, así lo había leído en un libro que le dejó "el Iluminado". Era el libro *Boss* de Mike Royko, periodista estelar del *Chicago Tribune*. Allí estaba la pepa de esa fruta podrida que era la ciudad malvada, sus policías corruptos, el odio de razas y grupos sociales, la fuerza verde del dinero verde: la ciudad de corazón de hierro con la rueda del poder operada desde el City Hall, la alcaldía y sus alcances de imperio. Frankie Machine era un tahúr, adicto a la heroína y a la morfina, un vago, un soñador, ese que está más allá, en la realidad, y no como él, escondiéndose tras las cortinas de la lluvia, con la puerta de escape semiabierta. No había escape para Frankie-sin-salida, Frankie-sin-semilla. Frankie de Division Street, su rastro perdido ahora entre las sutilezas del arroz con gandules.

Elipsio sentía un sabor de permanencia cuando leyó las primeras páginas de la novela de Algren, y se dio cuenta de que ella se abría temporalmente en ese preciso momento, que va del verano indio que se disipa hasta los comienzos del invierno que se acerca. Y allí estaba él, en esa misma Chicago, en esos días que no lo hallaban en una cárcel como a Frankie Machine pero sí en el encierro de las paredes de su apartamento, los papeles desperdigados por el suelo, las cajas de Hungryman en la basura, y el teléfono estacionario, ni adelante ni atrás en el tiempo. Pero tenía que vencer esta "parálisis andante" que lo martirizaba, y poniéndose las manos en las tripas marcó el número del primero de los González:

—Aló —fue en español, voz ronca.

—¿Está Danilo González?

—Sí, con él habla, ¿qué se le ofrece?

—Bueno, yo estoy recién llegado a Chicago y una amiga mía, Lamia, una muchacha colombiana, me dio este teléfono para ubicarla —dijo Elipsio, con todo el temor de que Lamia estuviera allí, desnuda al otro lado de la cama.

Hubo un silencio claro y espeso. Luego el hombre dijo:

—¿Cómo dijo que se llama esta persona?

—Lamia —dijo Elipsio—, así nomás.

—No conozco a nadie que se llama así.

—Es una muchacha colombiana —insistió Elipsio, pensando en que no había podido precisar el acento del hombre.

—No la conozco. ¿Ella le dio mi nombre?

—No personalmente. Me lo mandó con un amigo en Nueva York.

Silencio.

—No. Está equivocado. Extraño. Debe ser otra persona. Lo siento.

Obvio que algo estaba encerrado en ese corral, pensó Elipsio, pero era mejor ser precavido. Dijo "gracias" y colgó.

La lluvia seguía metiéndole una tristeza impresionista a las ventanas a medida que se borraba la tarde. Taima en un rincón de la sala masticaba una cucaracha como papas fritas. Era una bendición la gata porque en poco tiempo eliminó gran parte de la invasión de las cucarachas. Elipsio dio varias vueltas por el apartamento sin saber cómo deglutir lo dicho al teléfono. Luego de un rato de ver pasar el tren desde su cuarto volvió a la sala y llamó al segundo González. Utilizaría la misma carta marcada. El teléfono sonaba ocupado. Insistió varias veces mientras hojeaba uno de los libros de Algren. Nervioso. Ahora timbraba. Una voz de mujer esta vez:

—*Hello*.

Elipsio tembló de patas contra la cabeza. Lentamente, pronunciando bien las palabras en inglés, preguntó por Joselito González. La mujer, cambiando al español, dijo:

—¿Quién lo busca? —era un acento mexicano.

Elipsio, más tranquilo, repitió la misma fórmula más su nombre.

—Mire, si usted quiere saber de Joselito mejor me deja su teléfono que yo lo comunico.

Elipsio dudó un instante pero se lo dio.

—¿A qué horas lo puedo llamar? —preguntó ella.

—A cualquier hora, no importa, por la mañana mejor —se veía que la mujer estaba interesada.

No es difícil amar una ciudad por sus torres grandes o pequeñas, por sus bellos parques y su danza estallante. O por sus amplias avenidas, por donde desfilan las luces de los carros, uno tras otro, toda la noche. Pero nunca podrás amarla por completo hasta que no ames también sus callejones. Allí donde el rostro matutino, familiar y brillante de los viejos amigos, aparece de pronto con los ojos angustiados de medianoche de extraños visitantes.
Una medianoche atada al carnaval brillante de las avenidas y los andamios oscuros del El.
Donde una vez florecieron los pantanos.
Donde una vez vino a abrevar el venado.

Aunque no era el comienzo del extenso poema de Algren, *"Chicago, city on the make"*, Elipsio había decidido empezar a traducirlo por este fragmento que mucho le gustaba. Y allí iba en el El hacia el Westtown, un tren que se vaciaba de blancos al aproximarse al Loop, y se llenaba de latinos al alejarse en dirección noroeste. Traducía el poema ayudado por un pequeño diccionario, lo cual era como tratar de tocar una pieza de Duke Ellington con un par de palitos. También llevaba una desvencijada cámara fotográfica que días atrás le había dejado Livio, y que utilizó para fotografiar los paraderos del "viejo de pelo blanco", Carl Sandburg.

Varias cosas lo atraían dentro de los marcos del mundo de Algren: el aparataje estridente del El, o mejor, como el mismo Algren lo ponía, "el trueno de hierro del El borracho, yendo a casa en la noche de hierro", los bares con todos sus olores y sabores, las callejuelas sucias y derruidas y las luces de los carros. En la estación de Ashland y Division se bajó ayudado a los trompicones por varios latinos bulliciosos y groseramente pendencieros. Prefirió no prestar atención, hacerse el ausente. Tenía todo el tiempo de esta parte del mundo para ver, en esa tarde de jueves gris pero sin lluvia, la película humana que empezaría a encontrar su sitio en los cuadros que Algren había preparado, Dreiser también.

Los rostros han cambiado, pensó, pero no el sentido de la derrota en esos seres que no tienen, ni tuvieron nunca, escape, sólo la ilusión del alcohol o la droga, quizás el crimen como medio, la degradación y la muerte como futuro. Ya no eran polacos, aunque algunos quedaban todavía balbuceando, italianos, irlandeses, bohemios, ucranianos; era hoy la mancha latina la que se extendía tiñendo las calles con su ruido otro. Pero la ciudad siempre tuvo su molino de

carne cruda bien aceitado, y por esos rodillos en espi-
ral pasaban el vago; el mendigo; el truhán; el pícaro
pobre; el tahür; el atracador atracado; el vencido en la
guerra de la miseria y la desesperanza; la prostituta
casi niña que no sabe qué es amar porque perdió de
arrancada conciencia de su ser; el borracho, *barfly,*
mosquito de bar, mosca de la cantina, restos de la
resta del whisky, ginebra barata, alcohol para cocinar
los demonios por dentro y por fuera; el drogómano,
drogadicto, con "ese gorila de treinta kilos en la espalda", adherido al pullazo de una jeringa vieja, a los
resplandores de la pepa o los humos de la yerba; el
cuchillo que iba viene, sólo unas tripas y un estómago abierto en el Cook County Hospital, y del molino
va saliendo esa salchicha larga y roja que la ciudad
come sin cesar: "el horror es que no hay horror".

Decidió caminar por Division hasta Damen Street
y hurgar con sus lentes las cenizas y el hollín de los
callejones adyacentes. Eran una y mil las oportuni-
dades para ser buen fotógrafo, pero sólo tenía un
rollo de 24 y un deseo de no gastar sus ojos y su
dinero en esa dirección.

En el entrevero de esos viejos edificios, los reci-
pientes de basura, la escalera de escape y uno que
otro trasto miserable, abandonado, más cajas de
madera y cartón, gatos hurgando residuos sospe-
chosos, cualquier fotografía podía dar la imagen
de la derrota que ese mundo de Algren señalaba
con tanta precisión.

Al llegar a Dament Street se dio cuenta de que en
todo el trayecto había tomado una foto. Era una

visión en abstracto de la miseria, del fracaso: un viejo colchón amarillento y derrengado colgando de una cuerda y al lado, como bandera, una camisa azul, de trabajo. Nada más. Sólo de fondo una puerta y una ventana, desaparecida la pintura. Pensó que debía hacerse más periodístico, más ilustrativo, así que empezó a perfilar rostros, a conseguir imágenes. Pero todo pasaba tan rápido que detenerse a tomar una foto era imposible: alguien pasaba, pedía limosna, cantaba una canción, dormía en la banca de espera del autobús. Se metió en un almacén de baratijas con un gran ventanal a la calle y desde allí tomó dos fotos, urgentes, a la topa tolondra.

Por la calle Damen fue hacia el norte, hasta llegar a Evergreen. Esa era la calle de Algren. Probablemente andaba por allí, caminaba al lado de él. Elipsio sabía que nunca se atrevería a pensar siquiera verlo. Para qué, qué le voy a decir, me gusta mucho todo lo que escribe, es pura mierda de la buena, gracias, vuelva por otra fotografía. Se detuvo en una esquina, recostado contra el poste del semáforo. No era cuestión de desesperarse. Ya irían desfilando los personajes de Algren. El cerdo ciego, el borracho John, "una boca al fondo de un vaso de whisky", la triste prostituta Molly-O, el hombre de la sombrilla, el vendedor de drogas, el abogado desabogado y ahogado en alcohol, los jugadores de cartas. Todos volvían a existir para siempre en la calle, en los aleros, en los metederos estrechos para transar la morfina, la heroína o la coca, y él les tomaría una foto para el álbum de la familia, una foto de recuerdo antes del funeral. El turista, eso era, limpiándose la chaqueta sucia por el hollín del poste. Mirando sin mirar esa vida que no le pertenecía, esa realidad de celuloide vivo ante sus ojos. Nada de esto era suyo, era de Algren la realidad presente, real. Vendería tres artículos sobre Algren y Dreiser. Buenas fotos, dirían desde Caracas. A los intelectuales les gusta pensar que están dentro de la mierda, pero que no huela, que no salpique.

Era hora de tomar algo, de remojar el guargüero, ir a cualquier bar. Porque si seguía con esa carretilla de pensamientos iba a terminar pronto tirando la cámara de Livio a la basura. Caminó por Evergreen hasta la avenida Milwaukee, recordando el incendio que presenció días atrás. En la calle Ellen otro par de edificios quemados, derruidos, con bandas amarillas de la policía. Era imposible que Algren viviera ahora por allí, no eran ya esos los humos que él frecuentaba. En la esquina de Division y Milwaukee, en ese entrecruce de calles a donde convergen Ashland y Bosworth, Algren había situado su célebre bar, el *Tug & Maul,* de Antek Witwicki. Enfrente estaba el Club Safari, en cuyo sótano Frankie Machine jugaba a las cartas. Nada de esto existía, pero un viejo bar llamado *Gold Star* lo atrajo y entró. Y allí estaban todos los *barflies,* "las moscas" zumbando entre los vasos, bebiendo hasta el desespero. Un televisor reventaba deportes y guerra. Elipsio pidió un whisky con cerveza, sin atreverse a ir por esa "bomba atómica especial" que era el trago preparado por Antek: tres tinteros de whisky seguidos y pasados con una cerveza. Se sentó en un rincón, en una mesa sucia con mantel de plástico. Allí donde permanecen sentados para siempre Molly-O y el borrracho John. Las mesas de billar al fondo, las pequeñas habitaciones a lo alto para hacer el amor rápido, casi sin quitarse los calzones. Qué alma generosa la de Algren, pensó. Tanto amor por esta gente, tanta compasión hay en su obra. Un ser en el aire que tampoco pertenecía a nada pero que buscaba pertenecer a este mundo, no por vicio sino por amor. Qué distante estaba Algren de los *beatniks,* tan educaditos ellos con su borrachera vital, tan limpiecitos con su marihuanita bien servida, sus canticos budistas, su LSD con servilleta. Allí, frente a él, en ese bar ruidoso, estaba el hueco negro, el gran devorador humano, y nadie que lo visitara de verdad salía con vida, sólo se podía ver a la distancia, con el escudo de las palabras, "la palabra substituye", dijo un poeta amigo. Era cierto.

Pidió otro par de "submarinos" y le preguntó al barman si era posible tomar una foto del bar. Nadie se opuso. Sólo cuando reventó el flash una que otra cara se descompuso. No insistió con un segundo relámpago.

Y así se le fue yendo esa parte de la tarde que le quedaba y la noche, saltando de bar en bar entre Milwaukee y Division. Borracho ya, sentado al lado de una mesera rubia teñida, le contó a ella de Algren, y ella dijo que nadie como ese señor viene por estos sitios, sólo uno que otro polaco viejo, lituano o italiano, mi familia es lituana, entonces él le leyó el comienzo de ese cuento de Algren que llevaba adentro, en el alma, "Como el diablo vino a Division Street":

El sábado pasado hubo una gran discusión en el Polonia Bar. Todos los mejores borrachos de Division Street estaban allí, tratando de decidir quién era el más borracho de todos.

Pero ella le dijo que le parecía un cuento tonto, pelotudo, los borrachos la aburrían, que todo lo hacía por sus hijos, por su madre que estaba semiparalizada.

Elipsio no pudo recordar al otro día por qué un par de rubios sucios y enormes, como obreros de una fábrica de hierro, lo sacaron arrastrando del último bar, *"Get out of here, punk!"*, decían iracundos.

El problema era el teléfono que no dejaba de timbrar en la sala, por el corredor, en la cocina, allí donde no estaba, entre las sábanas. Debía ser tarde o temprano de cualquier día porque no tenía conciencia del tiempo, sólo los espacios creados por el resplandor de luz gris en la ventana y el ruido del tren compitiendo en chirridos con el teléfono. A lo mejor eran las moscas, pero ya se deben haber ido. Las espantaron los hongos. No. Uno de ellos se secó, lo vio el día que era ayer, si ayer era día y no antier. Los otros tomaban formas irregulares, una fuerza oculta y monstruosa se instalaba a la sombra de la mesa en la cocina. Y el olor. El teléfono le daba duro a las paredes, con rabia. No podía levantar la cabeza del dolor por todos lados, a la redonda, pero por entre las sábanas no estaba el teléfono sino allá, en el suelo, la chaqueta de cuero, cerca de la puerta. Se dejó caer de la cama a la alfombra sucia y deslizándose, arrastrándose, llegó hasta ella. Allí estaba la cámara en el bolsillo de adentro, intacta, también las notas sobre Algren. En los pantalones sucios, embarrados, no encontró dinero, las llaves debían estar en otro lado. Si al menos pudiera llegar al baño por los Alka-Seltzers. Taima, al verlo en el suelo comenzó a maullar. Debe tener hambre. ¿Qué día es hoy? El teléfono dejó de timbrar. Medio se incorporó, casi gateando, llegó a los tropiezos al baño. Tenía la boca hinchada en un lado y un ojo amoratado, en la parte de abajo. Al pasar el agua con los Alka-Seltzers sintió el ardor en los labios. Debo estar vivo de milagro. El ángel de la guarda, era claro.

El reloj de la sala señalaba las 6 pasadas. Debe ser la tarde, razonó. Se sentó en el sillón, frente a la máquina de escribir y se volvió a quedar dormido. Iba por ese laberinto que dice de calles y casas al vacío cuando volvió el teléfono a la sala, furioso. Arañando el aire con las manos contestó. Era la voz de la mujer mexicana. Entonces se despertó con violencia, sacudiendo la cabeza. Los analgésicos estaban haciendo efecto.

—Sí, soy yo. Diga usted.

—Joselito dice que lo espere mañana, enfrente de "La casa del pueblo", en Blue Island con la 18.

—Espere que anoto.

Tomó lápiz y papel y puso todo allí con la dificultad de sus manos temblorosas.

—¿A qué horas? —preguntó.

—A la una de la tarde, en punto. ¿Cómo lo va a
reconocer?

—Dígale que llevo una chaqueta de cuero y un
libro en la mano.

—¿Viene solo?

—Sí.

—Bueno, a la una en punto —colgó.

Otra vez el teléfono lo sacó del laberinto con unicor-
nios cabalgando en la sala. Era la voz dulce de Sheng:

—Qué suerte, por fin te encontramos.

—He estado ocupado en varias cosas todo el día,
gracias por llamar. Siento lo del domingo pasado
—algo tenía que decir que sonara normal.

—¿Qué pasó el domingo pasado? —preguntó ella.

—Te dejé esperando.

—Ah, cierto. No te preocupes. Estamos aquí en casa
de Kathleen y Livio y queremos saber si puedes venir.

—Claro, magnífico. ¿Hay comida? —preguntó sintiendo que tenía hambre.

—Sí, por supuesto. Hay una cena de primera.

El taxista le dijo que era viernes, las 8 y media. La
sola idea de ir a donde Livio, ver a Sheng, le calmaba en algo la angustia devorante que llevaba por
dentro, como un bicho vivo, doloroso. El taxista hablaba de béisbol, Roberto Clemente, era dominicano, ¿usted sabe que la República Domincana quería
hace tiempo ser parte de Colombia?, era un hombre
educado, fui a la universidad en Santo Domingo,

habló de Balaguer, de Juan Bosch, y la ciudad se astillaba como cruz y candela en las esquinas, se retorcía por las calles.

Livio estaba de fiesta con una camisa blanca hindú, a la Nehru, que más bien parecía un liqui-liqui venezolano, pero que estallaba de limpieza frente a la chaqueta de Elipsio, y su camisa que era lo menos sucio que encontró en una pila de ropa. Esta vez no me quito los zapatos, decidió. Y así se quedó en la penumbra de la puerta recibiendo el saludo a la distancia de Kathleen, vaporosa entre sedas y tules. Más allá Sheng, ¿qué flor le quedaba hoy en el jardín para asociarla, untarla de ese perfume? Al fondo de la sala, entre bambúes y lámparas de papel, estaba el perfil, el frente, la sonrisa, de un hombre joven, desconocido.

Livio no dijo nada al verlo, sólo le pasó el whisky que ya traía servido a la puerta, pero Kathleen y luego Sheng, que se habían acercado, lo miraron alarmadas a su rostro de cristo vapuleado:

—¿Qué pasó? —fue al unísono.

—Ah, nada, nada. Simplemente trataron de robarme y me defendí. No muy bien, parece.

Mientras inventaba una historia de callejones y trenes que bordeaba entre la valentía y la imprevisión inocente, ellas, al fin enfermeras, le revisaron las heridas con detenimiento. Nada grave, concluyeron, aunque debía cuidarse esa herida detrás de la oreja, "te la vamos a limpiar", y así lo llevaron al baño.

Elipsio se sorprendió al pensar que no había visto ni sentido antes esa herida, y más al ardor de los antisépticos. El whisky en la boca le recordó con precisión la otra herida.

Sheng lo miraba con ojos estirados hasta el borde de una ternura espantosa, pensó Elipsio, "es como si me faltara un botón en la camisa". Desamparado. Desprotegido. Desalado.

De vuelta en la sala Livio le presentó a Christian Lowell, "el más brillante escritor en Chicago después de los fantasmas de Lovecraft, pero más cósmico que satánico para que no te asustes", dijo, y Lowell sonrió y le alargó a Elipsio una mano fría y delicada:

—Livio exagera como siempre, lo único creativo en mi vida es ayudarlo a venderle matas y flores a la gente.

—Christian, ahí donde lo ves, está escribiendo una monumental novela sobre los habitantes de un mundo subterráneo que hay debajo de Chicago, una forma de Kappas capitalistas —dijo Livio, y agregó—: Yo le he dicho que escriba más bien sobre Saul Bellow y sus compinches de la clase media, ¡eso sí que es tétrico, hermano!

Nada mejor que el whisky contra las cumbres borrascosas de Algren que había visitado la noche anterior. Elipsio, tirado en uno de los inmensos cojines de la sala dejaba así que la noche se fuera entre las risas de sus amigos y los despropósitos de Livio tratando siempre de pincharle la cola a cuanto santo se posaba en su imaginación.

Sheng, luego del desfile de curries, keema kababs, samosas, pakoras, vadas y pappadums fritos y tostados, que Livio había extraído con gusto de sus

condimentados recetarios hindúes, trajo la guitarra
y empezó a sacarle esas cortas y agudas notas que
preludiaban la sencillez de sus canciones. Tenía la
cabeza gacha sobre las cuerdas mientras le daba
vueltas a distintas armonías y tonos. Luego se quedó en silencio por un momento, levantó la cabeza,
y con los ojos fijos en Elipsio, cantó:

> *No pienses en lo hecho,*
> *en lo pasado.*
> *Volver al pasado trae dolor,*
> *arrepentimiento.*
> *No pienses en lo que va*
> *a suceder.*
> *Ir al futuro trae congoja,*
> *desaliento.*
> *Mejor déjate caer,*
> *como un bulto, de día,*
> *en tu asiento.*
> *Mejor déjate caer,*
> *como una piedra, de noche,*
> *en tu lecho.*
> *Abre la boca cuando venga*
> *el alimento.*
> *Cierra los ojos cuando venga*
> *el sueño.*
> *Volver al futuro sólo trae congoja,*
> *desaliento.*

Elipsio, tocado a más por la letra y la belleza de su
voz le pidió que la cantara otra vez. Livio aplaudía,

feliz. Y ella repitió su canto, tal vez un poco más lento lo cual hizo que Elipsio la entendiera mejor, y entonces al paso de las palabras las sintió colarse por sus adentros, como esa tinta que nos hacen deglutir para luego tomarnos una radiografía. "Sheng lo sabe todo de mí, sin saber nada probablemente, pensó, me ve como soy hasta el esqueleto, por eso no deja que su mundo entre en el mío. Pero tal vez le gusta saber que al intuirme como soy siempre da en el blanco".

—Es un poema de Po-Chu-I —dijo ella—. Lo tradujo mi padre.

Pasado un rato que casi se fue en los silencios de un diálogo entre Kathleen y Sheng, Livio llamó a Elipsio a la cocina:

—¿Qué pasó? ¿Te robaron mucho dinero?

—Sí. Lo que tenía.

—Mirá, había quedado con ellas de que íbamos luego a *Ratzos* a oír a Johnny Young. Yo estoy cansado hoy, pero Sheng está loquita por ir, me lo ha recordado varias veces. Yo me las arreglo con Kathleen y te vas con ella solo. Aquí te presto algo para los gastos, luego me pagás —y le alargó un billete de cien dólares.

—Es mucha plata —dijo Elipsio.

—No te preocupés. Me pagás sólo la mitad, lo otro es mi invitación de hoy. Ojalá le podás echar un buen polvo a la chinita. Sería un gol como de Pedernera, ¡carajo!

Todo salió según los planes de Livio, hábil en el manejo humano, con la excepción de Christian Lowell, quien subido en el potro de los tragos no entendió las artimañas de Livio, y se les unió en el viaje a *Ratzos* cantando una canción de Joe Cocker.

Johnny Young y su *Chicago Blues Band* empezaban desde ya a hacer de *Ratzos* un centro de mayor atracción en esa parte de Lincoln Street, casi a la par de *Wise Fools Pub* y otros bares emergentes en North Halsted, como el maravilloso *Kingston Mines*. El *blues* llegaba y se aposentaba en el norte, invadiendo de hecho toda la ciudad, como lo hizo el *jazz* en las primeras décadas del siglo con King Oliver, Johnny Dodds, Louis Armstrong, Benny Goodman, Bix Beiderbecke, Gene Krupa, Bing Crosby, Jimmy Dorsey, Eddie Condon, Glen Miller, y tantos más dándole vueltas a la rueda de la ciudad de sur a norte, de Cicero a North Clark, de Michigan a North State, a Lincoln Park.

Sheng y Elipsio se prendieron del último espacio salvavidas que quedaba en la barra del bar, y Bob, sonriente, le reclamó a Elipsio que no lo había visto esa semana para las charlas sacramentales con don "Guillermo" Blake. La jarra de cerveza estaba lista antes de la respuesta de Elipsio y el "¿qué te pasó, hombre?", de Bob, notando los moretones y la venda en la cara de Elipsio. Pero las respuestas se iban en guiños y gestos porque Johnny Young los enloquecía con la armónica, la mandolina y su voz de Mississippi caliente, seco, húmedo, turbulento, remolinos entre la risa y el llanto, entre la imaginación que sueña y la realidad que aplasta.

Christian Lowell, por suerte para Elipsio, pronto encontró un grupo maloliente enzarzado en los últimos devenires de la "ciencia carnívora", o sea "el mamiferismo", proposición filosófica de moda que buscaba encontrar lo que faltaba de ver en la otra realidad a través de los diversos aspectos del chupar, tragar y fornicar.

Iba siendo una buena noche, Elipsio ya engavetando en un lejano pasado los abismos del día anterior, cuando casi del sombrero de un mago salió Marty, vestido hoy a la Mark Twain, y jalándolos del brazo, casi arrastrándolos en cortesía y amistad engalanado, los llevó hasta su mesa donde estaban Judith y Gretchen, sonrientes también. Elipsio trató de sacarle el bulto a esta invitación pero fue Sheng, deseosa de conocer a sus amigos, quien aceptó gustosa.

—Hace rato que no jugamos ajedrez —dijo Elipsio a Gretchen, con la esperanza de que ella sola manejara los sobrentendidos.

Gretchen lo miró y contestó algo que él no entendió entre el vocerío.

—Eh, no vamos a jugar ajedrez hoy —dijo Marty casi a los gritos, y al ver que Johnny terminaba de tocar corrió a traerlo a la mesa. Judith estaba feliz, al parecer, y Johnny agradeció que Marty hubiese ordenado una buena botella de vino rojo para él.

Fue en ese momento entre voces y risas que se acercó a la mesa el rubio Isidor Nesgoda, y le puso una mano amistosa, cargada de amuletos surrealistas, en el hombro a Elipsio:

—Me gustaría hablar un momento contigo —dijo.

—No hay mucho de qué hablar —dijo Elipsio, poniendo del mejor vidrio en sus ojos.

—Por favor —dijo el otro, persuasivo—: Te lo ruego.

Sheng los miró a ambos, y en la mirada a Elipsio, éste vio que en ella se abrían los interrogantes posibles como en un examen de matemáticas.

—Ya vuelvo —dijo Elipsio y siguió a Nesgoda. Marty los vio ir, silencioso.

La mesa de Nesgoda y su gente estaba al fondo, en la parte más oscura de la gran sala. Y allí andaba, para horror de Elipsio, la pitonisa de la calle Gladys, Penélope, la bruja vapuleada y su gigante compañero, más otros de los surrealistas que ya conocía, incluido el canoso profesor y su mujer.

Nesgoda le señaló un asiento vacío. El ambiente general era un poco serio aunque cordial. Y fue el surrealista académico el que llevó la voz cantante esta vez:

—Queremos que nos excuses por lo del otro día. Todo fue un error. Creo que no hace falta que te expliquemos nada, pero todos los amigos aquí esperamos que te olvides de lo que te dijimos. Fue un juicio apresurado, un mal juicio, a la verdad.

—Está bien, está bien. Ustedes tienen derecho a sospechar de alguien como yo. Entiendo bien —dijo Elipsio, tratando de llevar las cosas al punto más amigable, ya que su temor estaba en que no sabía cuál era la posición de la hechicera llena de colores y adornos, piedra clave en la búsqueda de Lamia, y quien de paso no le quitaba los ojos de encima. Sin embargo, no abrió la boca en ningún momento, y era como si de verdad no lo reconociera. "A lo mejor tiene miedo de revelar que ella fue la que me dio los datos para buscarlos", pensó mientras se bajaba de un golpe un vaso de tequila que uno de los surrealistas le ofreció.

Al regresar a la mesa de Marty encontró a Sheng enredada en una serie altisonante de tesis, hipótesis y síntesis con Judith y Gretchen bajo la mirada atenta de Marty. Johnny regresaba al estrado entre los aplausos y los silbidos. De la discusión abierta sólo sacó en claro los nombres de Betty Friedan, Gloria Steinem, y cómo Betty había traicionado a las mujeres (Judith), Steinem no es más que una chica de Hefner, de *Playboy* (Sheng), Friedan es una ama de casa camuflada de feminista (Judith), el feminismo también incluye la maternidad (Sheng), los hombres son el problema (Judith), no (Sheng). Pero la cosa terminó requetemal porque Elipsio, quizás envalentonado por el tequila Cuervo, se entrometió con *El segundo sexo* y *Los mandarines* de "la señora de Beauvoir" (así lo dijo), Nelson Algren (horror de los horrores para Judith) y Division Street, y sólo la voz de Johnny Young, la paz de su mandolina cimbreante, pudo contrarrestar las fuerzas de acabose que venían entre los improperios de Judith. Gretchen se metía la cabeza entre las manos.

Sheng se levantó, visiblemente molesta. En su rostro de luna ardía una furia de dragones y otras bestias milenarias. Elipsio ofreció ayudar a pagar por las bebidas pero Marty fue contundente en que todo corría por su cuenta.

—Lo siento —le dijo a Elipsio, Sheng esperaba en la puerta—. En este despertar de lo femenino los hombres nos vamos quedando solos.

En efecto, se podía sentir como un vientecito frío al anochecer, que la soledad empezaba a colarse entre los hombres jóvenes de la ciudad, ya legión solitaria en los bares: Ellas distantes, pendencieras, arrogantes frente a la certeza de ver por fin las puertas de la liberación de ese Algo (con mayúsculas) masculino que las amedrentaba y dominaba; ellos solos, sin saber dónde habían metido la pata porque se hacía cada vez más difícil meter la verga.

Ya en el carro Sheng se quedó mirando el parabrisas sin decir nada.

—Si quieres vamos a mi apartamento —dijo ella. Elipsio la miró sorprendido, algo (con minúsculas) le palpitaba por dentro—. Pero no vamos a hacer el amor. Cuando me acueste contigo lo haré de verdad, sólo así —siguió ella, prendida al volante con las dos manos, sin mirarlo. Casi lloraba.

—No, mil gracias, pero no. Yo no quiero forzarte a nada. Somos amigos, ¿verdad? —Elipsio de pronto comprendió que ella también estaba muy sola.

—¿Qué pasó con Christian? —preguntó ella, de repente.

—A lo mejor ya regresó a las cañerías —dijo Elipsio, riendo.

Ella rio y siguió en silencio. Luego dijo:

—¿Piensas quedarte en Chicago? —era la pregunta de nuevo.

—No sé —dijo Elipsio—. Todo depende.

Y a pesar de que era una de las pocas veces que había dicho la verdad, tuvo la sensación de que ella no le creyó.

Desde niño le preocupaba el recurrente dilema del aparecer y desaparecer de la gente en los autobuses, en los ascensores. Una vez, al lado de su padre, en el viejo edificio del Palacio Nacional en su ciudad, se quedó observando por largo rato ese entrar y salir de personas en el elevador. Intrigado al máximo le preguntó a su padre, "Papá, ¿por qué la gente de los ascensores no es la misma?", y aunque lastimosamente no recordaba la respuesta de éste, la pregunta quedó bailando retóricamente para siempre en su cabeza. Hoy, viendo el movimiento de gente en el El, pensaba que es posible que quien entra ya no es el mismo que fue antes de entrar: "Hay un cambio en el umbral, en la frontera; una línea clara separa siempre al que somos del que fuimos, el otro no es el mismo".

El tren remarcaba sus pasos por entre los edificios, el río relumbrando por el sol del mediodía, la ciudad poderosa desfilando como una película mal hecha hasta la estación de la calle Paulina con la 17, en pleno corazón de Pilsen, en el Lower West Side, antiguo vecindario católico, polaco-bohemio-alemanoide, que ahora era dominio de los mexicanos o chicanos, recién venidos o de siempre, quienes hicieron de esas casas y edificios en abandono un ghetto hispano con sus tiendas a colores, festones, máscaras, comederos, bailaderos, ventas de todos y para todos, a lo largo de la calle 18 hasta el tope de la autopista Dan Ryan al este. El supermercado La casa del pueblo, referencia para la cita esa tarde de Elipsio con González, estaba en el cruce de esa calle con la transversal Blue Island.

Elipsio llegó unos minutos antes al encuentro, así que aprovechó el tiempo para hurgar el establecimiento. Un inmenso aviso anunciaba "Productos Importados de México". Era un sitio fabuloso, casi un "aleph" para ver por allí todo lo que de universo en sí tiene México. Elipsio encontraba maravillosa la variedad al espanto de los productos mexicanos. Al fondo, en un pequeño espacio entre ollas, jarras, cacerolas, marmitas, se vendían tacos al pastor, de lengua, ojito, pare de contar con tamales calientes, recién salidos de la mera madre. Aprovechó para pedir varios platos y comerlos apresuradamente. El precio era tan bueno que sería magnífico para comer allí todos los días.

Al salir a la luz de la una en punto buscó la calle y el sitio enfrente del supermercado, y se plantó como un cactus, en vez de plumas una chaqueta de cuero, y un libro en la mano como serpiente, esperando.

Cualquiera entre los muchos mexicanos que iban y venían, hablando y platicando, e incluso mirándolo con atención abierta, podía ser el González famoso, de manera que decidió no prestar atención a nadie en particular, sólo a su libro que no era otro que *Sister Carrie* de Theodore Dreiser. Diez minutos, quince, veinte, nada. Era posible que González hubiera cambiado de idea. Esperó diez minutos más, cerró el libro, y se fue en dirección oeste a buscar el tren: "Maldita sea, pensó, otra vez me quedé sin pistas". Pero iba llegando a la calle Ashland cuando oyó cerca, casi al oído, su nombre. Volteó de inmediato y se encontró de sopetón con dos hombres altos, de facciones oscuras, que parecían hermanos.

—Venga con nosotros —dijo uno de ellos.

Caminaban en silencio por entre el tumulto. Uno iba adelante de Elipsio y el otro atrás, en fila india, cuidadosos los dos. Pronto el primer hombre se detuvo en un bar-nightclub llamado *El burro* y entró. Elipsio lo siguió. El sitio estaba casi desierto, con unos pocos bebedores en el bar, pero el hombre parecía buscar una mesa especial para sentarse. Al fin encontró una que al parecer lo satisfizo y le indicó a Elipsio que se sentara. El otro recogió del bar una jarra de cerveza y una botella de tequila a medio consumir.

—¿Quién de verdad te dio ese teléfono? —preguntó el primer hombre sin presentarse. No tenía acento mexicano. Irreconocible.

—No me han dicho cómo se llaman ustedes —dijo Elipsio, tratando de salirle adelante a la situación, de hecho difícil, peligrosa.

Los hombres se miraron y se echaron a reír.

—Tiene bolas —dijo el segundo y sirvió las cervezas y el tequila.

—Digamos que yo me llamo Jesús y que este se llama José y que no trajimos a María a la fiesta, ¿estamos bien? —dijo el primero.

—Sí —dijo Elipsio, acompañándolos en los tragos y en la risa.

—¿Entonces…? —preguntó Jesús.

—Bueno, un amigo me dijo que si no encontraba a Lamia, mi amiga colombiana, en su dirección de la calle Gladys, entonces que la buscara en este teléfono, que preguntara por "el mono" González.

Los hombres se miraron, tensos, casi se podía oír el ruido de la calle.

—Esa es una nueva historia —dijo José.

Elipsio dijo que sí, pero que él estaba haciendo todo lo posible por encontrar a su amiga de Colombia, eso era todo.

—No eres de la policía, ¿verdad? —era Jesús, el inquisidor.

—No, nada de eso. Yo soy un escritor —Elipsio, precavido, llevaba dentro del libro el recorte de uno de sus artículos. Se los mostró.

Los hombres examinaron cuidadosamente el papel y se lo devolvieron.

—Nosotros ya le dijimos todo a la policía, y no queremos más problemas, ¿entiendes? —dijo José.

—Yo no soy de la policía —insistió Elipsio, bien incómodo por el giro que tomaba la charla.

—Sí —dijo José—. Tampoco eres de "la migra".

—Ni más faltaba —dijo Elipsio, amistoso.

—Joselito quiere hablar contigo —dijo Jesús.

—¿Cuándo lo puedo ver? —dijo Elipsio, dándose cuenta que probablemente no era ninguno de los dos.

—Eso no es tan fácil.

—Si quiere puede venir a mi casa, con la gente que quiera, y así estará más tranquilo.

—Joselito está en la cárcel —dijo Jesús, mirando fijamente a Elipsio.

—¡Mierda! —dijo Elipsio.

—Será la próxima semana. Nosotros arreglamos la cosa cuando él tiene visita. ¿Tienes pase de manejar?

—No. Pasaporte.

—¿En regla?

—Sí —dijo Elipsio, temblando un poco porque no había nada más falso que su pasaporte.

Los hombres terminaron la cerveza, recogieron la jarra y la botella de tequila y se levantaron de la mesa.

—Te llamamos a principios de la semana. Ahora, espera aquí unos diez minutos antes de salir, ¿entendido? —dijo Jesús.

Al salir a la calle Elipsio sintió como si nada hubiera pasado. Para él, detenido en la esquina, todo lo real devenía irreal, con una fuerza extraña, incontrolable: "Es la frontera, el borde", pensó.

Escribir poemas comprometidos políticamente, pedazos de manifiestos y proclamas revolucionarias, no es tan fácil, y menos cuando hay que preparar un buen paquete, decente, en un par de días. Así deglutía Elipsio sus pensamientos mientras friccionaba la máquina de escribir esperando que el espíritu del *Canto General* de Neruda se le apareciera más en obra que en cuerpo, o en última instancia el fantasma de Javier Heraud viniera en su ayuda. Lo cierto es que ese martes próximo tenía que tener varios poemas listos ya que María Esther venía de visita, previa llamada el domingo disculpándose por su ausencia, y también para ir los dos a recoger los pasos de Theodore Dreiser.

Elipsio había conseguido revelar las fotos de Division Street y entre callejones y colchones abstractos encontró fotos de gente en la calle, en los bares; algunos venían claros a su memoria, otros no. Entre ellos estaba la mesera lituana y los *barflies* del *Golden Star,* además del rostro feroz de varios hombres en una mesa jugando a las cartas, y de esto no recordaba nada. Horror. Probablemente fue en ese sitio donde perdió su dinero, jugando al póquer con estos carapálidas; ellos eran los de los golpes, seguro, *"get out of here, punk!".* Todo era claro en la foto: las gorras de béisbol, el sabor a obrero de fábrica, las cartas y el licor. Era una magnífica foto, de todas maneras. Un tanto desenfocada, pero bien. Pediría buen dinero por esa foto a Caracas. Hizo el sobre con su primer trabajo sobre Algren y expreso lo mandó.

El martes, antes de que ella llegara regó por la sala varios libros, muchos de ellos de la biblioteca del "Iluminado", y amontonó papeles imitando la habitación de un estudiante. Incluso había pasado el día anterior por De Paul y comprado banderines y cuadernos con las divisas de esta universidad. El cuadro era bastante convincente cuando abrió la puerta para María Esther: los poemas tirados en el piso, entre viejos cuadernos, estratégicamente ajados.

María Esther llevaba unos pantalones de vaquero de bota ancha, tan ajustados atrás que se podía ver el marco de sus pantaletas, y una camisa blanca anudada en el ombligo además de una chaqueta de bluejean con signos de paz y amor por los costados. Al llegar aceptó el café que Elipsio tenía listo, se tiró en uno de los sillones de la sala con Taima en su regazo y oyó paciente los poemas que él, reluctante, "avergonzado por la calidad tan pobre", le leyó en voz alta, emotiva, combativa. Varios poemas le gustaron y dijo que se los dejara para publicarlos en una revista estudiantil de Northeastern. Especialmente le gustaba el que jugaba dialécticamente, así lo dijo, con las palabras hambre y hombre, sombra y lumbre, el cual pintaba perfectamente la alienación del proletario, pero también su esperanza. Elipsio "no podía ocultar su emoción", así lo dijo también, añadiendo que ella era "muy generosa". La besó en la boca.

Pero antes que los revuelos poéticos los llevaran a revolcarse en la cama, ella se puso de pie, la chaqueta, y dijo que era hora de ir por el West Side. Elipsio fue por su chaqueta y le dejó comida a la gata. Ya en la puerta para salir, ella se volteó sobre los libros y papeles desperdigados en la sala y dijo simplemente:

—Tú no eres estudiante de De Paul, ¿verdad?

—Sí. Me retiré —dijo Elipsio con una rapidez que lo desconcertó a él mismo. Frío la miró y no dejó campo para la sorpresa.

—¿Por qué no me lo dijiste antes? —preguntó ella.

—Tú estabas interesada en mí por lo del *Proyecto Pa'lante,* entonces, no sé, a mí, tú me gustaste desde el primer día.

—¿Cuándo te retiraste?

—¿Quién te lo dijo?

—Una amiga que toma clases en español. Dijo que no te había visto nunca.

—Yo no fui este semestre, es lo cierto. Pero yo estaba más en inglés.

—¿Vas a volver?

—No sé. Mi padre anda con problemas de plata.

—¿Y por qué quieres ir al Westtown si no estás en la universidad?

—Voy a mandar el trabajo sobre Algren y Dreiser a una revista venezolana. Necesito el dinero —la única verdad del día.

—¿Qué te pasó en la cara?

—Trataron de robarme la otra noche, pero no es nada

Ella, tierna, le dio un beso en el moretón debajo del ojo y salieron a la calle, en dirección al El.

María Esther era ama y señora en Chicago. Apenas él dijo "Union Park" ella supo que debían bajarse en la estación de la avenida West Grand con la calle Franklin, "y allí transbordamos a una guagua que nos deja cerca, y puedes ver toda el área".

—Tú eres el paisaje de Chicago —le dijo Elipsio mientras caminaban por West Odgen en dirección a Union Park.

—Esta es mi ciudad, aquí nací en verdad.

—¿Qué es ser de Chicago?

—No sé. Tal vez es Chicago la que es de uno, no que uno sea de Chicago. Para Chicago todos somos extranjeros. Así lo digo en un poema. Chicago es un monstruo solitario que todos deseamos poseer.

—Gracias —dijo él—. Es muy buena tu visión de esto, ¿la puedo utilizar en mi trabajo?

—Úsala como quieras. No es mía tampoco. Es lo que piensa todo el que es de aquí. No el que pasa, el turista.

A Elipsio no le gustó estar de lado del paseante, del turista, pero no le quedó salida, esa era la verdad. Consultó su libreta de apuntes con los datos sobre Dreiser y dijo:

—A Dreiser lo metieron a la cárcel por robarse un abrigo para el frío, un abrigo fino, y el azar hace que a Nelson Algren lo metan también a la cárcel por robarse una máquina de escribir. Interesante eso, ¿no te parece?

—Sí —dijo ella.

—El abrigo y la máquina —siguió él—, son las dos cosas que más necesita un escritor.

—Le puedes poner eso como título a tu trabajo.

—Gracias, así lo haré. Y te lo dedico.

Ella sonrió, apretándole la mano.

Pronto estuvieron en ese entrecruzamiento de calles y avenidas que rodea a Union Park. Era un pandemonio de carros y gente por doquier: mexicanos, puertorriqueños, *hippies,* negros, blancos, mezclados entre edificios, almacenes, restaurantes, semáforos y el verde del parque con sus esculturas, fuentes, decoraciones del siglo pasado. María Esther quería enseñarle la estatua que conmemoraba la célebre matanza de obreros anarquistas en 1886, la masacre de Haymarket, y de la mano lo llevó hasta una estatua, del peor realismo decimonónico, de un policía con el brazo levantado deteniendo la multitud. Estaba pintarrajeada de negro, como con betún maloliente, y ella le explicó que "eso lo hizo un grupo revolucionario esta misma semana", ya que la habían trasladado allí de su lugar original porque la misma gente le puso dos bombas que casi la destruyen completamente.

—Imagínate, chico, esta ciudad de inmigrantes, de obreros, homenajea al asesino, al policía puerco, en vez del obrero. Es la ciudad del primero de mayo, de la matanza de obreros, lo cual se celebra en todo el mundo, menos aquí. No demoran en volarla en pedazos y mandarla pa´la mierda.

—¿Y quiénes son los que ponen las bombas? —le preguntó Elipsio mientras tomaba unas fotos.

—Bueno, los "Panteras", los del Frente de Liberación, la gente del partido, los viejos anarquistas, cualquiera. Todo el mundo odia este mamarracho.

Sentados en una banca del parque, bastante sucia por las palomas y las ardillas, Elipsio sacó de nuevo su libreta.

—Oye esto que Dreiser escribió en *Sister Carrie*, cuando ella vivía aquí en Odgen, frente a este parque: "Aquí está la ciudad hirviente, haciéndose, formándose. Algo dinámico hay en el mismo aire que llama la atención sobre su imagen".

—¿Quién era Sister Carrie? —preguntó ella.

—Era una muchacha pobre de Chicago, abandonada, que se ganaba la vida como modista en una fábrica, precisamente. Pero un día un rico llamado Hurstwood se enamora de ella y deja su vida de riquezas por ella y cae en el vacío: pobreza, mendicidad, hambre. Carrie pronto lo abandona y por el contrario sube en la escala social, se va para Nueva York, y llega a la cúspide del poder y la belleza. Hurstwood se suicida y ella triunfa.

—Muy triste eso —dijo ella.

—Dreiser no le veía sentido a la vida, es lo mismo en su otra novela, *Una tragedia americana*. ¿Ves esa hormiga que está allí? —le preguntó él de repente.

Ella dijo que sí. Era una hormiga grande, negra.

—Bien, Dreiser escribió un cuento muy bueno, aquí sentado en este parque. Un periodista, sin trabajo, un día se sienta en este parque y presencia una guerra feroz entre hormigas rojas contra hormigas negras, *"McEwn of the shining slave makers"*, ese es el título, pero de pronto termina metido en la guerra, horrible. Es como la historia de la humanidad. Estamos metidos en la guerra de las hormigas.

Elipsio se levantó y le tomó una foto a la hormiga negra.

—Yo nunca leí a Dreiser —dijo ella—; parece muy bueno.

—Excelente, te lo recomiendo. Un crítico por ahí dice que así como Algren es el poeta en prosa de las barriadas de Chicago, Dreiser es el corazón de la ciudad al desnudo. Es el padre de todos los que vienen después, incluso Hemingway, Ben Hetch, Sherwood Anderson.

—Tú sabes mucho de Chicago, de sus escritores.

—Aquí comenzaron muchas cosas —dijo él.

Luego del parque caminaron por la avenida Odgen pero no era posible saber dónde estaba el edificio, si todavía existía, donde vivió Dreiser y situó su personaje Carrie. Elipsio tomó una serie de fotos a edificios con formas italianas, góticas, romanescas o casas en serie de estilo neoclásico, pensando que alguna serviría para su trabajo.

Tomaron varias cervezas en un bar oloroso a cigarrillo y mal aliento, comieron hamburguesas con cebolla frita en manteca rancia, y caminaron toda la tarde por Ashland arriba hasta el Westtown, ella hablando, señalándole sitios, veredas, callejones, historias: la ciudad de su infancia, sus correrías de niña, la ciudad irreal, la que desaparece cuando movemos los brazos.

Lo despertó el teléfono chirriando entre las moscas de nuevo. María Esther dormía a su lado. Contestó y oyó la voz de la misma mujer mexicana de antes, el contacto con el "mono" González.

—Joselito quiere verlo mañana, cuando hay visitas.

—¿Y cómo hacemos? —Elipsio trataba de hablar en voz baja para no despertar a María Esther.

—Lo esperamos en la chingada esa de Picasso en el Chicago Civic Center, ¿sabe dónde está?

—Sí, ¿a qué horas?

—A las diez de la mañana, en punto.

Aunque todo tenía el gusto de un *déjà vu*, Elipsio se sintió agitado desde ese momento. Como pudo, alegando su trabajo, se despidió de María Esther luego de almorzar con ella en una taquería de Clybourn Street.

A la mañana siguiente el reloj despertador del "Iluminado" lo ayudó a estar de punta en el Chicago Civic Center a las diez. Era obvio que como la vez pasada, tenía que esperar, así que se hizo de buena paciencia y empezó a darle vueltas de nuevo a la escultura que Picasso le regaló a la ciudad. Rodeada de edificios de acero, de acero ella misma, las formas simbólicas que Picasso quizo imprimirle a su trabajo giraban en la rueda de las interpretaciones por toda la ciudad; iban de pájaro a mujer, de liebre a perro, de ángel a insecto, lo cual divertía a Elipsio porque allí en las semejanzas se encontraban todos los antagonismos ideológicos: "mamarracho de un paje servil del capitalismo", "formas obscenas de una mente depravada y atea", "repetición de una vieja idea cubista degenerada en cliché", y la fiesta de consonantes y asonantes epítetos continuaba en los periódicos, las revistas, la televisión. El único feliz con la estatua, además de Picasso, era al parecer el alcalde supremo, Richard Daley, *the boss*, quien acaso reconocía en el poder de Picasso una imagen de su propio poder: ambos trataban de forjar la realidad a su antojo. Acero sobre acero, espejo de fuerza y control: consagración y profanación.

Una mujer alta, rubia, se le acercó.

—Yo soy la María —dijo—, venga conmigo.

Elipsio le dio la mano y detrás de ella, entre árboles, fuentes y banderas, distinguió a Jesús y José, la sagrada familia, observando.

Caminaron en silencio hasta un restaurante en North Clark y Madison, donde ella se detuvo:

—Vamos a tomar un café —casi era una orden.

Elipsio no salía fácil de su asombro al verla tan hermosa, y además había perdido completamente su acento mexicano. Nada que ver con la imagen que sacó del teléfono.

—Usted no es mexicana —dijo Elipsio sentándose en una mesa contra la ventana. En la calle los siguieron Jesús y José, insistentes.

—No —dijo ella—. Usted habló con otra persona.

—¿A qué horas es la cita?

—Más tarde, pero el que Joselito lo vea depende de lo que vamos a hablar ahora, ¿entiende?

—Sí —dijo Elipsio, sin salida.

—Usted era el novio de Lamia en Cali, ¿verdad?

—Sí, estuvimos juntos largo rato, incluso publicamos una revista juntos.

—Y se separaron cuando los metieron en la cárcel.

—Sí, yo fui a Villanueva y ella al Buen Pastor.

—Y ella le dejó con un amigo una carta para que se la entregara cuando usted saliera.

—Sí, yo recogí la carta.

—¿Qué le decía ella en la carta?

—No sé.

María lo miró fijamente. Se veía lo tensa que estaba en que apretaba la servilleta hasta el blanco de sus dedos.

—¿Cómo así? —preguntó.

—No la leí nunca, hasta ahora.

—¿Por qué?

—No sé, tal vez me dio miedo. Yo me sentía muy culpable con lo que le pasó a ella.

—No sé si creerle —dijo la mujer sin pestañear.

Entonces Elipsio sacó del bolsillo interno de su chaqueta la carta y se la pasó.

—Esta es la carta, puede verla. No la abra, por favor.

Ella tomó la carta, sorprendida. Indudablemente era algo inesperado el gesto de él. La acarició con sus dedos largos, finos, y se la devolvió:

—Es la letra de Lamia —dijo.

—¿Usted la conoce? —Elipsio casi no pudo hacer la pregunta.

—Sí. La conocí aquí en Chicago, fuimos muy amigas.

—¿Dónde está ella?

—No sabemos. Probablemente en Chicago, pero no sé, no sé, es la verdad.

—Cuénteme de ella, por favor.

—A usted no le va a gustar lo que yo puedo contarle.

—Eso es cosa mía, ¿entiende? Cuénteme nomás.

—Lamia conoció a Joselito cuando los dos fueron a vivir en la calle Gladys, en el apartamento de Penélope.

—Joselito es "el mono" González, ¿verdad?

—Sí. Nosotros también somos colombianos. Él es mi hermano.

—Entiendo —dijo Elipsio.

—Allí ellos se metieron en cosas que yo no sé, no quiero hablar de eso, pero nos veíamos a menudo. Incluso los dos se quedaban en mi casa muchas veces. Hubo una época en que todo iba bien para nosotros. Lamia trabajaba en una galería de arte, cerca de Rush Street, estaba haciendo las veces para estudiar pintura en el Instituto de Arte, y mi hermano era estudiante en la universidad de Illinois. Pero ella un día quedó embarazada, perdió el puesto, y se fueron a vivir con otra gente, unos amigos de Pilsen.

Elipsio sintió el golpe bien adentro, en un sitio difícil de precisar. No eran celos, era más bien como un dolor de mierda, metafísico, como eso.

—Continúe, María, por favor.

—Yo no me llamo María, me llamo Yolanda —dijo ella, y Elipsio vio que tenía los ojos llorosos.

—No importa, la María le queda bien.

Ella se rio, tristemente. Por la ventana vio que Jesús y José leían el periódico. Irónicamente estaban recostados contra un carro estacionado frente a un crucifijo monumental que adorna la fachada de la iglesia de San Pedro, antes de llegar a Clark Street.

—Lamia tuvo una niña muy bella. El parto fue difícil porque ella estaba muy flaca, desnutrida. No comían bien, pasaban trabajos. Además andaban con un grupo difícil, puertorriqueños... Pero yo no quiero hablar de ellos, ¿me entiende?

—Sí. No tiene importancia. Siga.

—No voy a contarle toda la historia, sólo que un día llegó la policía, el escuadrón antiterrorista, allí donde ellos vivían, y los puertorriqueños se agarraron en una balacera con los policías. Lamia y Joselito huyeron con la niña pero ya cuando llegaron a mi casa la niña estaba muerta, la habían alcanzado las balas. Joselito estaba herido, también.

—¿Y qué pasó?

—Bueno, pronto nos rodearon y nos llevaron a la cárcel, pero Lamia no estaba y se escapó. A mí me soltaron luego, pero a mi hermano le metieron 20 años, sin "parole", pero ahora lo van a juzgar de nuevo. Tenemos esperanzas.

—¿Y Lamia?

—Ella se quedó en casa de una gente, escondida, estaba muy mal por lo de la niña, por todo. Ella tenía mucha rabia, mucho odio, sabe. Eso estaba cerca de mi casa, pero un día desapareció, no la volví a ver más.

—¿Y Joselito, supo de ella?

—Ella por un tiempo le mandó mensajes con cierta gente pero eso se acabó hace rato. El quiere verlo a usted. Lamia nos hablaba mucho de usted y de todos sus amigos en Cali. ¿De verdad que nunca leyó la carta?

—No. Pienso leerla con ella, el día que la encuentre.

—Ojalá. Ella siempre hablaba de la carta —dijo y miró el reloj. Era hora de ir. United States Courthouse, Federal Center.

—El crimen de mi hermano es federal, ¿entiende?

—Sí. ¿Estaban con los "underground"?

—Más o menos.

Ahora era Elipsio el que sentía deseos de irse, salir corriendo. Lo asustaba un tanto el encuentro con Joselito, su rival en el amor de Lamia. Nada iba a lograr con él para encontrarla, pero no tenía otra. Llenaron las formas y su pasaporte pasó por bueno por los ojos malos de los policías de turno, "somos de la familia", "colombianos los dos", adentro. Las puertas alternadas empezaron a abrirse y a cerrarse, automáticamente, el pesado golpear de los hierros, las aldabas, las cerraduras, los pasillos, y de pronto Elipsio sintió que volvía a la prisión, que todo era un sueño y despertaba a la realidad, allí estaban los carceleros en Cali: Vernaza, Mamola, los gritos en la noche y el olor. Volvió a oler lo que era ese sudor de hombre mohoso, a rincón oscuro, cemento y manos sucias, periódicos contra el sol.

Cuando abrió los ojos ella lo estaba sosteniendo y el policía que los acompañaba los miraba, preocupado, inquieto.

—¿Se siente bien? Casi se desmaya —dijo ella.

—Sí, estoy mejor ahora. Es el sitio. Todo.

—Comprendo.

Hablaban en español y el policía estaba cada vez más molesto.

En una habitación con vidrio medianero y teléfonos y guardias se sentaron y esperaron, pacientes, sin hablar.

Pasados unos minutos apareció frente a ellos, al otro lado del espejo, un hombre alto, de ojos azules intensos, con el amarillo-naranja de preso en todo el cuerpo vestido, pies encadenados, lento:

—Gracias por venir —dijo al teléfono.

—Siento que sea en estas circunstancias —dijo Elipsio, tal vez por decir algo.

—Yo quería conocerlo. Lamia me habló mucho de usted.

No había mucho de qué hablar pero él sonrió, moviendo la cabeza de arriba abajo, cuando Elipsio le dijo que no había leído la carta. Luego habló con su hermana, quien contestaba en monosílabos. Al momento ella empezó a llorar, las lágrimas en sus mejillas, visibles, no hizo nada para detenerlas. El policía vino y dijo que era hora, brusco.

Joselito volvió a hablar con Elipsio por un momento:

—¿Vas a seguir buscándola?

—Sí, claro.

—Nosotros te ayudamos. Háblate con mi hermana, ¿entendido?

—Así lo haré. Gracias.

Elipsio quería estar solo. Yolanda y sus dos acompañantes, quienes los esperaban en la pequeña plaza a la salida del Courthouse, lo invitaron a comer algo y tomar unas cervezas en un restaurante chino de los alrededores, mejor dicho, un sótano oscuro y maloliente, dispuesto a espantar todo el encanto del mundo oriental con sus banderines y colgantes de plástico, además de la sonrisa helada de chinos recién desempacados de las bodegas de un barco carguero.

La actitud de los tres hacia Elipsio había cambiado de repente. Ahora eran amables y sencillos, joviales. Jesús era puertorriqueño y José dominicano, no muy buena junta según las rivalidades del ghetto latino, pero se veía que la iban bien. Joselito quería que encontraran a Lamia, era la consigna, y Elipsio les venía de abrebocas para sus planes. Era obvio para ellos, lo dijeron, que si él los había encontrado era un buen pesquisa y que de seguro tendría buenas ideas.

—Porque, ¿de dónde sacaste el teléfono nuestro? —preguntó Yolanda sonriente—. Lamia no pudo dártelo porque ella no lo conoce, es una línea nueva y no está en el listado.

—Cada quien tiene sus secretos —dijo Elipsio y sonrió, con un poco de miedo de ser demasiado suspicaz.

La charla siguió por varias cervezas más hasta que él dijo que tenía que marcharse. No lo dejaron pagar.

—Yo los llamo —dijo, despidiéndose.

—No. No nos llamas más a ese teléfono. Llámanos a este otro —dijo José y le pasó un papel con un número apuntado.

Le dio un beso en la mejilla a Yolanda y se despidió de los otros. Las cervezas, por suerte, no lo dejaban pensar bien, así que decidió caminar por la calle La Salle arriba, en dirección al norte, aprovechando que el frío del otoño y el viento le calmaban el ardor en el rostro. Se sentía afiebrado. Un sol de dudosas inclinaciones hacia el gris de la tarde golpeaba suavemente el río cuando atravesó el puente movedizo con Marina City al fondo. Pensó en Sheng y en el mundo que se iba sucediendo más allá de sus manos, en otro mundo, por así decirlo. Inalcanzable.

Cansado de la larga caminata y sediento de nuevo se detuvo por otro par de cervezas en un bar cerca del YMCA de los comienzos de North Clark. Joselito es la voz tronante y cantante de toda esta gente, pensaba entre dos cigarrillos. Al hablar con Yolanda de seguro dio instrucciones precisas: utilizarlo a él para encontrar a Lamia. Porque si Lamia se había perdido de ellos era por alguna razón de peso. Ella no quería que supieran su paradero. O por lo contrario, sabían dónde estaba pero por otras causas ocultas no se lo decían. Las dos vías de razonamiento, prendió otro cigarrillo, lo llevaban al mismo sitio: él era un comodín en esta baraja de los González. Debería seguir buscándola sólo, pero ellos lo asediarían, de seguro. Ni modos de escaparse. Tenían sus señas precisas y no era posible cambiar de apartamento. Tendría que seguirles el juego, pero eso lo preocupaba también. No era gente muy suave, aunque Yolanda estaba bastante buena, una hembra a todo dar. "No, es amiga de Lamia", se controlaba y justificaba.

Metido a caminar de nuevo le preguntó al barman cómo llegar hasta Rush Street. La ciudad en el mapa es fácil pero hay que llegar al territorio y ahí está el laberinto, recordó haber leído de un semántico polaco: el signo y sus dos patas.

Afortunadamente la calle Rush estaba a un tiro de piedra, así lo dijo el hombre del bar. Empezaba casi en las inmediaciones de la Vieja Torre del Agua, el único resto del incendio con su extraña imitación gótica: la conflagración y la fiesta. Porque Rush

Street era una calle bulliciosa, comercial, mundana, plena de bares y clubes iluminantes en la noche. Desde uno de sus ángulos, en la calle transversal Oak, se podía ver el edificio de *Playboy* con sus rabipeladas cimbreando entre copas de champaña y caviar. Obvio, pensó, que caminar por esas calles le permitía reconstruir con sus pasos los pasos de Lamia, el arrastrar de sus sandalias y el golpe de su pelo en la espalda.

Varias galerías de arte se alineaban a lo largo de la calle Oak con sus vistosas vitrinas. En una de ellas, de dos pisos, se detuvo a ver las famosas pinturas resinosas de Frank Gallo, esas mujeres desnudas desparramadas en sillas plegables, perezosas, tan lascivas y tan frías a la vez. Y allí estaba, embebido entre genitales y metafóricos pesamientos, cuando sintió una mano en el hombro y la voz de Marty al lado:

—Estás gastando la vista más de lo debido —dijo éste, riendo. Vestía a la Gatsby, con chaqueta de *tweed*, sin bufanda pero con la misma gorra de golf.

—Carajo, maestrico, el mundo es bien pequeño —dijo Elipsio, reponiéndose. Siempre podía ser un policía detrás.

—Redondo y ajeno —dijo Marty, quien de seguro había leído a Ciro Alegría en una mala traducción.

A Marty no lo entusiasmaba Gallo, mejor encontraba en esa misma galería un jardín con esculturas y máscaras africanas y de la Polinesia. Entraron a verlas. Elipsio quedó inmediatamente encantado con una máscara bantuana de ojos entrecerrados, enigmáticos, boca alargada como sosteniendo un instrumento musical que se resolvía en dientes pelados, en la frente una teta de mujer con un pezón sobresaliente, y al colmo de la cabeza, emergiendo, el cuerpo fetal de un ser cuyo rostro alargado iba de bestia a hombre con encanto mágico y perturbador.

Uno de los *marchands*, pizpireto y sonriente, vino a atenderlos inmediatamente, dando brinquitos:

—Marty, Marty, querido, ¿cómo estás?

Marty sonrió y se dieron sendos besos en las mejillas.

—Con el precio de esa máscara puedo comprar el apartamento donde vivo —dijo Elipsio luego de que salieron.

—Tienes que venir a mi tienda en North Halsted, tengo cosas que te gustaría ver —dijo Marty.

Marty tenía hambre y fueron a Gino's, una pizzería en North Rush que éste conocía bien. Pidieron cervezas.

—Yo mantengo algunos negocios con estas galerías del centro, pero todo es difícil con esta gente. Son unos malditos negociantes, sin alma. El arte es mercancía para ellos, nada más, aunque se las dan de sensibles, finos.

Marty comía la pizza con cuchillo y tenedor y Elipsio se lo imaginó allá entre las nubes de Ecuador, comiendo quimbolitos y llapingachos como si fueran galleticas preparadas por Emily Dickinson.

Luego de varias cervezas y de larga charla sobre el negocio de las pinturas y las antigüedades, Marty miró su reloj y le pidió a Elipsio si lo acompañaba al

South Side a buscar a Johnny Young, quien esa no-che tocaba en *Ratzos*.

—No está muy lejos, pero es el ghetto negro, si no te importa. A veces se pone un poco pesado, y de nochechita peor —le advirtió Marty.

—No hay problema, hermano. Lo que tiene que pasar no pasará —a Elipsio le estaban cayendo bien las cervezas, al parecer.

Marty tomó la avenida Lake Shore Drive, al lado del lago, hacia el sur, y luego dobló en busca de la calle 60, a su derecha. Y allí se encontraron de súbi-to en la famosa Midway Plaisance, con el fantasma de la rueda de Chicago, girando. Elipsio, encantado, miraba a todos lados pero sólo veía calles y zonas verdes y algunos árboles ya sin hojas por el otoño. Al fondo se perfilaban los edificios góticos de la Uni-versidad de Chicago, repleta de premios Nobel como ardillas cargando bellotas atómicas.

Johnny Young vivía en una de esas calles de ca-sas pequeñas de ladrillo y madera, con pórticos des-vencijados y mugrosos que distinguen a los barrios negros del sur de Chicago. Sin embargo, de vez en cuando se pueden encontrar también allí viejos edi-ficios semiderruidos, arruinados por todas las pla-gas del abandono, los cuales rememoran entre sus hilachas viejas mansiones, ahora divididas en habi-taciones donde toda la vida de una familia se re-suelve en un solo cuarto. Los desperdicios ruedan por las gradas de las casas y de los edificios y se pasean por las calles ayudados por el viento y los roedores de turno. Marty buscaba con la dificultad de la luz decreciente de la tarde, ya casi la noche, el nombre de la calle, de la casa o el edificio. Algunos hombres, en una esquina, saliendo de una barbería que iba también a almacén, los miraban con detenimiento. Marty detuvo el carro frente a ellos y con voz calma y acento alegante preguntó por la calle. Más abajo, dijeron, por el cementerio Oakwood. Algunos niños corrían por la calle con bates de béisbol. Al verlos levantaron los bates, amenazantes. Marty estaba serio. "Hijos de la gran puta, dijo en buen español, son capaces de darle al carro". Se veía que su calma era bien aparente.

Por fin, cerca de la calle Marquette, encontró la dirección. Era un edificio de tres pisos. Tenebroso.

—Espérame aquí, Johnny no quiere a nadie dentro de su casa. Su mujer es alcohólica y ya está en las últimas.

Aunque la calle estaba casi desierta no fue fácil para Elipsio esperarlos. El que pasaba miraba al interior del carro y allí dejaba pegados unos ojos curiosos, alarmantes. Inspectores de sanidad racial, se los imaginó. Pero nada pasó y pronto aparecieron los dos, sonrientes.

—Vamos a comprar un poco de trago por aquí —dijo Marty.

Frente a un *pub* humoso que anunciaba cervezas Budweiser y comidas especiales entre luces que se prendían y se apagaban, Marty detuvo el carro, lentamente, bajo la dirección de Johnny.

—No vengan conmigo, yo voy solo y lo compro —dijo éste.

Marty se metió la mano al bolsillo y sacó un billete de 20.

—¡Cuidado! —dijo Johnny mirando a los lados—. Eso es mucha plata por aquí, es peligroso. No hay que dejarlos ver.

Rápidamente puso el billete en el bolsillo del pantalón, dejó allí su mano, apretándolo, y entró al bar.

Al enrumbarse todos hacia el norte, Elipsio iba pensando que las madres negras deberían tener leche negra. Tal vez se iba quedando dormido.

III

LA RUEDA PEQUEÑA GIRA HACIA ABAJO

Con el frío del otoño adentro volvieron los días de gran silencio y desolación. Todos sus amigos o conocidos daban la impresión de estar absorbidos por la máquina de los progresos y los planes para el futuro, y sólo él, tirado en la rueda de sus elucubraciones, parecía darle al tiempo todas las ventajas para asegurar una derrota inevitable. Eran los días en que las palabras rebotaban por las paredes de su apartamento como las moscas enloquecidas antes de morir de un solo tarrajaso. De Caracas venía al teléfono la voz de su editora pidiéndole un trabajo sobre Hemingway, a lo cual él se negó, ofreciendo a cambio uno sobre Ben Hecht. "Nadie lo conoce", dijo ella, y terminaron en un intermedio conciliatorio que se llamaba Saul Bellow. Y esto lo deprimía enormemente. "A este paso voy a terminar escribiendo trabajos universitarios". De Bellow conocía poco y todo le sonaba a la flor de la canela burguesa, pero tenía que ganarse la vida. Además su amiga prometía enviarle desde mañana mismo un cheque como adelanto. "Es una maravilla que los venezolanos estén llenos de plata, esto no puede pasar en otro país latinoamericano", se consolaba.

De pronto, en uno de esos días que no asistió a la misa vespertina de *Ratzos* porque su almuerzo fue a la medianoche, la cena a mitad de la mañana, los timbrazos del teléfono, "animal de costumbres" como éste era, lo sacaron del sueño que empezaba a mediodía. Parecía que todo el mundo sentía el deber de invitarlo, o no, a la cena de acción de gracias que se aproximaba. Sheng se disculpó de la manera más china posible y le dijo que en recompensa a su desatención se podían ver pronto para ir a los alrededores de la ciudad. Esto le alegró el alma un poco. Livio dijo que Kathleen lo arrastraba al aburrimiento mortal de su familia en Minnesota. Pero quedaron de verse ese sábado para ir a oír a Muddy Waters, "aquí en Old Town, cerquita". María Esther habló de exámenes, trabajos con el *Proyecto Pa'lante,* pero una gente de su familia tenía un arroz con gandules y pavo en el Westtown. A su negativa quedaron de verse luego, "por allá paso", dijo ella. Marty habló de ir a un restaurante de North Clark con Judith y la despelucada Gretchen. Y así entre los no y nos vemos pronto, yo estoy bien, muy atareado con mi libro, decidió esperar a Bob que prometía pasar por él temprano rumbo a Oak Park.

Memorable iba a ser ese jueves de guajolotes descuartizados por los peregrinos de Nueva Inglaterra, lleno de sorpresas como una piñata en casa de vecino rico, porque desde temprano, a media mañana, cuando rechinó el despertador, sintió aplastantes dos ausencias: faltaba el ruidaje atronador del El y las moscas verdes no salieron de su escondite profundo. "Deben estarle dando gracias eternas a su dios verde por su magnanimidad al haberles dado este apartamento para reproducirse", pensó. Pero al tirar las cobijas notó algo distinto a través de su ventana contra el resplandor gris de los reflejos.

Sí. Era nieve.

Nieve por primera vez en su vida. Nieve en copos, laminillas como pequeñas hojas blancas, canosas, desprendiéndose de un cielo invisible. Nieve lenta, pausada, aumentando el silencio al caer sobre los barandales de hierro y madera de la estación del tren, sobre los rieles y su soporte, sobre los techos inclinados de los edificios, sobre los abrigos de dos o tres personas esperando a cielo abierto; nieve de película o libro, nieve en los poemas de Robert Frost, en los cuentos de Jack London. Y era hermosa, de verdad, como seda para sus nervios en punta, especialmente en ese preciso momento cuando entre los grises del cielo se abrió un agujero para dejar filtrar un rayo de sol que se fue de bruces como el tren en silencio parando en la estación. Transparente luz contra los árboles semidesnudos en los andenes, todavía luciendo por último sus colores de hojas marchitas: rojos, amarillos, verdes, marrones, en toda gradación de tonos como si estuvieran traduciendo en el espacio la poesía de Mozart. La nieve se derretía al caer sobre el suelo, cierto, desaparecía, pero ello la hacía más misteriosa en el adentro de sus distancias, como si la realidad fugaz de su presencia lo plantara por fin en el mundo lejano donde estaba; la nieve lo alejaba del trópico y sus afanes, era ahora sí otro ámbito, se corrían con él los mosaicos de la casa del mundo que habitaba.

Bob llegó antes del mediodía, "viste la nieve, dijo, qué dolor en el trasero, maldita sea, ojalá no nos joda el día", y Elipsio comprendió que lo maravilloso al hacerse cotidiano tenía el rostro del tigre de Kafka en la sinagoga. No le quedó más que reírse y pensar como revancha que de seguro Blake le hubiera dado una buena nalgada a la sensibilidad de Bob.

Pero ya después del mediodía la nieve había dejado de caer y Bob lo celebraba gozando la soledad de la autopista Eisenhower que los llevaba directo a Oak Park. Realmente estaba contento y era la voz suave, invitante, de Joni Mitchel la que llenaba su carro. Su hermano había llegado dos días antes, preciso, con la noticia de que ahora era banderillero en Pamplona.

—Luego de la cena, que es bien temprano, ya verás, vamos a ver la casa de Hemingway y algunas de Frank Lloyd Wright. No puedes quejarte. Chicago está toda abierta de patas para ti. Otra cosa —decía a velocidad de 75 millas en sus llantas—, ¿recuerdas que fuimos a Mountrose Harbour? Pues bueno, escribí un poema sobre eso que luego te enseño. Creo que es bueno, hermano, sí, me gusta. Ojalá te guste. En verso bíblico, ¿entiendes?

Sucedió que una de esas noches, luego del griterío y los silbidos celebrando las acrobacias mandolinescas de Johnny Young en *Ratzos,* Bob había invitado a Elipsio a ir juntos a beber del buen whisky escocés en las riberas del lago Michigan y leer algunos versos de Blake, el muy nocturno. Era otra de sus inesperadas invitaciones que buscaban en la experiencia la realidad de un poema.

En el viejo Packard negro que Bob había heredado de su padre, fueron esa noche en dirección norte hasta cerca de la playa Montrose-Wilson. Bob dejó el carro en un recodo de la carretera y caminaron por entre espesos matorrales y árboles: Bob contaba que de adolescente, él y su hermano descubrieron este lugar que estaba lleno de fósiles marinos y donde podían fumar cigarrillos sin que nadie los viera. Decía, además, que a pesar de que la ciudad se alargaba y se encogía al paso de los años, este agujero de arena y vegetación conservaba el mismo encanto: es un sitio para la eternidad, concluía.

La noche era bien fría y el viento zumbaba por entre árboles y arbustos, doblando las ramas. Elipsio se cubría la cabeza con su chaqueta, pero no era suficiente para aminorar la entrada de aire gélido por los huecos de las mangas. Bob, con una chaqueta liviana y al descubierto, se reía de Elipsio, pero para consolarlo de las inclemencias le dijo que por una de esas maravillas de la geografía en miniatura de este lugar, ese pedacito de playa entre promontorios de tierra era una verdadera guarida contra el frío. "Incluso, ya verás que cuando llegue la nieve podemos venir aquí y caminar por dentro del lago como Jesús sobre las aguas", dijo.

Bob estaba contento porque la luna, aunque no llena, estaba firme a lo alto, oblicua sí sobre el lago, y el viento espantaba nubes y nubarrones. Conocía bien el terreno, a ojos cerrados, y pronto descendieron al pequeño nicho buscado. "Es aquí; no está en otra parte, es aquí", dijo Bob repitiéndose, y luego añadió:

—Siéntate en el piso y mira el lago.

Elipsio se sentó en la arena, casi a ras de las aguas alebrestadas, y vio a la distancia que la luz de la luna levantaba del lago todas las embarcaciones de vela del embarcadero Montrose y las ponía a flotar, no en el agua, sino encima de una luz amarilla y verdosa. Bob le pasó la botella de whisky, y no dijo palabra para luego empezar a leer a Blake como si fuera una bendición.

Las dos en punto, precisas, cuando Bob tocó el timbre de la casa de sus padres. Era una de esas casas estilo Queen Anne que impresionaron tanto a Elipsio desde sus primeras caminatas por Chicago. Acostumbrado a la simpleza arquitectónica del trópico, estos edificios, como pequeños castillos burgueses, con variados techos y pórticos y columnas griegas, torres y cúpulas, despertaban en su imaginación vampiros domésticos y exquisitos refinamientos perversos. Pero todo esto pasaba en el exterior, ya sabía que el interior oloroso a clase media borraría en él cualquier salto metafórico.

—Antes de venir —lo previno Bob—, le avisé a mi madre de tu presencia. Cada año invito a un amigo diferente a este evento. Mi madre está preparada y cuando abra la puerta dirá: "A ver qué nos has traído este año como sorpresa, condenado", yo le contestaré "un nuevo peregrino sin casa ni alimento".

Elipsio se rio como cuando uno atraviesa una habitación con espejos a los lados.

—A ver qué nos has traído este año como sorpresa, condenado —dijo la madre de Bob, una mujer de pelo gris y modales suaves, elegantes.

—Un nuevo peregrino sin casa ni alimento —dijo Bob, religioso.

Ella le dio un beso en la mejilla y puso una mano como con guantes invisibles para que Elipsio la apretara suavemente.

—Papá ya baja, sírvele algo al pobrecito que debe estar sediento —dijo.

Bob le explicó entonces a Elipsio que su padre bajaría a las dos y cuarto en punto, se serviría un escocés, y a las dos y media era la hora para su hermano llegar dando abrazos, con una botella de vino, y sus padres dirían al unísono, "no estás comiendo bien, muchacho, tienes que alimentarte mejor".

En efecto, el padre bajó a su debido tiempo, Elipsio lo comprobó con su reloj, se sirvió un trago de una botella Johnny Walker Red, los saludó con una sonrisa, y se quedó esperando que sonara el timbre de la puerta.

Bob le servía otra cerveza a Elipsio cuando se oyó el timbre de la puerta junto al *gong* del reloj de campana en la sala. La madre de Bob se unió a su marido, y al abrirse la puerta, dijeron en coro, interrumpiéndose por los abrazos, atropellándose con la emoción:

—No estás comiendo bien, muchacho, tienes que alimentarte mejor.

Y el hermano de Bob dio un salto, como poniendo banderillas, estampó un beso a sus padres, chocó a Bob la mano con una palmada dura y estrechó los cinco de Elipsio con fuerza.

Mientras sus padres hablaban con Ron, como se llamaba el hermano de Bob, éste le dijo a Elipsio que en unos minutos su madre vendría a decir que la mesa estaba lista y el pavo ya salió cantando del horno. Elipsio comprendió ahora que todo seguiría lo mismo, que las previsiones de Bob se cumplirían con exactitud.

—¿Es así todos los años? —le preguntó.

—Desde que yo recuerdo, con ligeras variaciones —contestó riéndose.

El padre de Bob tenía un par de cuadros de Duveneck y Bob metió a Elipsio por esos paisajes pre-impresionistas, con acento de Kentucky, pero pronto apareció en la sala la madre diciendo:

—Bien, bien, muchachos, la mesa está lista y el pavo fuera del horno, cantando.

—Nos tenemos que sentar a la mesa —le dijo Bob a Elipsio en voz baja—. No te preocupes que tu puesto está reservado desde hace mucho tiempo. Mi hermano va a contar todo lo que le ha pasado este año, mintiendo la mayor parte, y como mis padres lo saben no le prestarán mayor atención. Será un discurso corto. Luego te pedirán a ti que hables de tu familia.

Y así, de los toros a la algarabía de los chatos y las tapas, de la sangre en el ruedo al sol de la tarde, Ron terminó de un solo puyazo su perorata.

—Sería bueno, joven, que algo nos dijera de sus padres, ¿ellos no celebran estas fiestas, verdad?

Elipsio sabía que en el mentir o inventar realidades estaba la tónica de la tarde, así es que se armó de imaginación para crear una fiesta similar en Colombia, la cual de pavo tenía algo que casi llegaba a gallinazo, de bebidas iba a una chicha con hormigas picorrojo adentro, y de gentes un quilombo completo de indios danzando, negros dándole a las tumbadoras y blancos arrejuntados haciendo mestizos a doquier, madrugada tras madrugada.

Bob le había dicho ya a Elipsio que al terminar éste su padre diría: "Gente muy interesante tiene usted por padres y familia", pero la verdad es que después de la elocuencia orgiástica de Elipsio, que también había prestado cadáveres del día de los muertos en México, el padre se quedó mudo.

—Con esa lo jodiste al hombre —le dijo Bob en voz muy baja—, ahora de seguro salta mi madre a ayudarlo.

—Bonito país debe ser el suyo —dijo ella.

Entonces Elipsio habló de valles, montañas, desiertos, mares, ríos, y los pobló de arañas, escorpiones, bandidos, asesinos, tigres, serpientes, bandoleros, tiburones, babillas, policías corruptos, corrientes tumultuosas, maremotos, narcotraficantes, políticos miserables, sed y malnutrición, alcoholismo, mal de páramo y frío mortal, prostitución infantil, calores intensos, pringamosa e infecciones de los pies al cerebro, y hubiera seguido incrementando el horror si el padre de Bob no lo detiene:

—País y gente interesante tiene usted por compañía, ¿verdad, madre? —dijo con la mirada fija en su esposa.

Era obvio que lo que ella repuso ya lo sabía Bob:

—Nuestros hijos siempre andan con amigos tan interesantes y bien educados.

—Ahora mi padre va a rezar —dijo Bob en voz baja, como siempre.

—Es la hora de la oración —dijo el padre.

Entonces todo quedó en silencio y los cinco se metieron de cabeza en el plato. Elipsio vio de reojo que Bob estaba cronometrando el silencio oratorio, y así pudo levantar la cabeza al mismo momento en que lo hacían sus padres y su hermano.

El pavo, patasarribiado en la mesa, estaba acompañado de batatas, dulce de cerezas como gelatina, y un relleno hecho de pan mojado en mantequilla y leche, higados y mollejas, cebolla y celery con nuez moscada y tarragón. Cortadas la pechuga y los muslos por el padre cada quien tomó lo suyo.

—Viene ahora un brindis por la prosperidad —dijo Bob, anticipándose de nuevo como un locutor en una ceremonia archiconocida.

El padre alargó su vaso hacia ellos de vino y dio gracias al Todopoderoso y señaló maravillas para el próximo año. Todos bebieron al mismo tiempo.

Bob también había previsto que la cena se terminaría a las cinco en punto, luego de los postres, tartas de manzana y zapallo, y de dos o tres palabras entre él, su hermano y sus padres.

—Padre se retira de la mesa ahora, hijos —dijo la madre, ceremoniosamente.

El hombre se levantó de su asiento con una sonrisa amable y salió de la habitación. La cena había concluido. Todo estaba consumado. Los hermanos recogieron los platos y la comida restante. Luego de un cigarrillo Bob le dijo a su madre que irían a dar una vuelta por Oak Park.

—No hay mucho que ver, realmente —dijo ella—. Ese Frank Lloyd Wright acabó con sus cajones de madera con toda casa bonita que había por aquí.

Y luego, otra vez muy amable con su mano fría estirada, le dijo a Elipsio:

—Lo esperamos el próximo año, si todavía nos acompaña para ese entonces.

—Aquí estaré en punto —dijo éste—. Muchas gracias.

Ya fuera de la casa Bob y Ron se reían a las carcajadas:

—La verdad es que nadie vuelve, pero tampoco se pueden olvidar de la experiencia.

—Ya me imagino por qué Hemingway salió corriendo de estos lados —diría luego Elipsio frente a la casa en North Oak Park Avenue, donde le dio por nacer al viejo "papá".

Pero Chicago era la "ciudad de los hombros anchos". No todo se podía explicar.

Ya en el camino de regreso a la ciudad, Bob eligió como menos congestionada a esa hora la calle North, una de las calles más aburridoras del mundo, un gran monumento a la mismidad, a la repetición. Gracias a esas carambolas del pensamiento, la charla los llevó a Marty, quien la noche anterior había estado bebiendo de lo lindo en *Ratzos,* y hasta tarde.

—Marty no es el mismo luego de que terminó su relación con la muchacha esa que creo era latina, ¿no es cierto? —dijo casualmente Bob, esperando tal vez una respuesta de confirmación de Elipsio.

Elipsio sintió un pequeño malestar entre curiosidad y asombro por su ignorancia de este hecho.

—¿Cómo así? Yo de eso no sé nada.

—Ah, ¿no sabías? Qué raro. Creí que Marty te había contado. Yo no la conocí mucho. Vinieron a *Ratzos* varias veces pero se sentaban lejos, en una mesa distante del bar.

—¿Estaba bonita la muchacha? —preguntó Elipsio, disimulando su interés.

—La verdad es que siempre la vi de lejos. Bonita sí me parece.

—¿Y qué pasó?

—No sé mucho. Marty no dice nada por su voluntad. Pero un día hubo un altercado violento en la mesa de ellos. Judith gritaba con fuerza y tuvieron que ir varias meseras a calmarlos. Casi llamamos la policía. Se querían matar, de veras. Desde ese día Marty no volvió con la muchacha latina. Venía solo y estaba siempre muy callado. Dejó de tocar el violín por varios meses.

—¿Por qué piensas que era latina?

—Alguien me dijo algo, no recuerdo.

Bob tenía una cita amorosa con una muchacha en John Barleycorn así que Elipsio decidió quedarse en su apartamento. Restaba la noche fresca para pensar y digerir el pavo insípido. Taima maullaba porque una cucaracha, su cena de acción de gracias, al parecer, se había metido entre la leña falsa de la chimenea de mentiras de la sala. Seguiría leyendo los poemas de Lowry como remedio contra el frío y la soledad, ambos cada vez más intensos.

Debajo de la puerta, al entrar, encontró una nota de Livio: "Brother, recuerda que el sábado tenemos a Muddy Waters en *Mother Blues,* en North Wells. De película. El hombre anda escaso estos días, siempre rodando la teja por Europa o Nueva York. Vente a nuestro negocito en North Wieland y de allí salimos. A lo mejor "el Alumbrado" se nos une".

Livio había decidido cambiar el apelativo de Peterson de "Iluminado" a "Alumbrado", con una explicación medieval que a Elipsio se le escapó.

La nieve había vuelto tiznando los árboles de la calzada y el televisor anunciaba tormenta para el domingo más otro montón de muertos en Vietnam. "El Iluminado" le había regalado unas buenas botas impermeables, y aunque le quedaban un poco grandes las acolchó bien con papel periódico y tres pares de medias. Un abrigo fuerte de pana también heredó de Peterson. Estaba, pues, listo para enfrentarse a las ventiscas bajo cero que se avecinaban. Lo que sí no le sentaba bien en las puras pelotas era tener que escribir sobre Bellow. ¿Qué tal si les propongo Sherwood Anderson? Todo el mundo lo liga con Ohio, la respuesta. ¿Vachel Lindsay? Solamente el poeta Rafael Cadenas en Caracas sabría quién era. ¿Edna Milley? Nadie. Difícil quitarse a Bellow de encima porque era el escritor en boga y toga esos días, gracias a *Herzog.* "Lo acaban de traducir al español, mi amor", eran las palabras de su editora venezolana.

Estaba bien contento, sí, de poder oír por fin a Muddy Waters. Sin embargo, los chismes de Bob con respecto a Marty se le metían como agujas por los dedos de los pies. Marty no quería revivir historias tristes y tormentosas, probablemente. Además él era apenas un conocido, "la gente no le anda contando su vida a todo el mundo, y menos acá". Y si esta muchacha latina hubiera conocido a Lamia... Recordaba que Marty fue muy vago, dubitativo, cuando en su primer encuentro él le preguntó si conocía a alguien que se llamara Lamia.

El negocito del "Iluminado" y Livio se llamaba Iluminated Flowers and Pots y ya desde el nombre atraía buena e imprecisa clientela. Estaba situado en una vieja casa en North Wieland, calle paralela a North Wells, en el corazón del Old Town, la parte vieja y tradicional de la ciudad, la cual ahora se transformaba rápidamente gracias a esa cosa que era el complejo frío de edificios Carl Sandburg Village, y al empuje violento de construcción en el área que iba a lo largo de North Lake Shore Drive, con las torres de acero y concreto que eran los edificios pioneros de Mies Van der Rohe, hacia el Loop.

Livio estaba ocupado tratando de venderle una serie de hierbas aromáticas en materos de barro adornados con motivos locales de la Chicago *hippie,* a un par de señoras muy tiesas y encalambradas en no me gusta mucho el olor del tilo o algo parecido. El sitio tenía todo lo que de verde crece enjaulado, mucho de ello robado de los viveros municipales por Livio, además de flores de todo tipo y color, y revistas entre las que sobresalía *Garden Talk,* "la revista que se lo sabe todo en plantas", le dijo "el Iluminado" cuando Elipsio empezó a hojearla. "La naturaleza está mejor en fotografías", fue lo que contestó éste con la esperanza de que las señoras lo entendieran.

El negocito agarraba vuelo y los dos propietarios estaban contentos. Sentada en la caja, una rubia un poco exagerada de formas contaba el fluir del dinero: era la novia del "Iluminado", y Jane tenía por nombre, como si hubiese salido de la selva de Hollywood, pensó Elipsio.

Luego de cerrar Livio dijo que se encontrarían con Kathleen y Jeanette ("mi haremcito", como decía en voz baja) en Piper's Alley, un callejón sin salida de una cuadra de largo, lleno de almacenes techados, con gente saliendo y entrando por agujeros insospechados, abarrotándose hasta el cogote entre telas de Paquistán y Afganistán, objetos de todos los mercados del mundo, cachivaches, inciensos y sahumerios de los otros mundos, más un olor a perro caliente, parrilla ahumada, crispetas, pizzas, cerveza maloliente, cuerpos sin agua, perfumes exóticos, y al fondo del callejón, cuando ya Elipsio empezaba a acomodar la claustrofobia dentro de su chaqueta, un restaurante con Kathleen y Jeanette sonrientes, casi de la mano. Sheng estaba de turno hasta la once, dijo Kathleen, pero se reuniría con ellos en *Mother Blues* luego.

Livio, despues de los biftés a la pimienta de ellos y los macrobiotismos de rigor de ellas, sacó de su abrigo una copia fotostática y se la enseñó a Elipsio:

—Esto te va a interesar, es un capítulo de un libro de viajes de Rudyard Kipling sobre Chicago. Ya desde el título es mejor que la pimienta de nuestros biftés: "Cómo le di patadas a Chicago y cómo Chicago me patió". Es bien maldito y preciso como crítica para esta ciudad, y aunque lo escribió allá, a principios del siglo, todavía está caliente.

Elipsio hojeó la copia y leyó en voz alta algunos subrayados de Livio: "Nunca he visto tanta gente blanca junta, y nunca una colección tan grande de miserables"; "Ciudad habitada por salvajes"; "Un día pasé diez horas en esa salvaje inmensidad, deambulando a través de muchas millas por esas terribles calles, y codeándome con cientos de miles de esta gente terrible que habla de dinero hasta por las narices"; "esa gente que cree que hacer dinero es progreso".

Livio se reía, feliz. Se veía que Kipling en esto era su tacita de té, *"his cup of tea"*, según el *dictum* inglés.

—Hay un pasaje —dijo— en que habla y critica ferozmente a la Iglesia y a sus feligreses, magnífico, ya lo leerás. "La grotesca ferocidad de Chicago", eso dice el muy colonial carapálida, qué bueno, que la mierda inglesa le caiga ahora a la mierda gringa, como para que Felipe II mueva feliz el culo en El Escorial, ¿no te parece?

Elipsio se quedó con los papeles en la mano. Si encontraba algo más sobre Chicago, algo que tuviera este mismo tenor, ojalá de algún europeo, inglés mejor, ya tenía el artículo para entretener a la gente de Caracas y dilatar a Bellow.

Kathleen y Jeanette decidieron pedir una botella de Cabernet-Sauvignon del valle de Monterrey mientras Elipsio y Livio se bajaban una tras otra ginebra como si estuvieran en Tavistock Square, elegantes y alebrestados por el alcohol, y así salieron por el gentío, "codeándose con los salvajes", como decía Livio a los empellones en Piper's Alley.

Elipsio se sentía contento con ellos, era como una extraña amistad que se iba tornando en algo dulce, protector, una camaradería que los acercaba con los subterfugios y sobrentendidos de su complicidad. Ellas le pasaron los brazos por el cuello y se fueron a *Mother Blues* cantando.

De gestos suaves, gentiles, sonrisa dulce y amable, Muddy Waters no era la imagen del camionero que se ganaba así la vida para poder comer y tocar la guitarra, antes de que el *blues* se extendiera por Chicago y sus melodías y estridencias le dieran a él y a unos pocos, algunas posibilidades de subsistir con su arte.

Iban siendo las 10 de la noche y ya los mozalbetes, sin licencia para beber y desmandarse, tenían que abandonar *Mother Blues*.

—A la camita, a la camita —repetía Livio, tierno y mordaz.

Con su voz ronca, de matices fuertes, penetrantes, y su guitarra resbalándose por las cuerdas, revolcándose en notas interminables como unidas por un ritmo a pulso intenso, Muddy Waters colmaba la

noche, logrando que todo el recinto subiera y baja-
ra, galopando de pared a pared esos sonidos que
sólo podían venir del delta, de la tierra *Bayou*, de las
masas de aguas espesas y marrones bajando por el
Mississippi. Era realmente noche de oración por ese
sonido que había recogido a su paso desde el África
nativa todos los otros sonidos, ruidos y furias, amores
y tormentos, tristezas y alegrías, que inauguraban un
nuevo mundo de mezclas ambiguas, imprecisas, como
el tono de la voz de Muddy Waters, su guitarra levantando orejas, pelos, sombreros, manos. Y era en
verdad la noche del *blues*.

Sin calcular el tiempo pasado, perdido entre el maravilloso ruidaje, Elipsio no vio que Sheng se acercaba por sus espaldas y con gesto bien juvenil le tapaba
los ojos. Su sonrisa era la existencia cuando los abrió.

Imposible decir una palabra más esa noche. Livio
reía y bailaban todos en un espacio imposible, casi
el espacio de la creación del universo, donde todos
los cuerpos eran uno antes de la Gran Explosión.

Pero esa noche tampoco se pudo Elipsio llevar a
Sheng a la cama, aunque la besó en los labios. Sí.

Los poetas modernistas hablaban de la "obsesión
de lo imposible", por allí debía venir la cosa, cavilaba Elipsio, porque el rostro de Sheng, su sonrisa,
la frescura de sus labios tan finos como la línea de
sus ojos, su cuerpo de luna de leche pálida en la
noche del *blues,* toda ella danzaba constante en sus
sueños diurnos y nocturnos: "Realmente me estoy

encaramelando con la chinita, y todo esto se aumenta porque la deseo cada vez más", y ese pensamiento de lo inalcanzable, de pensar en cómo sería hacer el amor con una mujer oriental, ver su rostro en el orgasmo, se mezclaba con el encanto de su inteligencia, la belleza de sus canciones, la amabilidad extrema de sus gestos. Todo lo contrario sucedía con María Esther, quien no era una mujer fácil por supuesto, pero que dejaba que la vida fuera rodando sin hacerse demasiadas preguntas trascendentales; sólo su compromiso con la causa popular, revolucionaria, vertebraba sus días.

María Esther era una mujer fuerte, de empresa, un tanto protectora a pesar de ser pequeña y delgada; fiel a su palabra, en efecto, cumplió con su promesa de caerse una tarde por allí. Abrigada con una chaqueta grande que tenía escarapelas del Che Guevara y Camilo Cienfuegos, leyó en el sillón de la sala, mientras acariciaba a Taima, sus nuevos poemas como odas incendiarias, rurales y citadinas, dedicadas a la memoria de Maiakovski y Esenin, y luego de esto se tumbaron los dos a mordisco limpio en la cama de sábanas que olían a cuerpo usado, utilizando almohadas y cojines para hacer del placer del sexo algo más profundo, tangible, concreto. María Esther quería hacer del sexo carne dulce que pasara con gran placer más allá de su paladar, para digerirla toda, y autodigerirse ambos.

Elipsio, luego de estos remolinos, con sus muertes y resurrecciones, quedaba limpio, satisfecho a lo más, y un gran río de ternura y afecto se le venía encima para dárselo a ella; sin embargo, y allí estaba la extraña contradicción, con solo María Esther sentía que estaba engañando a Lamia, no con Sheng y menos con Gretchen. Desde un principio, y ese era el dilema, no pudo separar su presencia de la ausencia de Lamia, y esa cercanía en contradicción lo llevaba a una zona indeterminada, intangible, donde el amor o algo que se acercara a eso no tenía cabida.

Otro era el canto de la rana con la despelucada y triste Gretchen, quien estaba un poco fría e indispuesta con él luego de haberlo visto zumbando al lado de Sheng en el bar, el otro día. Dentro del concierto de amor oral que seguían teniendo a hurtadillas de Judith en los baños de *Ratzos,* ella le lanzó con inglés preciso y educado sus sospechas, y aunque no le creyó sus negativas le quedó a ella el ajedrez como excusa para las necesidades masculinas de su sexo. A Elipsio, Gretchen lo enloquecía con su cuerpo de mazorca de maíz crudo, y se estremecía al recordar que besarle los pezones rosados era como hacer estallar granos tiernos de leche.

Como ajedrecista mucho había avanzado gracias a los consejos pre-orgiásticos de Elipsio y los libros que leía a montón. Livio, una de esas noches, quiso jugar una partida con ella pero Elipsio lo impidió de inmediato. El teatro de crueldad que aquél improvisaba frente a sus aplastantes victorias, a grandes carcajadas humillantes, hubiera sido devastador para ella. Debía esperar mejores momentos.

El cheque de adelanto de Caracas llegó rápido, vía expresa, y Livio se lo cambió dejando los 50 dólares como pago de la vieja deuda. Con urgencia tenía que buscar otro escritor complementario, visitante en Chicago, para cotejar los juicios de Kipling y dejar por el momento a Bellow en el tintero. Sin embargo, una llamada de Yolanda, la hermana de Joselito, lo centró de nuevo en el axis de la rueda de sus días: Lamia.

Yolanda quería saber cómo estaba y si algo nuevo sabía. Nada. Lo mismo. Silencio. Y luego:

—El juicio de Joselito es en un mes, a principios de enero —se despidió.

Todas las vías de búsqueda de Lamia se cerraban apenas empezaba a transitarlas. La idea primitiva de preguntarle a Marty sobre las posibilidades de que la muchacha latina con quien había tenido una relación pudiera saber algo sobre Lamia, la descartó por descabellada e imposible. Chicago contaba en cientos las muchachas latinas caminando por North Clark, Fullerton, North Halsted, yendo a cine al Biograph, en Lincoln Avenue, para reactivar las infinitas muertes de Dillinger mientras besaban a sus novios en la oscuridad.

Tal vez debía regresar al principio. Ir de nuevo a la calle Gladys, de allí salieron las mejores claves hasta el momento, reflexionaba, y tratar de convencer al cancerbero Jeremías de dejarlo ver la caja que ella dejó en recaudo. Esto no era fácil, obviamente, pero con éste no era llanto sino dinero el que movía las puertas como montañas.

Así que allí estaba tocando a la puerta del enano Jeremías, el bíblico y omnipotente.

De entrada Jeremías dijo que basta, no me meto más en esos asuntos, usted me perdona pero estoy ocupado. Sin embargo, un billete de 20, verde y cimbreante, le permitió a Elipsio sentarse en la misma mesita del país de las pesadillas, como la definía en sus recuerdos.

—Tengo otro billete igualito, cortado con la misma tijera, si usted me permite ver, sólo ver, lo juro, dentro de la caja que le dejó Lamia.

Veinte dólares multiplicados por dos era más de lo que Jeremías veía juntos en meses. "¡Qué carajo!", debió pensar porque sin dudarlo abrió una cortina que servía de puerta a un clóset minúsculo, ocupado casi por completo por una caja de cartón, amarrada con cuerdas.

Elipsio la levantó y la puso sobre la mesa. Jeremías estiró la mano.

—No se va a llevar nada —dijo—. Es lo convenido.

—No se preocupe. Le doy mi palabra.

De verdad que le temblaban las manos, el cuerpo todo, y casi no podía desatar las cuerdas.

—¿Ella es su mujer, de cierto, no? —le preguntó Jeremías, en voz baja.

—Sí —confesó Elipsio—. Era mi novia en Colombia.

Jeremías le trajo un vaso con agua:

—Deje eso —dijo—, yo le desato los nudos. Tengo dedos fuertes.

Y lo hizo. Allí estaba la caja abierta y encima de todo, cubriendo lo demás, la bolsa de fique que cargaba ella el día que la conoció, en la Plaza de Santa Rosa, en Cali, comprando un libro. No era posible que todos los recuerdos estuvieran en esos tejidos simples, insignificantes desde todo punto de vista, pero que él podía leer como un quipucamayo lee los nudos de toda su vida. Temblaba y casi derrama el agua del vaso sobre la caja.

—Mejor se sienta y se calma —dijo Jeremías.

—Gracias. Estoy bien. Ya me pasa.

La mayor parte del contenido, fuera de una blusa guatemalteca, era libros: Eldridge Cleaver; la vida de Trotski; *Dublinners; Cien años de soledad;* un libro de poemas de Raimundo, el poeta amigo de los "camisarroja"; manifiestos surrealistas; libros de los surrealistas de Chicago; un sobre de manila con apuntes de compras y recibos, su letra grande, siempre, y en el medio, dentro de una caja pequeña una serie de fotos. Fotos de sus padres, debían ser, de sus hermanos, de Chicago y allí estaba ella, riendo frente a los leones del Instituto de Arte, en el lago, bañándose en bikini, su cuerpo, con orejeras y abrigo quitándose el pelo de la frente, la nieve, y de pronto, en un bar, a la noche, riendo, ella, volviéndose hacia la cámara, y de frente Joselito, el González, y en el otro asiento Marty, el mismo, no es posible, puta madre que lo parió, Marty vestido como para una fiesta a principios de siglo, Marty riendo, mirándolo a él, Elipsio, burlándose a las carcajadas, diciéndole que lo sabía todo desde el principio; desenreda la madeja majadero, el único que cree en el azar fortuito eres tú.

Jeremías, quien seguía atento a todos sus movimientos, percibió el impacto que la foto le causaba, y antes de que Elipsio, temblando de pies a cabeza, dijera algo, habló, con voz recia:

—Vuelva a poner esa foto en la caja.

Elipsio lo miró. Un mundo de extrañeza se abría entre los dos. Sentía que no estaba realmente en ese sitio, que su lugar en el espacio era otro.

—Me la voy a llevar —dijo, simplemente.

—Por encima de mi cadáver —fue rotundo Jeremías.

—Me la voy a llevar —repitió Elipsio, autómata.

Jeremías lo calculó todo rápidamente y dijo:

—Se la lleva por cincuenta dólares. Usted prometió no coger nada.

—Me la voy a llevar y no te voy a dar más plata, ¿entiendes? —repitió de nuevo Elipsio, asombrado por la frialdad horrible de su voz, la ira contenida.

—Pues no se la lleva —dijo el otro con voz atronadora y se abalanzó sobre la foto, sus manitas levantadas.

Elipsio levantó también sus manos y puso la foto a lo alto, inalcanzable para el enano, y éste, enfurecido, le propinó una patada en la canilla derecha, con la suerte de que no lo alcanzó de lleno, aunque el dolor agudo fue inmediato. Resistiendo el dolor, Elipsio se puso del otro lado de la mesa y se metió la foto al bolsillo de la chaqueta.

De un brinco impresionante Jeremías se trepó en la mesa y le lanzó, sin fortuna, otra patada a la cara, gritando:

—¡Ladrón, hijo de puta!

Elipsio, defendiéndose, esquivando las patadas, trató de buscar la salida, pero la puerta estaba en dirección opuesta, atrás de Jeremías. Entonces no le quedó más remedio que responder al ataque, y cuando el enano le lanzó otra patada, saltó sobre el pie volando en el aire y lo agarró con las manos y tiró fuertemente. Jeremías cayó en el suelo como un jarrón de agua que se quiebra en pedazos, y Elipsio aprovechó para llegarse hasta la puerta y salir al pasillo a las carreras. Jeremías, repuesto del golpe, salió también corriendo detrás de él, y mientras gritaba: "¡Ladrón, ladrón!", le tiraba unos objetos duros, puntiagudos, que lo alcanzaron en la espalda. Ya fuera del edificio siguió de prisa por calles llenas de depósitos y edificios viejos, con gente cargando y descargando cajas y bultos, camiones. Jeremías, prudente, no pasó de la puerta del edificio.

Por la calle Desplaines caminó sin parar rumbo al norte, hasta que en el entrevero de rieles del ferrocarril, pasoniveles, puentes y edificios abandonados, llegó a la calle Milwaukee y se sentó en un andén sucio, maloliente, contra un poste que servía de soporte a los andamios del El. La pierna le dolía y la espalda le ardía, con fuerza. Al levantarse el pantalón encontró un moretón ya formándose a un lado de la canilla y cuando, con dificultad, metió la mano por entre la chaqueta y la camisa para palparse la espalda, vio sangre en ésta. "Casi me mata el enano de mierda. Debe haberme tirado un cuchillo, traspasó la chaqueta también", pensó.

Pasado un rato siguió caminando por Milwaukee hasta North Halsted y allí encontró un taxi que lo llevó directamente a su apartamento. En el taxi saco la foto y la miró detenidamente. Todos sus pensamientos fueron a dar a un solo pensamiento doloroso y asustante, algo así como la diosa Paranoia descendiendo del Hades. Marty riendo allí, todavía.

Luego de curarse la espalda con alcohol y curitas, la herida al espejo no era muy grande, y ponerse una bolsa de plástico con hielo en la pierna, se sentó en la sala a revisar, lápiz en mano, las diferentes direcciones que se le abrían frente a este descubrimiento, tan inesperado pero tan anunciado a la vez, ya que cuando repasaba los hechos de su relación con Marty muchas cosas encontraban una precisa razón de ser.

Por nada del mundo debería permitir que Marty sospechara que él conocía sus secretos. Estaba claro que su encuentro con éste, en la librería de los surrealistas, no fue casual, y si así hubiera sido, al nombrar Elipsio a Lamia, Marty tenía que haber descubierto sus búsquedas. Todo lo demás era parte del mismo juego. Incluso pensaba que Marty podía estar en conexión con los surrealistas. Tenía que investigarlo sin que se diera cuenta, lo cual no era fácil. Sin embargo, Marty no le inspiraba gran temor, sólo una rabia infinita, una frustración que iba del engaño a los celos como un juego de ping-pong. Si Marty hubiese sido un ser maligno ya hace tiempo lo sabría. Sin lugar a dudas, éste ocultaba algo en su relación con Lamia que él no debía saber, algo difícil de digerir, seguramente. Por lo tanto seguirlo, espiarlo, era peligroso porque gente así estaba preparada para estos trajines. Todas las pistas conducían a suponer que Lamia estaba, o había estado envuelta en acciones peligrosas, secretas, probablemente subversivas.

Cavilando llegó a la conclusión que Gretchen, tan cercana a Judith y por lo tanto a Marty, debería tener alguna información de todo el asunto, así que por allí debería empezar, fuera de hacerle la visita esperada a Marty en su tienda de antigüedades. Y así, esa noche en *Ratzos* estuvo bien cariñoso con ella y más sensual que de costumbre en el baño, y la invitó a venir pronto a su apartamento.

—Pasado mañana —dijo ella—, puedo pasar el día contigo, si quieres. Judith se va para Champaign-Urbana a una manifestación por el aborto.

La idea fija de que Marty y los surrealistas estuvieran más cercanos de lo que había pensado antes, se hacía más precisa en sus cavilaciones, porque muchos hilos iban en esa dirección. Las moscas volvieron esa tarde que tenía como marco una lata de pollo chino, ácido y dulce, marca La Choy, sobre la mesa de cocina. Con fuerza de un no saber dónde lavó los platos sucios de días, llenos de un moho maloliente, y restos de conchos de café seco. Con cuidado probó el pollo frío. No. Lo calentó. Nada había que hacer, sólo el arroz del día anterior era digerible. Pero las moscas zumbaban más y mejor, como zumbambicos en el patio de la escuela. "Ya se irán", se dijo mientras se ponía el lento ropaje del invierno. Los hongos del "Iluminado" no crecían bien, estaban cada vez más secos, casi achicharrados por el frío que se colaba por las hendijas de las puertas y ventanas o por el excesivo calor de los radiadores de agua caliente, los cuales lo asustaban con sus ruidos de animales subterráneos. La nieve espesa estaba por llegar, seguían anunciando en la televisión a lo lejos.

Por Armitage fue en dirección a North Wells hasta que se descubrió frente a las vitrinas de Gradiva. Los afiches anunciaban una lectura de poemas de Stephen Schwartz y un nuevo libro de Margaret Randall sobre Cuba. Dentro, sentado al lado de la bella hada madrina que le sacaba silencios concretos a la registradora, estaba Isidor Nesgoda. Al ver a Elipsio se levantó presto de su asiento y lo saludó efusivamente:

—Es un placer verte de nuevo por aquí —dijo, conciliador, todo pasado desapareciendo.

—Lo mismo —dijo Elipsio—. Vengo a hablar contigo para proponerte algo.

—¿Qué cosa? —Isidor estaba ansioso.

—Me gustaría escribir un trabajo para Venezuela sobre ustedes, con poemas traducidos y fotos, entrevistas.

—Buena idea, me gusta, gracias, camarada. Yo tengo una foto que nos tomamos con Breton y Elisa en su apartamento de París, podría servir.

A Isidor se le habían alebrestado todas las plumas surrealistas y empezó a desplegarlas como un pavo real que imitara a Dalí. Habló de México, "El corno emplumado", de Argentina, "Eco contemporáneo", de todo dijo mientras cargaba a Elipsio con una bolsa donde iba gran parte de la parafernalia surrealista: manifiestos, proclamas, panfletos, afiches, separatas, desplegables, libros, y una serie de fotos postales con *collages* de Ludwig Zeller más estampillas del mismo.

A Elipsio le encantaban los cuadros de Zeller y se lo dijo a Nesgoda, agregando que ellos deberían conocer los dibujos de Enrique Molina o los poemas de Sánchez Peláez, Juan Calzadilla, sus dibujos también, o Westphalen. Y así de animados estaban en la charla, y el esto te sirve y esto no, que Nesgoda lo invitó a tomar una taza de té al lado de la fatamorgana de la caja, y amigos quedaron ahora hablando de Artaud, Desnos, Peret y compañía. Isidor Nesgoda era tan ortodoxo, tan fiel a los principios surrealistas, que Elipsio sintió por un momento que estaban en la década del 20, tomando pernod en Montparnasse.

Indudablemente que sus editores en Venezuela, ahora envalentonados con Bellow, no iban a querer saber nada del surrealismo, cosa ya superada según ellos, y menos con surrealistas de Chicago. Ya tenían suficiente con "El techo de la ballena" y sus exposiciones en homenaje a la necrofilia, le responderían, de eso estaba seguro. Pero la estratagema de escribir el artículo le permitiría internarse en el submundo de ellos, esta vez con llave para lo desconocido, ojalá.

Esa noche decidió no ir a *Ratzos* y se metió en uno de esos restaurantes o cafeterías de la familia norteamericana, tan limpios y oliendo a pan blanco, fofo y sin sabor, y mientras se tomaba una sopa de cebada con carne, caliente, leyó por largo rato los trabajos surrealistas, intentó empezar a traducir los poemas de Nesgoda, y en su cuaderno de apuntes garabateó preguntas de esas que le gustan a los surrealistas, como ¿de qué color es el pato de la duda con labios de Vermouth de Lautréamont?

Gretchen llegó con un pan francés, debajo del brazo, y en una bolsa de papel, cereal, leche y media libra de pechuga de pavo en un recipiente de plástico con arroz integral y salsa de ajonjolí.

Estaba muy triste, más de lo acostumbrado, porque su hermano había intentado suicidarse el día anterior por la simple razón de que no le permitieron regresar a Vietnam. Definitivamente él "no soportaba ni un segundo la vida de mierda de los suburbios de Chicago, y menos las quejas y lamentos de sus padres, más la idiotez de su hermana metida a *hippie* con lesbianas macrobióticas", y Gretchen repetía las palabras de él a los sollozos mientras Elipsio le acariciaba la cabeza, la cual estallaba de luz como contraste a ese día gris y frío. Y la animaba a seguir hablando, contando sus historias de niña de "piel de zanahoria" en Springfield, los vastos sembrados de maíz y trigo en Illinois, los colegios de bachillerato plenos de "rebeldes sin causa", los automóviles de cola grande de pato, Plymouth, Studebaker, Dodge, las fuentes de soda con sus avisos luminosos y helados en conos de chocolate, los restaurantes Howard Johnson en las autopistas, los avisos inmensos de Marlboro y Camel. "Es una generación que empieza a recibir del dolor sus gotas amargas, dolor tan distante de la realidad diaria de esta sociedad, siempre tan defendida contra las inclemencias de la verdadera realidad, la que nos toca a todos los demás en el resto del mundo", pensaba Elipsio al unísono con las palabras de ella.

Cuando por fin se calmó, él le pidió que lo ayudara a limpiarse la herida de la espalda. La explicación que le dio de cómo pasó esto fue tan absurda que ella la creyó de inmediato. Elipsio sabía que ella se negaría rotundamente a entrar a su cuarto por el horror a las moscas verdes, así que se apertrechó de sábanas y mantas y cojines para hacer de la sala un tálamo nupcial con todos sus pelos y señales, y allí estaba ahora Gretchen, su pelo revuelto contra el piso blanco y esa mirada extraña, perdida, que recordaba las niñas perversas e inocentes de Balthus.

—Ya me siento mejor —dijo ella después de que hicieron el amor y empezaron a compartir la comida. Elipsio trajo como abrebocas la botella de whisky y sendos lamparazos se metieron.

—Deberías terminar de una vez por todas con Judith —dijo él, buscando abrir la conversación por un punto alto, controvertido.

—¿Cómo así, estás celoso? —preguntó ella, sonriendo un poco.

—Qué bellos dientes tienes —respondió él.

—¿En verdad me quieres algo? —volvió a la carga ella, incorporándose un poco.

—Sí —dijo él, lo cual era una verdad envolviendo una mentira, su estilo.

—Judith es muy fuerte, me domina. Ya casi no puedo vivir un momento sin ella, lo controla todo.

—Simplemente un día le dices no y sanseacabó. Finito.

—Pero si yo la quiero también, la necesito.

—¿Por qué no le pides a Marty que te ayude con ella? Yo ni pensarlo, me mata —Elipsio no quiso oír las palabras anteriores de ella.

Ella sonrió de nuevo y no dijo nada. Elipsio insistió:

—Claro que Marty está muy metido en su cosa política, pero es una magnífica persona y te puede ayudar.

Era una jugada peligrosa, de esas en la que se arriesga una pieza importante en el tablero. Ella lo miró intensamente con sus ojos azules de aurora boreal, como eso.

—¿Dices que Marty está metido en cosas políticas?

—Sí, y tú lo sabes bien —dijo Elipsio, arriesgando más piezas, toda la partida incluso.

—¿Quién te lo dijo?

—Él mismo.

Ella se quedó en silencio y luego dijo:

—Judith fue la que lo metió en eso, y esa muchacha latina con la que andaba.

—Lamia —dijo Elipsio. Era increíble que aparentara tanta frialdad cuando el corazón se le retorcía en las tripas. La escuela de la cárcel, reflexionaría después.

—¿La conoces?

—Sí. Ella es colombiana, como yo.

—Ah, los colombianos, ¿tú estás con esa gente?

—No —dijo Elipsio sin saber exactamente de quienes hablaba—, yo soy independiente.

—Marty estaba muy enamorado de ella, todavía lo está.

—Es muy bonita e inteligente. Pero Marty no habla mucho de ella.

—Sí. No quiere ni nombrarla. Es un pesar que se hiciera tan radical y se metiera con los "Panteras".

—¿Y ahora por dónde anda, tú sabes?

—No mucho. Judith dice que está viviendo en el sur, en un barrio negro. Eso es muy peligroso.

Elipsio presintió que no podía tirar más de la cuerda, así que rápido cambió el tema.

—Volviendo a lo tuyo, deberías quitarte a Judith de encima —fue literal, lo sabía.

—Tú también estás encima de mí —dijo ella, sonriendo.

Elipsio celebró su agudeza con una carcajada.

—¿Y qué haría entonces? —preguntó ella, dejando de reír.

—Te vienes a vivir conmigo —otra vez volvió a arriesgar una pieza, pero pequeña esta vez porque sabía que eso era bien difícil.

—Gracias. ¿De verdad que me estás queriendo un poquito?

—Sí —repitió él, y ahora sintió una profunda tristeza. "Mierda", se dijo.

—No puedo, gracias. Tal vez más adelante. ¿Jugamos ajedrez?

Elipsio pensó que hacía buen rato él estaba jugando, solitario, pero trajo el tablero y las piezas y las acomodó en el suelo. Jugaron varias partidas al desnudo, hasta que en un momento la luz de oro que se desprendía del sexo de ella le despertó una erección violenta, la cual tumbó su rey.

—Resigno —dijo, mientras ella se reía y él saltaba sobre su cuerpo, penetrándola con la furia de quien sabe que el orgasmo durará una eternidad.

—No le digas a Marty nada de lo que hablamos —la previno él esa noche, antes de que se fuera.

—Ni más faltaba —dijo ella con un beso de despedida.

Era como masticar sin dientes, como estrechar una mano sin cartílagos ni falanges, caminar en medias por la yerba, por el musgo, era nieve a bultos cayendo sobre los árboles, la calzada, los techos de ángulos agudos lucientes, blanco sobre blando y viceversa. Elipsio, ese mediodía en camino a la biblioteca pública que estaba al pasar la avenida Fullerton, iba barajando imágenes que lo llevaran, en comprensión sensible, a esa maravilla que era el montón de nieve cayendo desde la noche anterior, sin parar. Mover los pies no era fácil sin el riesgo de deslizarse violentamente. "Hay que sostenerse del aire, prenderse de la brocha", se decía alborozado y efervescente. El frío no era muy repelente, sólo al momento de irrumpir el viento por las grietas de su vestimenta algo como un animal feroz lo aprisionaba. Buscó sin parar uno y otro libros de autores ingleses, Aiken, Lowry, Lawrence, Nabokov, tratando de hallar alguna entrada, artículo, diario de viaje, sobre Chicago. Empeño frustrante, nada substancial sacó de horas y horas de búsqueda, y al final sólo le quedaron unas notas escritas casi al margen, en un libro de Somerset Maugham:

Chicago, los cerdos son empujados a los chiqueros y allá van chillando como si supieran de antemano lo que los espera; amarrados de una pata trasera se bambolean entre barras movedizas que los llevan directo a donde un hombre con overoles manchados de sangre aguarda con un cuchillo largo y afilado. Es un hombre joven, de rostro agradable. Da vuelta el puerco hacia él y le clava el cuchillo en la vena yugular; hay un borbotón de sangre y el cerdo muere. Otro toma su lugar. Cerdo tras cerdo siguen con regularidad mecánica como si fueran las gradas movedizas de una escalera. Me conmovió la calma indiferente del hombre de rostro agradable para matarlos. Era como una horrible caricatura de la danza de la muerte. Ahí vienen, luchando y gritando, el poeta, el estadista, el príncipe mercader; no importan sus ideales, sus pasiones o empresas altruistas: todos ellos son empujados por un destino sin remordimientos y nadie escapa.

Con calma, ayudado por su diccionario de la Universidad de Chicago, tradujo el texto. Al hacerlo sentía que las palabras también mataban, implacables, al cerdo, al poeta, como la ciudad, como el rostro agradable del librero, Harold Dates se llamaba el hombre, que lo ayudaba en sus pesquisas y aplaudía con cariño y admiración frente al recorte de sus artículos. Lastimosamente Maugham no abundaba más sobre Chicago, eso era todo. Unas pequeñas notas adicionales sobre el comercio y lo étnico en Wabash Avenue. Luego se iba a Nueva York, a la China, a

Rusia, a los Mares del Sur. "Se ve que Somersetsito salió corriendo de aquí, como el kiplingo Rudyard", pensaba a la colombiana.

No tenía nada qué hacer. Lo que recolectaba como material no hacía un artículo extenso, sólo una nota periodística a lo más. Con hambre y desalentado por la inutilidad del esfuerzo se resignó a sacar varios libros de Bellow. El librero Dates le recomendó *Las aventuras de Augie March*. *Herzog* era obligatorio.

Estaba cerca de North Halsted y Diversey, allí donde sabía Marty se las ingeniaba para vender sus cachivaches anticuados a la buena o a la mala. Un par de perros calientes pusieron en actividad de nuevo toda su mecánica particular y antes de oscurecer pasó las puertas con vitrales medievales y maderas gastadas por el continuo jalar y empujar de la tienda de Marty. Era realmente un sitio sorprendente, lo tuvo que reconocer de inmediato. Metido en las metáforas de Max Ernst; un personaje de Leonora Carrington podía salir de pronto dándole vueltas a su monocicleta. Marty vino presto a su encuentro mientras Elipsio se quitaba el abrigo y sacaba nieve de sus botas.

—¡Qué alegrón! Bienvenido. Déjame ayudarte y luego enseñarte algunas cosas. ¿Quieres tomarte algo? —y diciendo esto sacó una botella de ron Centenario ecuatoriana y fue muy generoso en dos vasos grandes.

—¿Quieres café con el ron? —añadió.

Elipsio estaba bien así. El ron derretía los fríos del alma y por un instante olvidó sus aprehensiones contra Marty.

Orgullo mayor de Marty era un palio sagrado que consiguió abandonado, casi, en una vieja iglesia de Nuevo México; a esto se combinaba una máquina neumática de principios de siglo y una báscula con su combinación de palancas, usada en Maxwell Street, un goniómetro de alguien de Northwestern University, hace añales, y una serie de barcos, goletas, veleros en miniatura y en botellas.

—Varios de estos le he vendido a la gente de *John Barleycorn* —dijo.

Su colección de armas era también su felicidad porque las acariciaba y limpiaba enseñándoselas: partesanos, alabardas, bayonetas, dagas, puñales, ballestas, hondas, hachas, escudos, preparaban una guerra ya pasada; asimismo en las paredes y vitrinas exhibía banjos, atabales, trompas de caza, violines de todo tipo, tamaño y marca, ocarinas, flautas, oboes. "La mandolina que toca ahora Johnny se la regalé yo", dijo. "Es una mandolina que me encontré en Galena, al lado del Mississippi".

Botellas de vidrio esmaltado, aldabas de hierro, espuelas del viejo oeste, telescopios, lámparas de aceite y de petróleo, una cómoda francesa del siglo XVII, libros, un par de chinescos con sus campanillas, lámparas, afiches, más libros; toda la parafernalia de un mundo que trataba de ser antiguo cueste lo que cueste, desfilando por esos espacios que jugaban a los espejos con la vestimenta peculiar de Marty, su sonrisa y el vaso de ron en la mano.

Elipsio lo observaba con detenimiento mientras hablaban y bebían, y sentía la no muy frecuente sensación de estar viéndolo como si fuera el personaje de una película o novela, quien no sabe que conocemos las otras caras de su verdad; era estar unos pasos más adelante en todo lo que sucedía. Pero por otro lado pensaba que Marty estaría sintiendo lo mismo, y esta situación especular, por extraña que fuese, le producía una calma inmensa, incrementada por la bondad de los espíritus del ron.

—Gretchen pasó el día de ayer contigo —dijo Marty, de repente.

—Sí —contestó Elipsio, temiendo que ya ella se lo había soplado todo. Casi sintió las aristas de la fotografía que llevaba en el bolsillo.

—Dice que está enamorada de ti, está muy triste, la pobre.

—A mí también ella me gusta mucho, no puedo decir que esté enamorado pero… —dijo Elipsio como un ciego tanteando el vacío.

—Lo malo es que mi hermana está bien loca por ella.

—Sí. Lo sé.

—Y mi hermana puede ser muy peligrosa si alguien se le atraviesa en el camino.

Elipsio lo miró en silencio. Ya no podía saber bien qué estaba pasando, cuál era en definitiva todo el rollo.

—Ella le puede volver mierda la vida a cualquiera, así de facilito —continuó Marty mientras retorcía las manos en direcciones opuestas.

Elipsio no tenía nada que decir. Era cuestión de esperar. No podía calcular cuánto y qué ellos conocían de él a través de Lamia. La cárcel, el pasaporte y la visa falsos, vagabundo, revolucionario, rebelde, cualquier cosa. Bastaba llamar a "la migra" y santo remedio. Gretchen toda para ella, palomita blanca. Además de Lamia, por si acaso.

—Tendré cuidado —dijo Elipsio—, yo no tengo nada que ocultar.

No podía ser más mentiroso y Marty lo sabía, de seguro. Pero ese era el juego, la partida de hoy.

—Mejor sería que no la vieras mucho —dijo Marty, cavilando.

—Bueno, eso es cuestión de ella y mía, ¿no es cierto? ¿No es esta la tierra de los libres? —a Elipsio le producía ahora una rabia tremenda la cobardía o la astucia de Marty.

Este se rio, conciliatorio:

—Sí, sí, tienes razón, no te hagas problema, perdona. Pero de todas maneras ten cuidado.

Bob lo esperaba esa noche en *Ratzos* con una nota que Livio había dejado temprano: "No dejes abandonada a la chinita, está que cae del árbol. Llámame".

La nieve y los libros lo aislaron del mundo habitual por varios días. Ningún deseo de salir de casa. Las latas de fríjoles refritos, los paquetes de tortillas o el arroz con azafrán, lo mantenían enrodetado en su sillón de la sala, hundido a más en las curvaturas de su cuerpo, envuelto en una manta doble y suave de los indios de Otavalo, prendido a los libros de Bellow como quien busca frutos dentro de un cactus, tomando notas, masticando esa prosa tan distante, la cual para él no tenía, en su línea judía, la luminosidad y el vuelo imaginativo de Chagall o las entrañas irresistibles y tenebrosas de Kafka. Pero era cuestión de seguirle dando muela a ese hueso de ternera literaria hasta el encuentro del ossobuco gustoso, entre la médula y la carne.

Sheng al teléfono le reclamó que no la hubiera llamado antes. Entonces alegó un resfrío, buena excusa para la mufa, trabajo en el libro inexistente sobre los *blues* y nieve de la que no caía nunca en el trópico. Apenas salga de esto te llamo, fue lo que dijo él al despedirse. Ella dijo está bien, todos te extrañamos, pero nada agregó de venir a visitarlo. Su atrapamoscas como apartamento, peligroso para la pureza oriental.

Y ya era diciembre entrado, ese mes que lo asustaba siempre con sus recuerdos y pesebres, árboles de navidad que ahora eran reales frente a su ventana, y la prisa de los niños tras sus juguetes. Allá, a lo lejos, su infancia, el trajinar de los sueños que no se realizan en la vida cotidiana sino que esculpen fantasmas precisos en la imaginación.

Un desconsuelo de perros lo invadía mientras acariciaba a Taima, la comedora de cucarachas. Ganas tenía de abandonar definitivamente la búsqueda de Lamia, despedirse de la ciudad sin decir nada a nadie, desaparecer una tarde y no ver más esas calles grises, a plomo de cielo y nieve escurridiza. La "ciudad sombría", la calificaba Bellow al comienzo de *Las aventuras de Augie March*. La huida, esa tentación perenne. El huir del huir del huir. ¿Adónde iba ese meandro de meandros que ya no era camino sino laberinto? Las cosas que lo rodeaban empezaban a desprenderse de sus significados, a vaciarse de contenido como si a cada una de ellas se le hubiese abierto un hueco en la parte inferior. Y ese líquido de significados que de allí salía se escapaba por los agujeros del suelo, las hendijas de las puertas, los marcos roídos de las ventanas. Sería fácil tirarlo todo a la basura, a los tarros inmensos que se alineaban en los callejones.

Taima lo miraba intensamente, como suelen hacer los gatos cuando presienten los pozos sin salida de nuestros pensamientos, temerosa quizás. No, le decía, no, tú significas algo para mí, comedora de cucarachas; tú y las moscas. La nieve espantaba un poco las moscas pero volvían, listas al zapatazo perfecto, al periódico entintado contra la pared. El matamoscas perdido entre la basura. "El día que compre de nuevo otro matamoscas, pensaba, será una fiesta de carnaval, la danza de la muerte. Debería haber un mercado de moscas. Vender moscas. Tal vez en la China. Una mosca, zas y listo, como la lengua de una lagartija".

Una de esas noches fue a buscar a Gretchen en *Ratzos* pero no la encontró. Se fue rápido después de saludar a Bob. María Esther tampoco andaba nunca en casa. El teléfono repicaba, sonaba, timbraba. Sin embargo, la verdad era que prefería no ver a nadie. Mighty Joe Jones había regresado al *Wise Fools Pub* y allí se metió un par de noches a gozar de las enloquecedoras curvas y arabescos de su guitarra bendita, pero también para saborear la soledad en una pequeña mesa en el rincón. Allá en el bar estaba

Sheng el día que la conoció. La cerveza en el vestido. No es nada, no es nada. ¡Cómo me gusta la china
de mierda, carajo!

A la madrugada, buscando un café y una salchicha
caliente en cualquier hueco de la avenida Fullerton, y
la nieve que se derretía en sus zapatos, el ruedo del
pantalón húmedo, congelado, lleno de barro. Chapotear, chapotear, el verbo que no era transitivo sino
repetitivo. Ahora lo entendía mejor levantando el agua
de nieve, no como cuando niño brincaba en la lluvia,
saltaban él y su hermano por entre los pozos, y su
madre gritando. "¡Cómo es posible, estos muchachos
están todos ensopados!". Ensopado, otra hermosa
palabra que lo acompañaba en la noche oscura veni-
da de no se sabe dónde.

Y así seguían esos días que sólo se transforma-
ban en el enredo de sus variaciones de comida,
ahora entre latas de gigantes verdes como habichue-
las y espárragos, sardinas de Portugal y anchovas
encima de galletas de soda, cajas de pollo congelado para el horno, frito, arroz con gandules, receta
del "portorro" de la esquina, ají picante Tabasco o
salsa de soya para la latas de La Choy, y los platos
mugrosos sobre el fregadero, la basura por el balcón
de atrás, y el tren, siempre, removiendo los cimien-
tos de sus días grises como gris es el aire y el pensar,
los libros de Bellow a empujones, tratando de dibu-
jar en el mapa de la triple A los posibles parajes que
podían servir como fotografías a su trabajo, en los
alrededores de Humboldt Park, una foto de Bellow
sacada de una revista, una sinagoga abandonada, y

los datos biográficos en una entrevista en *Chicago Review* que el librero Dates le dio. La leería después. No tenía salida en ese machacar de sus ideas fijas de irse, desaparecer, que Lamia y toda la maraña de sus días se vaya pa'la mierda, pero el rostro de ella volvía nítido frente a la pared empapelada de la sala, allí estaba antes de desvanecerse para el siempre de sus días, antes de que la empujaran al carro del ejército, el pelo en la cara y la noche, las luces, "al Buen Pastor, con las putas", dijo el monstruo como militar. Y ese era el dolor, la capital del dolor.

Los toques en el timbre y luego en la puerta eran de María Esther ese día que ya no sabía si era mañana o tarde, viernes o lunes, qué carajo. María Esther con sus bluejeans, su chaqueta de paz y amor y una gorra vasca que embellecía su rostro. Traía un cartapacio visible en la bolsa, pero no eran poemas, dijo más tarde.

—¿Estás enfermo? —le preguntó ella al notar la corriente de desolación y abandono que circulaba por todo el apartamento, más que nunca.

—Un resfrío nomás.

Contento de verla, de sentir su cuerpo titilante a su lado, sí, pero no era fácil salir de repente del pozo amargo donde se refugiaba por días. Hizo lo posible por sonreír y le brindó té y galletas.

—¿Me puedo quedar, aquí, contigo un par de días? —directa a los ojos de él la mirada de ella.

—¿Qué pasa? —contestó sin contestar.

María Esther se quedó en silencio. Elipsio sorbió su té pensando de inmediato que tenía que negarse, no era posible, "el Iluminado" y sus leyes de convivencia. Una noche, hoy, tal vez. La mentira de nuevo. Ironía del camino: él ofreciéndole el apartamento a Gretchen unos días antes.

María Esther dijo, simplemente:

—Tengo miedo.

Elipsio sintió su miedo también. Era espeso, palpable.

—Pero, ¿qué te pasa?

—No sé si contarte. No te quiero meter en estas cosas.

—Te puedes quedar esta noche, lo siento, pero hice un acuerdo con mi compañero de cuarto. Más de una noche, nada.

—Gracias. Otra cosa. Esta noche tengo que llevar estos papeles a un sitio en Pilsen, ¿me acompañas, por favor?

—Si quieres que te acompañe, algo me tienes que decir. No puedo ir así, como una gallina ciega. Me pueden torcer el pescuezo sin que me dé cuenta, ¿me entendés?

—No, no, nada te va a pasar. Estos son unos papeles de una gente amiga, son importantes, pero hay otras gentes que los quieren y pueden saber que yo los tengo. Esta noche se los entrego a un amigo que va a estar a las 7 en punto en Stanford Park. Nada, eso es todo. Pero una mujer sola por esos lados, de noche, no es bueno. No hay peligro si me acompañas.

Otra vez Pilsen. El metedero de Lamia con su amante. Parecía que todo giraba sobre el mismo punto.

Estaba dispuesto a decir que no; sin embargo, la proximidad del cuerpo de ella, el pensar viéndola desnuda en su cuarto (previa expulsión de las moscas), las horas con ella gozando los placeres secretos y prohibidos de su cuerpo, el roce de su piel cuando le acariciaba una mano, le hicieron decir que sí, espero que no haya problemas, pero si hay algún peligro te ruego me lo digas, luego me cuentas de qué se trata todo.

María Esther se caía de sueño; dijo, anoche no dormí, no pude entrar a mi apartamento, a lo mejor lo tienen vigilado, te doy todo mi cuerpo, hasta mi culito si quieres, después de que duerma un poco. No seas malo y despiértame.

Se quedó dormida en la cama, con todas sus ropas, menos la chaqueta y los zapatos. Elipsio la arropó con cuidado y se fue a la sala. Entró al baño y se lavó la cara, sudaba aunque afuera hacía un frío tremendo. Al salir fue a revisar los papeles que ella traía en el bolso. No estaban. El bolso contenía una libreta de direcciones más otras cosas diversas, algunas de ellas como amuletos para la suerte: piedras de río, conchas, pedazos de madera, pastillas anticonceptivas, llaves, Kleenex, una papeleta grande de marihuana, y al fondo, envuelta en un paño rojo, sedoso, una pistola pequeña, casi del tamaño de sus manos.

Sacó la pistola y la puso en la mesa de centro en la sala. "Mierda, mierda, mierda, se dijo, ni por el putas me meto con esta güevona". Era horror lo que sentía por las armas. Tomó más té y se calmó un poco. "Es sólo un objeto, al final", recapacitó.

¿Dónde puso los papeles que traía? Buscó de nuevo entre los sillones, en la cocina, en la cama donde ella dormía, sin suerte, lo mismo en el baño, entre sus libros. Por fin, y luego de apostar a la Edgar Allan Poe, los encontró refundidos entre los papeles de periódico viejos cerca de la basura. Interesante ver lo rápido que escondió el cartapacio. Se ve que no le importaba que descubriera la pistola. Los papeles consistían en páginas de libros de contabilidad con números y signos entre débitos y créditos, a veces unas letras aisladas. Todo estaba cifrado, indudablemente. En una hoja de papel copió exactamente la primera página, aunque no sabía para qué. Varias fotografías tomadas a distancia de hombres solos o en grupos. Uno, en una calle que parecía de Puerto Rico, estaba marcado con una equis. Una mujer muy hermosa, sonriendo, frente al Latin American Boys Club. También había un pasaporte norteamericano, sin foto, con un nombre hispano. Anotó el nombre. Y en un sobre pequeño cinco billetes de cien dólares cada uno.

Dejó todo en su sitio menos la pistola, y se sentó a seguir bregando con Saul Bellow. Compartir la comida con las ratas, escribir interminables cartas, como Herzog. ¿Qué era ese algo que le impedía sentir el chispazo de la literatura de Bellow? Menos hoy. Tal vez si fuera una novela de Ian Fleming, pensó, la mente atraída por el brillo de acero de la pistola en la mesita, sobre el paño rojo, inofensiva. Ojalá no hayas matado a nadie. No la había tocado directamente para no dejar sus huellas, precavido.

Comió algo frío de la nevera y volvió al baño para ducharse con agua caliente. Un sudor raro corría por su cuerpo. Se sintió mejor. Cuando salió María Esther estaba envuelta en la cobija, en la sala. Sonreía, como excusándose.

—Perdona que te esculqué tus cosas —dijo Elipsio—, pero si vamos a ir juntos tengo que chequear ciertas cosas, ¿me entiendes? ¿Dónde pusiste los papeles?

—Perdona, pero no quería que vieras esos papeles para que no te compliques con mis cosas. Tú eres muy bueno conmigo, no te quiero enredar en nada. Y esa pistola no la uso nunca, verdad. Pero fue que una vez me violaron en el campus de la universidad y ahora ando protegida. Todavía tengo mucha ira por eso. Y al que me toque una teta o el culo sin mi permiso le pego un balazo, no me importa si me mandan a la cárcel —y al decir esto Elipsio vio que temblaba.

—¿Te puedo tocar ese culito? —Elipsio buscaba la manera de bajar la tensión en ella.

—Es todo tuyo, mi amor. Ven para acá —María Esther estaba desnuda entre la cobija.

A pedido de Elipsio ella dejó la pistola y la marihuana bajo el colchón, sacó el cartapacio del bulto de periódicos y lo puso en su bolso. Salieron a la calle de la mano, como novios, a tomar el elevado que los llevaría, luego de transbordar en el Loop, a la estación entre las calles South State y Roosevelt.

La estación del tren elevado en South State estaba a un paso de los cuarteles centrales de la policía, punto de origen y convergencia de toda la red de corrupción, persecución, espionaje, represión, intimidación, que caracterizaba a la maquinaria política de la ciudad. Elipsio se estremeció y sintió como mal agüero cuando entre los reflejos de las luces de los edificios y las calles vio desde el El el bullir de carros de policía y uniformes y gorras en pandilla.

—Tomemos un taxi hasta el parque —le dijo a María Esther. El taxi le daba cierta sensación de seguridad.

Stanford Park era un sitio tenebroso, y más en la oscuridad. Elipsio sintió pánico del bueno cuando el taxista los dejó en la esquina de las calles 14 y Jefferson y salió a toda de allí. Trepando por la autopista Dan Ryan, el parque estaba al lado este del distrito de Pilsen, ese viejo barrio bohemio convertido en ghetto de latinos y negros. El frío era intenso y no se veía a nadie por ningún lado. Faltaban pocos minutos para las siete y decidieron caminar hasta la calle Barber, al otro lado del parque, para no congelarse. María Esther no decía nada, las manos en la chaqueta, y ahora Elipsio comprendió que el trapo rojo que envolvía la pistola era una bufanda. Pensaba también en cómo carajo se metió en este embrollo. Bastantes tenía ya, por cierto.

Un carropatrulla pasó por el cruce de calles y los policías los miraron detenidamente. María Esther siguió caminando, hablando, y empezó a hacer como si buscara una dirección, encaminándose hacia la calle 15. Los policías dieron la vuelta a la manzana y los miraron ahora de frente. No había salida. Al final de la quince estaba el vacío de miles de rieles para los trenes de carga y pasajeros que cruzaban Pilsen hacia todos los puntos cardinales del país.

Por suerte los policías siguieron sin detenerse y en la 14 dieron vuelta a la derecha. Al regresar al parque vieron un hombre joven parado al lado de un carro encendido. Se lo veía impaciente. María Esther caminó rápidamente hacia él, cambiaron unas palabras y le entregó los papeles del bolso. El hombre dio un salto dentro del carro y rápidamente desaparecieron en dirección a Canal Street. Todo fue tan rápido que cuando Elipsio llegó al lado de ella ya el carro iba lejos. No pudo ver el rostro del hombre.

Ella temblaba cuando Elipsio la abrazó y siguieron caminando a paso forzado por Jefferson hacia la avenida Roosevelt. Dos cuadras más adelante las luces detrás de ellos del carropatrulla los detuvo. María Esther enfrentó a los policías con firmeza:

—¿Qué pasa, buscan algo?

Los policías, que ahora estaban afuera, a ambos lados del carro, la miraron tal vez sorprendidos por la fuerza de sus palabras.

—Nada. No se preocupen. Sólo queremos ayudar. Esto por aquí es un poco peligroso a estas horas —dijo uno de los policías.

—Gracias —dijo Elipsio con su mejor acento—. No encontramos a la gente que buscábamos y no es fácil encontrar un taxi.

—¿Los podemos ayudar en algo?

—A lo mejor nos pueden llevar unas pocas cuadras hasta el barrio griego, allá hay mucho transporte —dijo ella.

—Suban —dijo el policía.

Y allí fueron, enjaulados, abrazados y presos en la parte de atrás del carro hasta que los dejaron en South Halsted, frente a una taberna de bouzuki y ouzo llamada *Hellas Café*. El portero de la taberna, echando vapor por boca y narices, no podía creer que esos prisioneros se bajaran del carropatrulla agradeciendo a los policías por el transporte.

Elipsio no conocía bien la comida griega, pero al oír cordero y pasteles de espinacas y envueltos de hojas de parra se entusiasmó como si estuviera en los orígenes de la civilización y brindó por Heráclito, su favorito, y por Zenón de Elea, el travieso. El ouzo se parecía mucho al aguardiente colombiano lo cual lo alegró más. Y reía, reía mucho cuando una mujer, un poco fuerte en carnes, empezó a bailar con el vientre en medio de la sala y la música le trajo recuerdos de sitios no vistos, presentidos. Se sentía como para bailar con Zorba por las calles de Creta. María Esther reía también.

María Esther se quedó en su apartamento tres días con sus noches y súbitos atardeceres y lentos amaneceres, con el trepidar de las moscas que a ella la divertían, riendo a las carcajadas viéndolo a él espeluznado entre las cobijas, ayudándolo a matarlas con lo que viniera a mano, desnudos los dos, los senos de ella, puntiagudos y pequeños, señalándolas en su firme bambolearse a los brincos, de puntas de pie en la cama para alcanzar el cielo raso, el ruido del tren vibrando a todo dar con los vidrios de la ventana, él acariciándola a cada salto, su bello y redondo trasero, las piernas, la carne toda de ella de mulata fresca; y luego del baile de las moscas el café, ella las noticias en la televisión, hablando siempre de la guerra en la mañana, el imperialismo, los chinos de mierda que no sirven para nada, la batalla imposible de Allende –sin las armas–, en Chile, y luego de nuevo repantigada entre las sábanas sucias, olorosas a sexo, su cuerpo abierto a los reflejos del sol sobre la nieve para recibirlo a él todo adentro, mordiéndola, tragándoselo. Y en las pausas, mientras él fumaba un cigarrillo frente a la ventana, perdido en los vericuetos de la estación del tren, ella se entregaba al arte de versificar sus experiencias frente al televisor condimentándolas con los golpes de su vagina y su lucha por la reivindicación de los pueblos, y los resultados poemáticos los leían el uno sobre la otra, él aplaudiendo y haciendo comentarios laudatorios, extensos, mentirosos, y ella protestando, feliz, que él era demasiado generoso, que seguramente se estaba encoñando con ella y todo le daba lo mismo. Pero de lo sucedido la otra noche en el Stanford Park, la pistola en el bolso, los papeles secretos, nada volvió a comentar. Sólo de vez en cuando Elipsio la sintió levantarse de la cama, tarde en la noche, y hablar por teléfono, en voz baja.

Livio llamó varias veces y al fin Elipsio le dijo su tajada de verdad, cansado ya de echarle todo el paquete a Bellow, y aprovechando que María Esther estaba bañándose.

—No le digás nada de esto a Kathleen, vaya y se lo cuenta a la chinita.

—Olvidate, hermano, claro que no le suelto nada. Las mujeres son peligrosas. Casi todas son una mezcla de Gertrude Dick-inson y Emily Stone, ¿entendés? Dick-Stone, "verga-trabada" —y se reía Livio dentro de las chifladuras de sus juegos rebuscados de palabras.

—La chinita anda preguntando por vos todo el tiempo —añadió—, ¿qué te pasa, brother, que no le ponés una salsita de soya a ese patico pekinés?

Uno de esos días se apareció de improviso "el Iluminado" con su carga de líquidos para limpiar y refrescos y comida para Taima, dejando desde su entrada en la sala un reguero de música de los Beatles. María Esther, que andaba desnuda por la cocina no pudo escaparse de su iluminante mirada de pies a cabeza y de un salto se metió al cuarto. Elipsio, viéndola tan asustada, trató de calmarla entre las sábanas. Pero la verdad era que "el Iluminado", en su bondad infinita, estaba encantado de que Elipsio emprendiera una relación. "Tiene un cuerpo precioso", le dijo entre guiños al despedirse.

A empellones contra su pereza y acosado por la necesidad de enviar pronto el artículo de Bellow a Caracas, el cheque prometido llegaría de un momento a otro, le sacó tiempo a las astucias femeninas de María Esther y se encaramó definitivamente en las andanzas picarescas de Augie March, el personaje de esa novela de Bellow que lo atraía en cierta forma. El problema con Bellow, pensaba y escribía con cierta rabia anti-académica, era que sus novelas estaban plagadas de pensamiento inteligente, apuntes sabios, como si el narrador quisiera salirle siempre adelante al lector. Lo anecdótico quedaba entonces catapultado por todo el barro de la percepción aguda, el conocimiento. Recordó que Cendrars le decía a Miller, el Henry, que su *Trópico de capricornio* sería mejor si le ponía una lavativa que le sacara toda la caca filosófica y reflexiva. Sin embargo, y de vuelta le daba duro y con palos a los pensamientos conservadores y retrógrados, así escribía, de Bellow que extraía de su entrevista en el *Chicago Review*, la novela de *Augie March* lo cautivaba más que *Herzog* o los comentarios que leía de *Mr. Sammler's Planet,* especialmente la relación loca en México entre Augie March y una domadora de serpientes y águilas llamada Thea. Elipsio no podía olvidarse de D. H. Lawrence y sus "serpientes emplumadas" mexicanas. Pareciera que a estos nordicones, pensaba, les gusta el sexo con literatura, mientras a nosotros, suramericones, nos gusta con música y baile, "qué buena está la rumba", y a la cama.

Era interesante ver cómo convergían todos los puntos cardinales étnicos de Chicago, porque el mundo judío inmigrante que presentaba Bellow en el Westtown se tocaba con el de los polacos, rusos, lituanos de Algren, asimismo con "mi barrio" de María Esther y su combo boricua y latinoamericano, y con el repique negro de *blues* en Maxwell Street, y si se alargaba un poco el mapa tocaba a los mediterráneos griegos o italianos, y más al sur a los chinos. Tantos rostros, costumbres y culturas jugando a la ronda de la vida en unos pocos barrios pobres o de clase media, aledaños al gran poder del Loop, de la "Milla Magnífica" de North Michigan Avenue, de la State Avenue.

No le había echado un vistazo a Chicago desde que regresé –dice Bellow en Augie March–. Bien, aquí estaba ella de nuevo, en dirección al oeste desde mi ventana, la ciudad enmarañada y gris con sus fajas duras y negras de rieles, con su enorme cocina industrial y su vapor haciendo temblar el aire, el ascenso y la caída de sus escenarios en construcción o demolición como llanuras, y dentro de ésto los diferentes poderes y sub-poderes agazapados y vigilantes como esfinges. Un sordo silencio la cubre, al igual que una sentencia que nunca encontrará su palabra.

Unas fotos de almacenes y tiendas judías en Maxwell Street y el rostro sinagógico de Bellow "extraído" de la revista le servirían de acompañamiento al texto.

Al tercer día cantó el gallo porque María Esther, luego de varias llamadas, le dijo sonriente a Elipsio que el peligro había pasado, que todo regresaba a la tranquilidad, y que desde ya podía volver a su apartamento.

—No me dijiste qué pasa —le dijo Elipsio mientras ella se arreglaba un poco para irse. La pistola de nuevo en su bolso.

—No es nada de lo que te imaginas —dijo ella, sonriente.

—¿Y qué es lo que yo me imagino?

—Tú te lo imaginas todo, mi amor. Tienes la cabeza caliente. Te llamo más tarde. Luego te cuento.

—La verdad es que si no me dices luego qué pasa no te puedo volver a ver. No me gusta jugar a la gallina ciega te repito, ¿entiendes? —dijo Elipsio tratando de poner un rostro no muy serio pero firme.

Ella lo miró, sonrió, le dio un beso y no dijo nada. Se fue.

Como pudo redondeó su artículo sobre Bellow con cuatro o cinco citas que señalaban la poca recepción que este mundo tan cercano a la buena conducta académica tenía entre la gente joven de Chicago, mundo más animado por las prosas de Kurt Vonnegut y Richard Brautigan, o los versos de Gary Snyder o los de Crosby, Still, Nash and Young.

Camino al correo se dio cuenta de que ni siquiera sabía qué día era y menos la fecha. María Esther y la burbuja sexuada del tiempo. Poco quedaba de la nieve de días pasados pero el frío era intenso. Se detuvo en una cafetería en Fullerton Street y pidió un café doble, aguado, como si hubiese sido colado utilizando los conchos abandonados en una media de colar. Pero estaba caliente y eso lo animó. Sacó su libreta de apuntes y, como ejercicio, siguió con la serie de preguntas que le haría a los surrealistas: ¿Cómo mataba Breton las niguas? Había que averiguar cómo se dice nigua en inglés. ¿Cuántos pelos tiene por dentro un poema de Prevert? ¿Piensa usted que si Paul Eluard hubiera sido marica Gala se habría empatado con Picasso en vez de Dalí? Si el surrealismo va a cambiar la vida, ¿quién entonces cambiará el papel toilet en el baño? La lista lo divertía cada vez más y empezaba a ver por dónde podía vender el artículo a la gente de Caracas. ¿Si usted. se encontrara una cucharita de plata con un zapatico de mujer en el mango se enamoraría inmediatamente de la mujer del vecino? ¿Cuántos surrealistas se necesitan para aflojar un tornillo?

Convocado el azar surrealista encontró al dar vueltas a las páginas de la libreta el teléfono de Yolanda. La presencia a todo tiempo y lugar de Lamia, instalada a su lado siempre como la sombra del "Nocturno" de Silva, sacaba todas sus luces cuando la soledad volvía a invadirlo, más ahora frente a la ausencia de María Esther, la única mujer que lo hacía pensar en infidelidad y esas cosas. Sería bueno establecer el diálogo de nuevo con esta gente, pensó, y además podía negociar cierta información sobre Lamia con ellos. Pero claro, la carta Marty se la reservaría para mejor ocasión. Y desde esa misma cafetería la llamó al teléfono dado. Era una oficina o algo así y tuvo que esperar. Yolanda, luego de la rutina latinoamericana de saludos y de casi un "cómo está la familia", le dijo que estaba bien, que se podrían encontrar al día siguiente para almorzar en un restaurante cerca de donde ella trabajaba. La mesera le dijo que era jueves, las cuatro de la tarde. Se fue rápido antes de que cerraran el correo.

Con la sagrada bendición de los santos venezolanos Guaicaipuro, María Lionza y las Tres Potencias le llegó preciso en el correo de la mañana el cheque de pago por sus trabajos sobre Algren. Corriendo a lo que daba el tejo tomó el El que lo llevó hasta el centro mismo del Loop donde presidía majestuoso el First National Bank de Chicago, y donde bajo el peso omnipotente de 60 pisos le cambiarían su cheque en dólares contra el Hannover Trust Bank de Nueva York. El enorme y recién inaugurado edificio del banco ponía sus patas como plaza en los entrecruces de las calles South Dearbon, West Madison, South Clark y West Monroe. El choque de lujo y derroche de dinero que imponía esta inmensa torre, con un hermoso y extendido mural en mosaicos de Chagall llamado *Las cuatro estaciones* al lado de una deliciosa fuente, lo golpeaba a Elipsio no sólo por su belleza condicionada al poder, sino porque a pocos pasos de allí, en las intersecciones de las mismas calles Madison, Monroe y Clinton, estaba el comienzo del Skid Row, las famosas calles de la miseria de Chicago, donde Nelson Algren había encontrado años antes ese olor animal, la carne cruda de lo humano más que humano, tan interna en sus libros. Frente a Elipsio hoy todo empezaba a borrarse para siempre, a la miseria la empujaban a trancazo duro más allá de todas las estaciones de ferrocarril, y los señores con gabardinas londinenses y las señoras con pieles sobre pieles y satines, se deslizaban con sus portafolios y carteras brillantes a sus oficinas, a los restaurantes tres estrellas Michelin, bien comidos, insípidos.

Luego del banco y de la caricia de los billetes en los bolsillos secretos de su chaqueta, esperó echando vapor de frío por nariz y boca el autobús que lo llevara por South State hasta Bridgeport, vieja fortaleza de católicos irlandeses, polacos, lituanos, alemanes, barrio aledaño a los inmensos y recién desocupados mataderos y frigoríficos de vacas y marranos, Union Stock Yard, Packingtown.

Azotado por las plagas de la industria y el comercio, con casi una iglesia católica en cada esquina, Bridgeport era una especie de islote rodeado por el brazo sur del río Chicago, con sus canales, autopistas y trenes, y también por un sucio y maloliente riachuelo que la gente llamaba Bubbly Creek, "el riachuelo espumeante". Era el fuerte de los irlandeses viejos, los dueños políticos de la ciudad, centro del poder de la maquinaria del Partido Demócrata que había puesto varios alcaldes, entre ellos el capataz del momento, Richard Daley, quien todavía vivía por los alrededores rodeado de miles de vecinos ligados a los puestos del poder de la ciudad, burócratas, jueces, policías, inspectores, asesores, consultores, mediadores. "El negro que se asome por aquí le damos en la madre", podría ser la divisa que se extendía por esos vecindarios, y en el cemento de las calles, a tiza reluciente las consignas con horrores de ortografía pero claras: *"Black ass go home", "We hate black basters", "We hate neargers".* Sin embargo, y como buena mancha que se extiende, implacable, por esos días un buen número de chicanos o mexicanos se habían empezado a meter por estos meandros de canales y fábricas.

En 1919 un muchacho negro nadando en el lago Michigan se equivocó de playa y terminó en la que correspondía a los blancos, dentro de lo que era el territorio de Bridgeport. Nada faltó para que se prendiera la primera gran gresca inaugural de todas las matanzas de negros, incendios, heridos. Metido, de seguro, junto a los matones de su club *Los Hamburgos,* el fornido y retaco Daley joven también había dado palo y piedras a los odiados negros, así lo señalaban algunos atrevidos cronistas de la ciudad.

Elipsio no se sentía muy seguro por esas calles de negocios con toldos de lona y avisos por doquier, pero era cuestión de no abrir la boca, mirar directamente a los ojos, sangre fría, y echarse la bendición al pasar frente a una iglesia, y si le rociaba agua bendita, mejor. No olvidaba nunca los preceptos de invisibilidad de Livio.

El restaurante indicado por Yolanda se llamaba *Governor´s Table* y estaba en la calle 31 con South Halsted, una de las zonas más pobres del barrio. A pesar de todo lo deprimente del paisaje de edificios de depósitos, bodegas, fábricas y casas feas protegidas contra la inclemencia del tiempo, este restaurante sobresalía por su suntuosa decoración externa e interna, con paneles de madera grabada, manteles blancos, candelabros y estantes llenos de vinos atractivos. Elipsio decidió, al ver lo impresionante del sitio cambiar de ideas y no invitar a Yolanda al almuerzo, a la "americana": "Por más buena que está la Yolanda esta no le voy a perder un centavo", concluyó.

Yolanda tardó un poco en llegar, tiempo que Elipsio utilizó para leer unas páginas del *Bridgeport News*, un pasquín político y social, pero donde encontró un artículo sobre Upton Sinclair que le interesó para leer luego, era algo sobre Chicago.

Yolanda entró pidiendo disculpas, apresurada. Llevaba un traje sastre de color oscuro, un tanto conservador y discreto, pero nada de eso atenuaba su belleza de criolla bien comida.

—El nuevo juicio de mi hermano se ha fijado para finales de enero —dijo directa, en plan de negocios obviamente, mientras revisaba el menú—. ¿Te gustan los biftés o las costillas de cerdo? Es de lo mejor que tienen por aquí.

—Por lo pronto una cerveza —dijo Elipsio.

—Dos *Spaten* —pidió ella—. Es una cerveza alemana que te va a gustar si no la conoces, lo sé. No es una *Costeña,* pero qué se va a hacer, ¿no es cierto?

A pesar de que reía mostrando su buena dentadura, Elipsio sintió un frío por todo el cuerpo. Algo duro, hiriente, rondaba por los ojos de ella.

—¿Sabés algo de Lamia? —preguntó Elipsio, al grano.

Ella se quedó en silencio. Luego preguntó como respuesta:

—¿Y tú?

Era hora de jugar su única carta marcada y lo hizo con la mayor simpleza, como quien se reserva un montón de ases bajo la manga.

—Sí. Sé que está con los "Panteras", y que anda por una "olla" brava en el sur.

—¿Quién te lo dijo?

—Quedamos en que no dábamos nombres, ¿cierto?

—Sí. ¿Sabes algo más?

—No. ¿Y ustedes qué saben?

—Lo mismo —dijo ella—, sólo que ahora la necesitamos urgentemente para que testifique en el proceso del "mono".

A Elipsio no le gustó mucho esta vuelta de tuerca. El mesero se acercó.

—Dos raciones de costillas tiernas de cerdo canadienses a la barbacoa y ensalada —pidió ella sin consultar a Elipsio.

"Ella quiere estar en control de todo hoy, y la verdad es que estoy jugando en su cancha y no tengo mucho que ganar", pensó Elipsio. Decidió, entonces, mover la charla más lentamente, darse tiempo, y habló, luego de un silencio, del vecindario de Bridgeport. Ella dijo que trabajaba en una fábrica de muebles, como diseñadora. Bridgeport, Canaryville y Back of the Yards eran, según ella, los mejores sitios para explorar el alma de hierro y putrefacción de la ciudad.

—Pertenezco al sindicato de manufacturadores —dijo.

Las costillas estaban magníficas y entre bocado y bebida la tensión se distendió un poco.

—Mi hermano va a salir libre, estoy segura, pero si Lamia testifica por él ya no hay problema. Eso dicen los abogados.

—¿Qué puede decir ella? —preguntó Elipsio, quien no estaba nada claro en todo el embrollo.

—Es algo complicado, y a lo mejor ella no lo va a hacer sin que la presionen.

—¿Quiénes?

Yolanda lo miró fijamente.

—Tú buscas a Lamia. Yo también. Nuestro objetivo común es encontrarla y en eso estamos de acuerdo. Lo otro es cuestión de cada uno.

—No. Ahí no juego yo —dijo Elipsio, rabioso—. Si yo la encuentro y ustedes lo que quieren es joderla yo solamente no se los digo sino que le aviso de ustedes para que se esconda más.

—Me has entendido mal —dijo Yolanda, recapacitando—, a Lamia no le va a pasar nada con nosotros. El peligro para ella es donde está ahora, la gente que la rodea. Hay una gran diferencia entre nosotros los latinos y los negros, ¿entiendes?

—Pero, ¿de quién huye ella?

—Lamia no está huyendo, no. Lamia está en el frente de guerra, esa es la verdad.

—¿Con los "Panteras"?

—De eso no estamos seguros, puede ser con el frente simbionés.

—¿Quiénes son estos?

—Una célula muy jodida en la lucha por la liberación de los negros.

—¿Y por qué no está con ustedes?

—Ella piensa que fuimos nosotros los que la traicionamos.

—No entiendo —dijo Elipsio, y era la verdad.

—No es fácil de entender. Las cosas se enredaron con los negros porque uno es ingenuo, ¿ves? Tener una causa común no borra las diferencias de raza, de cultura.

—¿Tiene que haber sido algo muy fuerte para que ella se fuera con esa gente?

—Ya te dije lo de la niña.

—¿Quién es el padre de la niña? —Elipsio no supo bien de dónde le salió esta pregunta, pero lo presentía. Yolanda regresó al silencio. Elipsio insistió:

—No era hija de tu hermano. ¿cierto?

El rostro de Yolanda estaba rojo, encendido. Parecía tener fiebre alta.

—No quiero hablar de esas cosas —dijo por fin.

—Ves, ustedes me ocultan muchas cosas y después quieren que los ayude, no juego, qué carajo.

Yolanda estaba visiblemente descompuesta y a la defensiva. Elipsio se preparó para el ataque de ella como respuesta inminente.

—Tú también escondes cosas —dijo ella, suavemente. Ahora sorbía el café que pidió como postre. Elipsio un whisky.

—No me vengás con cuentos, ¿qué escondo yo? A ver, vamos a restiarnos aquí, tirá todo lo que tengás en la mesa —Elipsio estaba dispuesto a jugársela al todo por el todo aunque tenía pocas posibilidades de ganar.

—Tú andas con la gente del mexicano Miguel Ángel Espina, nosotros lo sabemos.

—¿Miguel Ángel Espina? No sé de qué estás hablando. Nunca oí ese nombre antes.

—No te hagas el tonto, ¿quieres? —dijo ella, fríamente.

—No tengo la más puta idea de quién hablas.

—No me gustan las malas palabras, ten cuidado —dijo ella, seria—. Pero la gente de Miguel Ángel fue la que te dio nuestro teléfono.

Ahora Elipsio estaba realmente desconcertado y temeroso. En qué mierda se estaba metiendo. Pero Yolanda no quiso hablar más del asunto. Pidió la cuenta y pagaron a medias. Ya en la calle Elipsio se ofreció a acompañarla hasta su trabajo. Iban en silencio.

—Por Lamia sabemos que tú eres buena persona, no te metas con esa gente porque son peligrosos. No son gente que vaya bien contigo —dijo ella al despedirse.

—Pero yo no sé de quién hablas —insistió Elipsio. Ella no se dio por enterada.

—¿Seguimos juntos buscando a Lamia o quieres ir por tu cuenta? —preguntó ella, secamente.

—Sigamos juntos —a Elipsio no le quedaba otra salida.

—Entonces avísanos si sabes algo, tienes el teléfono. Lo mismo haremos nosotros. No te preocupes que no te descuidamos, siempre estamos cerca de ti —Yolanda sonreía cuando desapareció por la puerta de vidrio.

Las noches tornaluna de *Ratzos* lo amparaban a Elipsio no sólo de los vientos fríos y desoladores del invierno, las ventiscas de nieve colándose por todos sus intersticios, sino de los fantasmas y aparecidos que proliferaban en la realidad de su imaginación. Se sentía perseguido, vigilado y acompañado por rostros y cuerpos desconocidos. La búsqueda de Lamia enredaba cada vez más los cables que dibujaban los pasos de su vida por la ciudad. *Ratzos,* con su olor a humedad, cuerpo caliente, bien comido, tabaco, era refugio entonces, lugar de escape.

Bob celebró verlo con la cerveza gratis de costumbre, en sus manos el poema de la noche mística en la playa Montrose-Wilson y un poema de Blake que había leído mientras hacía el amor con su novia:

—Ya verás, ya verás —decía pasándole una copia a máquina—, si lo lees al momento de que vas a venir, se te detiene el orgasmo y quedas como eyaculando todo el tiempo que quieras. Es algo sublime, no hay otra palabra.

Elipsio le iba a contestar que tal vez conseguiría lo mismo con el mentol chino, pero aceptó la receta sonriente y se guardó el poema en la chaqueta.

Christian Lowell andaba con su recién terminada novela sobre los submundos de Chicago bajo el brazo, en la mano una cerveza y en sus ojos el espanto de quien ha visto otro lado en las cosas. La novela, ajada y sucia, parecía necesitar un desodorante. Buscaba urgentemente un lector para sus 400 páginas de "chatarrra carnívora", y así iba de mesa en mesa inquiriendo por un alma afín que le diera la vuelta al espejo de sus palabras y leyera y comentara críticamente lo que gateaba por allí. Elipsio se excusó alegando su inglés pobre y deshilachado y la necesidad de leer para ganarse la vida. Lowell ofreció pagarle por el tiempo de su lectura, "así se hace aquí", argumentó. Pero Elipsio, con sus pruritos éticos arguyó que para él no estaba bien cobrarle a un compañero escritor por leer su novela, "ahora bien, si quieres que te la escriba toda de nuevo, lo hago, me pagas, la firmas y se acabó", le dijo entre risas. Lowell dijo que sería magnífico publicar luego las dos novelas, una frente a la otra, página por página, "Yo y mi escritor fantasma", se llamaría el mamotreto.

—Johnny Young nos va a calentar unos *blues* esta noche —dijo Bob tirando otro par de cervezas por la barra.

Por entre las mesas y el estrado de los músicos Elipsio distinguió a Livio haciendo su entrada triunfal a *Ratzos* mientras bailaba una cumbia que de seguro traía en la cabeza, porque lo que repercutía por las paredes eran las especies caribes y neoyorquinas de Santana. Detrás de él, tratando de seguirle el paso con los brazos en alto, aunque un poco nerviosas por el exhibicionismo latino, venían Kathleen y Sheng, cada una más hermosa que la otra con sus vestidos largos de flores.

—Brother, da gusto verlo a usted fuera de la madriguera. Se ve que te sacudiste por fin al pendejo de don Saulo Belly —dijo estirando la mano para el saludo de rigor.

—Ya debe andar predicando por Caracas, creo.

—El muy sabihondo profesorete. Felicitaciones, pero la vida es perra si uno tiene que ganársela con esa literatura, ¿no es cierto? Mejor te ganás la vida cocinando para doña Ramoncita, está buscando un cocinero, alguien que pueda hacer tamales y empanadas a la vallecaucana. Saludes te mandó, por cierto. Dice que las trampas han cogido muchos ratones desde la última vez que fuiste, que volvás.

Estaban ya sentados todos en los asientos altos del bar, Sheng a su lado.

—He estado muy solo, escribiendo —le dijo él a ella cuando preguntó.

—Lo siento —dijo Sheng, como si tuviera que disculparse por la "enfermedad" de él.

—No te preocupes, no es mayor cosa. La vida de un escritor se hace con ciertos sacrificios —dijo él, valiente, espartano.

—Yo admiro a los escritores por eso —dijo ella—. Pueden dejarlo todo por su literatura.

—Sacrificar un mundo para pulir un verso —dijo Elipsio con tanta convicción que hasta él mismo empezaba a creer en sus mentiras. Afortunadamente Livio, empaquetado en una de "ratas suburbanas" con Lowell no oyó nada de estos saqueos al poeta Valencia.

El plan para esa noche, dijo Sheng, era ir a una fiesta en casa de un amigo de Kathleen que acababa de volver a la ciudad luego de vivir dos años en San Francisco, después de Vietnam. Era un amigo de la infancia de Kathleen, añadió.

Como buena norteamericana, y en mucho lo era a pesar de sus ojos y su rostro, Sheng prefería no hablar de política, sexo, religión, y menos de Viet-nam:

—Los chinos nunca hemos sido buenos amigos de los vietnamitas, yo no sé por qué. Mi padre tenía varias explicaciones pero no creo que él estuviera muy claro. Tampoco la van con los de Camboya los vietnamitas, y los tibetanos no nos quieren —trató de explicar ella.

—Es lo mismo en América Latina —repuso Elipsio—. Es de lujo tener un enemigo en la frontera. Y desde México para abajo todos le pelan los dientes al vecino.

Luego de oír devotamente a Johnny Young, hoy prendido al culebreo de su armónica y a los altos de su mandolina, y de festejar con él la vecindad de las fiestas navideñas con un buen vaso de vino, animándolo porque andaba deprimido, le había fallado una grabación con la gente de Chess, se fueron los cuatro vía North Halsted y Broadway donde ya se calentaba la fiesta de veteranos.

Al salir de *Ratzos* Elipsio se topó con Judith y Gretchen que entraban de la mano. Gretchen tenía los ojos rojos cuando Elipsio le dio un beso en la mejilla. Podía ser llanto o marihuana, pero su rostro no iba bien con la forma efusiva, un tanto exagerada, con que Elipsio las saludó.

—Esta casa está cerca del Wrigley Field, el estadio de béisbol, ¿lo conoces? —dijo Sheng cuando subieron al carro.

—Sí —dijo Elipsio—. Pero no me gustan los deportes, sabes. El béisbol es de lo peor, creo. Es como una sopa espesa hecha para que se la tomen lentamente los zombis que miran la televisión.

No había podido encontrar una imagen más rebuscada y Livio la celebró, añadiendo que el fútbol americano era una imitación de *boyscouts* de las parrandas del coliseo romano.

Sheng se quedó seria. De niña su padre la llevaba a ver el juego de pelota. Eran memorias sagradas para ella. El santuario Wrigley.

No era casa realmente el sitio donde estaba la fiesta, era una forma entre palacio y castillo con un atrio como entrada de arcos y balaustrada en piedra, leones y águilas, puerta alta a dos naves pesadas de cedro labrada con inscripciones que recordaban un manuscrito celta. El anfitrión era un hombre joven, alto, rubio a la vikingo, con bigotes inmensos ensopados de cerveza y unos deseos de hacer reír y celebrar a todo el mundo. Lo opuesto de lo que Elipsio esperaba como imagen del veterano frustrado y desilusionado. Se veía claramente que la tortilla capitalista se había dado vuelta en él hacia la sartén comunista porque por las paredes de la inmensa y elegante habitación de recibo, andaban entre candelabros y lámparas de cristal en la pared, los afiches, señales, avisos, graffitis de Vietnam al Norte y las hoces y los martillos y los Hochimines por doquier. Una pancarta grande y sicodélica al fondo anunciaba "Veteranos contra la guerra". Llevaba una camiseta con el frente del Che Guevara y con la espalda de un "Patria o muerte" borroso.

—David Ede, así me llamo, camarada hermano —le dijo a Elipsio con un apretón de manos—. Vengo de hacerme comunista hasta los calzoncillos y voy en busca de la revolución total. Al diablo con la burguesía comemierda.

Kathleen le dio un beso que hablaba de ausencia y de años. "Es un hombre muy querido, dijo ella en el carro, la mejor gente que he conocido". David la alzó en sus brazos de estibador y la paseó a lo alto por la sala:

—Este es el amor de mi vida que me abandonó por un *spic,* más inteligente que yo, mierda —decía presentándola a sus amigos barbudos, peludos, embandanados, embluyinados, enflorecidos, enervados por el alcohol, la marihuana y los repiques de Jim Morrison y *The Doors* en el tocadiscos.

Livio se reía feliz con esta confianza inmediata de David, saboreando lo que le diría luego sobre el comunismo, y "toda esa paja de los jardines púbicos de las rosas del Luxemburgo".

—Déjalos tranquilos —le aconsejaría Kathleen después—, por lo menos estos han regresado creyendo en algo, y no vueltos una mierda como la mayoría.

David, con ellos sentados en cojines a su lado, en una alfombra rojiza de varios centímetros de espesor, rodeados de papas fritas, pretzels, maní y crispetas, latas de cerveza, piloteaba de nuevo la charla general que había suspendido mientras ellos entraban, contando sus historias en un helicóptero que rociaba metralla y napalm en la frontera con Camboya:

—A veces estábamos tan trabados, tan borrachos, que perdíamos dirección y tirábamos toda esa mierda a la mierda, al tope de una montaña o en los ríos, qué joda. Lo que queríamos era regresar rápido a la base.

—¿Y qué tal si le daban a alguien de pura casualidad? —preguntó uno.

—Nada que hacer. Lo que sentíamos era que teníamos que vomitar toda la porquería del mundo, y después de eso te quedabas vacío, la guerra se iba lejos y no querías sino llorar, de veras, pero había que aguantárselas porque cualquier cabo te podía dar duro si te veía moqueando como un pendejo por toda esa gente en la gritería, ¿sabes?

—Lo peor es cuando también le dan a uno de lo mismo —dijo otro.

—Un día nos mataron a tres de nuestro grupo. Fue una noche muy jodida porque el helicóptero se descompuso luego de que les habíamos tirado bombas y bombas y metralla a un grupo que suponíamos eran vietcongs, pero cuando bajamos a rematarlos no lo parecían tanto. Pero uno no sabe en esa guerra. Todos eran enemigos.

—Hasta una abuelita te podía sacar la madre si te descuidabas —dijo un negro con una banda en la cabeza.

—¿Y qué pasó allí, camarada? —preguntó el otro.

—Que nos quedamos pegados en un pantanal, no vimos dónde poníamos el helicóptero, y allí sí nos cayeron a toda mierda, los muy hijueputas, *fucking bastards*. Peleando a muerte por su tierra, hermano, y nosotros ni idea qué estábamos haciendo en ese infierno de mosquitos y serpientes. Una cerveza, camarada.

—¿Y cómo saliste de allí?

—Me dieron por muerto. A los dos días nos sacaron chupados hasta la madre por las sanguijuelas y unas picadas que te hacían la cara una pelota, los mosquitos de todo tipo. Las mujeres son bellísimas, ¿sabes? Yo me empaté con una y me la voy a traer, era una enfermera en el hospital, "adiós a las armas", ¿entiendes?

—¿Te hirieron muy feo?

—Ah, hermanito, un día nos bajaron del cielo con un mortero. Qué ruido tan hijueputa cuando eso estalló en el motor y nos fuimos derecho al río. Yo me tiré todo quemado junto con el hombre de la metralla, pero nunca lo volvieron a ver más. A mí me llevaron a un pueblo y allí me atendieron. Gente buena, así son, acá los pintan como unos sanguinarios pero qué va, eran gente de lo mejor. Un día se fueron todos y me dejaron comida y al rato llegaron los malditos boinas verdes, maldiciendo, hablando mierda, y yo ya era otro. Los tipos me dejaron vivo, ¿entiendes? No me llevaron con ellos porque sabían que me les iba a morir. Y no me mataron de salida, sólo se fueron.

—Debe haber sido todo muy confuso para ti —dijo uno, al fondo de la sala.

—Sí, hombre, y eso me hizo ponerme a pensar, y más que todo en el hospital cuando conocí a la muchacha que les digo, aquí tengo una foto.

—¿Pero ella no era vietcong?

—No, hermano, pero es la misma gente, ¿entiendes? Y todo se me fue haciendo bien claro, no era difícil entender que allí no estábamos haciendo nada bueno, que los malos éramos nosotros, no que mis compañeros fueran malos, *poor bastards*, los había malos como en todas partes, pero hacíamos la guerra para los marranos políticos y a los que venden las armas. Cuando me oyeron hablar hasta los malditos médicos dijeron que las heridas me habían afectado la cabeza, que estaba delirando, loco de bola, y allí me dieron de baja. Sin honores. Me negaron la medalla porque un hijueputa teniente dijo que yo estaba vendido al enemigo, no pudieron probarlo porque era puro hablar, nada en concreto. Y aquí me tienen, hermanos, vamos a ganarle la guerra a los militares, al Nixon, al McNamara, en las calles de Chicago, en todo el país. *Fuck them!*

David, emocionado y enfurecido por sus palabras, se paró en busca de una cerveza.Todo el mundo hablaba a los gritos, nada se entendía entre los improperios y las maldiciones. Livio, feliz, se reía a carcajadas en un rincón con una botella de Jack Daniels a su lado. Sheng, aprovechando el despelote, le pidió a Elipsio que la acompañara a dar una vuelta por la casa, "no soporto este tipo de charlas, me deprimen mucho", dijo.

El vestíbulo por donde habían entrado antes se abría en varias direcciones para Sheng y Elipsio, explorando. Enormes candelabros de luz tenue indicaban entre sombras más que luces que contra las paredes se alineaban una serie de emperadores y cicerones romanos coronados con una estatua de Afrodita desnuda en una esquina.

Elipsio, sobrecogido por el esplendor de riqueza que se presentaba frente a sus ojos, ahora mejor acostumbrados a la penumbra, le apretó la mano a Sheng y ella sonrió. Con cuidado abrieron una puerta lateral y de pronto se vieron en una gran sala de recepciones decorada estilo imperio, con sillones de madera dorada forrados de raso brocado, un enorme piano de cola, mesas pequeñas de madera oscura labrada, una chimenea también de madera adornada con jambas dóricas, marcos de pan de oro, y dintel y mesilla de mármol donde descansaban un par de estilizados aguamaniles con manija en forma de ángel y boquilla larga, con decoraciones en flores y arabescos.

Sheng se fue por la suntuosa habitación casi levitando en la espesa alfombra de motivos persas, con sus manos acariciando la madera pulida de los muebles, el frío del mármol, la delicadeza de las líneas del piano. Elipsio seguía con interés una serie de cuadros en las paredes que narraban las gestas napoleónicas o hacían vivir rostros, cuerpos y paisajes a la Ingres o a la David. La sala de recepción estaba conectada por una gran puerta, ahora oculta dentro de la pared, con otra sala enorme de comedor en cuyas paredes sobresalían lámparas en lluvia de cristales y una mesa de caoba negra, con patas retorcidas que terminaban en grandes garras de león. Todo un completo servicio de porcelana china, que Sheng revisaba encantada, relucía sobre un mantel bordado hasta el delirio español.

—Es increíble todo esto —dijo Elipsio en voz baja, ya que el silencio era total. Por una extraña razón acústica el ruidaje de la fiesta de David había desaparecido.

—Es la casa de un supermillonario. Todo es de magnífica calidad. Mira esto —dijo Sheng señalando los cuadros en las paredes—, ahora todos son impresionistas, qué maravilla. Es un museo.

Otra puerta al fondo les permitió pasar a una especie de antecámara que se abría a otras habitaciones.

En ella resaltaba una consola de luna cuya parte plana estaba sostenida por dos cariátides aladas. Dos vasijas esmaltadas le sacaban extraños destellos a una luz de candelabros que señalaban a un costado unas gradas con barandales que terminaban en grandes bolas como soles y balaustradas decoradas profusamente. A cada descanso, hermosos arcos de madera daban paso. Sin hacer mayor ruido, tomados de la mano, subieron hasta el segundo piso donde un laberinto de salones interconectados por pasillos bastante oscuros presentaba las entradas y salidas a baños y recámaras de cerámicas y camas de cedro. Cada uno de los salones estaba adornado con objetos, cuadros, muebles representativos de una región o continente. Sheng se quedó asombrada al ver el salón chino-japonés, en el cual se confundían dos leones chinos que daban entrada a la sala con estatuas de cazadores de demonios en madera esculpida, un Netauke como chimpancé colgando sobre sus cabezas, lámparas de marfil, máscaras de dioses sonrientes, jarros de bronce, espadas, armas de todo tipo, biombos con escenas traídas del Palacio de Verano de Peking, y contra el entrepaño de las paredes algunos soportes de madera con gatos de porcelana de Hirato.

Cada sala se abría a una nueva realidad y así vieron una Vishnú danzando dentro de un círculo de flores ardientes, una fuente del Palacio de los Leones en la Alhambra, una capilla románica, trípticos de las cortes medievales, libros de horas, lámpara de mezquitas, azulejos, mesas de tocador con luna de cristal de roca en forma romboidal y pie como liras.

Casi corriendo, saltando entre los objetos, iban los dos de habitación en habitación, abriendo puertas, cortinas, ya sin temor de encontrar a alguien, enervados, borrachos dentro de todo el lujo fabuloso de la mansión. Sin saber cómo, de pronto, se encontraron en el tercer piso, y cuando Elipsio abrió una puerta, frente a ellos apareció, alucinado entre sus tubos, su sistema de mandos y el teclado y sus pedales, un órgano como de la mano de Bach o Händel. Abrumados por el peso del silencio que salía por todos los agujeros del instrumento cayeron sobre el piso del gran salón, y allí se quedaron, cuerpo contra cuerpo, jadeando, hasta que Elipsio voltió su rostro y vio el rostro de ella, sus ojos, sus labios, y sin mucho pensar la besó con todo el ardor de ese deseo que se le había metido desde que la conoció en Lincoln Avenue.

Rodando con sus cuerpos enlazados fueron dando vueltas por la habitación, riéndose, besándose, las manos de él entre el cuerpo de ella, las piernas de ella, desnudas, entre sus piernas de él, los dedos de él acariciando los senos de ella, los dedos de ella entre los cabellos de él, sus cuerpos palpitando, su sexo de él contra el vientre de ella; "te amo", le decía; "te amo en español, en chino, en inglés", y ella reía más, feliz. Pero en un momento, como por encanto, el cuerpo de ella se hizo pesado, de piedra y marfil, y Elipsio vio que sus ojos quedaban fijos a las espaldas de él, las manos de ella empujándolo para separarse, la boca casi al borde del grito, pálida contra la poca luz de las arañas.

Comprendiendo que algo iba al revés de la realidad deseada, Elipsio se apartó de ella y siguió con sus ojos lo que ella miraba en sorpresa y terror. Al fondo de la sala, junto al órgano, una mujer alta, elegante en su vestido azul ultramarino, los miraba atentamente.

—Perdón, perdón —dijo Sheng ya de pie, arreglándose el vestido. Elipsio a su lado, asustado y maldiciendo en su interior.

—No se preocupe, no se preocupe —repitió la mujer con un tono dulce y suave—. Es lindo ver que los jóvenes se aman. ¿Son ustedes amigos de mi hijo?

—Sí —dijeron los dos.

—Es maravilloso ver que el amor ha regresado a mi casa —dijo ella—. ¿Cómo se llaman ustedes?

Se lo dijeron.

—Qué interesante. Veo que usted es del oriente fabuloso, ¿no es cierto?, y usted de México, probablemente.

—Colombiano —dijo Elipsio, y se sintió profundamente estúpido de inmediato.

—Mi esposo tenía gran amor por los latinos —dijo ella—. Nosotros hicimos algo de dinero con la goma de mascar, "chicle" la llaman ustedes, ¿verdad?

—Sí —dijo Elipsio.

—Mi hijo se ha vuelto comunista ahora, ¿son comunistas ustedes también?

—No —dijo Sheng.

—Qué bueno que mi hijo también tenga amigos que no son comunistas. No es bueno que todos los jóvenes se vuelvan comunistas, ¿verdad? Hace falta cierta variedad en todas las cosas.

—Sí —dijo Elipsio—, usted tiene razón.

—Pero sí es bueno que todos los jóvenes se amen. Perdone que los haya molestado. Hay muchas habitaciones vacías en esta casa, si quieren estar más cómodos.

—Gracias —dijo Sheng—, pero creo que es un poco tarde y mejor nos vamos.

—Una pena —dijo ella—. Los jóvenes deben amarse siempre. Pero está nevando ahora. Vuelvan otra vez de visita. Es lindo oír este órgano, pero esta noche no quiero molestar a mi hijo. Estoy tan feliz de que haya regresado. Yo siempre estoy muy sola y él es un muchacho muy dulce, ¿verdad?

—Cierto, señora —dijo Sheng, conmovida.

—Esta es casa de todos los amigos de mi hijo, no importa que sean comunistas. Mi esposo era el que odiaba a los comunistas, yo no. No se olviden —dijo ella y desapareció por una pequeña puerta que estaba detrás del órgano.

—No olvidaré nunca a esa mujer —le dijo Sheng a Elipsio cuando se despidió de él al dejarlo en su apartamento esa madrugada.

—Yo tampoco —contestó éste y se quedó mirándola fijamente—. Te amo.

—Todavía falta tiempo para que lleguemos a eso —dijo ella.

Algo protector, acogedor, se desprendía del olor a café y tabaco en esa cafetería del Old Town. Los asientos de madera con espaldar curvado, tubular, y sus formas geométricas, las mesas con una margarita pidiendo preguntas y respuestas sobre el mantel blanco, la sonrisa mañanera de la muchacha joven que servía el café, humeante, y un poco de luz por entre las cortinas de las ventanas que anunciaban nieve próxima, hoy 24 de diciembre, día de previsible soledad para Elipsio, quien únicamente encontraba solaz en el pesebre de la infancia y el olor a musgo, eso era todo.

Luego de protestar y refunfuñar María Esther aceptó verlo en ese sitio a las 11 de la mañana. Ella prefería Division Street, dijo al teléfono. Pero Elipsio no estaba para el repique caliente de las calles de Chicago ese día. Fuera de que andaba molesto con ella, una honda depresión se le había posado en los hombros desde un par de días atrás.

Christian Lowell, príncipe de los albañales de Chicago, le había ayudado en *Ratzos* a descifrar el enigma de aquellos números cabalísticos en el papel de María Esther, los cuales copió sin que ella se diera cuenta. Eran anotaciones de cuentas de juego y ventas de drogas. Una muestra de la contabilidad secreta del mundo del hampa a medio pelo de Chicago. No los grandes *gangsters*, ahora en el poder y en las directivas de las corporaciones, sino los escurridizos maleantes de las calles y los callejones, los sótanos y las trastiendas. "Si este papel lo relacionas con los latinos, entonces tiene que ver con las mafias aliadas a las pandillas callejeras. Gente peligrosa, mi amigo". Así concluyó su lectura caligráfica Lowell sin añadir ni preguntar más, sólo una sonrisa y un mover la cabeza de arriba abajo.

Eran las 11 y 30 y María Esther no llegaba. Tarde en la noche, en la mañana, la había llamado por teléfono los días pasados y nunca contestaba. La ausencia también de su compañera de cuarto aumentaba el vacío. La rabia de saberse utilizado, parapeto para las andanzas peligrosas de ella, más la presunción de que los González lo vigilaban de cerca, medían sus pasos. No sería extraño que también la policía secreta de Chicago, la División de Inteligencia, "the Red Squad", el "Escuadrón Rojo", infiltrada en todo, hasta en el arroz con gandules, lo estuviera siguiendo. "Maldita sea, Lamia, ¿dónde me estás metiendo?"

No precisaba qué era lo que venía sintiendo cada vez más por la chinita Sheng pero eso también lo angustiaba, entre rabia y frustración. A qué horas se le ocurrió decirle que estaba enamorado de ella. Fue tal vez ese revolcón en la alfombra de la sala del órgano. La espanté, qué carajo, pensaba. Le caí como un pelota que sólo busca meter la verga por un hueco. Era obvio que ella, asustada, encontraba excusas para no verlo. Estaría de turno en las navidades, porque yo soy china, ¿sabes?, y mis fiestas son en febrero, ya vería si podían volver a Maxwell Street, también al barrio chino, su madre la necesitaba, me tienes que dar tiempo.

Luego de atar cabos en sus noches que eran mañanas o tardes en vela, y cansado del timbrar del teléfono sin respuesta, decidió el día antepasado ir de frente al apartamento de María Esther. Por una buena razón asociativa no olvidaba el nombre de la calle, Christiana Avenue, arriba de Foster, eso era. Podía comer tacos de nuevo. Un pequeño edificio de apartamentos.

Tocó con fuerza hasta sacar maldiciendo a la muchacha de trenzas amarillas de adentro.

—María Esther no está —dijo.

—¿La puedo esperar?

—No sé, si quieres, pero no ha venido hace dos días.

—¿Le puedo dejar un mensaje contigo?

—Sí. A lo mejor la veo en clases hoy. Yo se lo entrego.

Elipsio escribió: "No entiendo por qué me embarraste con ese maldito (tachado) de Miguel Ángel Espina. Tienes que llamarme. Es urgente". Y ahora estaba allí, frente a él, casi las doce.

—No me gustan estos sitios pequeñoburgueses —dijo ella apenas llegó a la cafetería—, vámonos a otro sitio.

—No —dijo Elipsio—. Este sitio es bueno como cualquier otro. Tómate un café.

—Té —dijo ella.

—Para nosotros el té era pequeñoburgués —dijo Elipsio, irónico.

María Esther sonrió.

—Sé que estás molesto conmigo, ¿verdad? —dijo.

—Más que eso, me da miedo todo lo que te rodea.

—Lo siento. Pero yo nunca busqué complicarte la vida con Espina. No tenía otra salida ese día. ¿Cómo supiste de Espina?

—Eso te lo digo más tarde, ahora desembuchá todo lo que tienes en el buche —dijo Elipsio recordando la novelas policiacas.

—No tengo nada que contarte, sólo que yo no te compliqué la vida con esta gente.

—Si no me cuentas no me queda otra que ir a la policía, ¿sabés?

—Tú no te atreverías a hacer eso.

—¿No? Tú no me conoces. Les llevo las copias que hice de los papeles que cargabas ese día y le diste a Espina en Stanford Park.

Ahora sí que ella estaba asustada. La mano le temblaba revolviendo el azucar del té. Elipsio le enseñó la copia que tenía con números.

—Los copié todos mientras dormías. También el nombre del tipo del pasaporte falso y el número —le dijo con la suavidad con que se hace un negocio en la cárcel. En eso le llevaba ventaja a ella.

—Me pueden matar si tú vas con eso a la policía —dijo ella, con los ojos fijos y rojos.

—Entonces con mayor razón yo tengo que saber dónde estoy metido. Te prometo que si me cuentas todo yo quemo todos esos papeles.

—Pero aquí no —dijo ella.

Elipsio pagó y salieron caminando por la calle Schiller en dirección al lago. Empezaba a nevar pero por fortuna había poco viento. María Esther miraba a su espalda a cada momento.

—No te preocupes —dijo Elipsio—, nadie nos sigue.

Cuando llegaron a Lake Shore Drive ella empezó a caminar hacia el sur, en dirección al Loop.

—¿Quieres abrazarme? Todavía somos un poco novios, ¿cierto? —dijo, coqueta y nerviosa.

Elipsio sintió su cuerpo caliente por debajo de la chaqueta y el suéter y la bufanda y las medias y allá en ese fondo estarían sus pantaletas bikinis, maravillosas.

—Yo cometí un error y me puse a vivir con Miguel Ángel por un tiempo. Yo no sabía lo que él hacía, te lo juro. Yo creía que era un obrero mexicano, medio "espalda mojada", así nomás, y él es muy inteligente, entonces hasta tuve ilusiones de meterlo en la lucha por la causa, ¿entiendes?

—El proletariado puro, ya me lo imagino. Sigue.

—Cierto. Pero en vez de eso yo fui la que terminé metida en su mundo, y de eso casi no he podido salir, hasta ahora.

—Cuéntame de su mundo.

—Es cosa simple, lo complejo es que te puede costar la vida en cualquier momento, o la cárcel que es peor.

María Esther no dejaba de mirar a sus espaldas, a todo lado, mientras hablaba.

—Nadie nos sigue, te lo dije.

—A ti no, pero a mí sí. Ya casi no puedo volver a mi apartamento. Mira, con esta gente se trata de la red de tahúres y vendedores de droga que manejan los latinos. Miguel Ángel coordinaba los grupos que funcionaban por el Loop, en los sótanos de los restaurantes, los almacenes, apartamentos. Pero él es muy atento aunque maneja mucha plata. Ni siquiera tuvo nunca visa de residente, por eso vive como un obrero cualquiera, y le paga a los puercos policías para que lo protejan y no lo deporten. La policía contra los narcotraficantes no lo tenía fichado, hasta hace un par de años.

—¿Y qué pasó contigo y con él?

—Él se dejaba convencer de mí, facilito. Pero la verdad es que en vez de fábrica y sindicato lo que hacía de noche era recorrer sitios, estafar gente, de todo. Hasta un grupo de prostitutas que rondaban por el *skid row* estaba a su cargo. Yo no sabía nada de eso hasta que una gente de los Young Lords me sopló algo, y entonces lo seguí, ya sabes.

—¿Se lo dijiste?

—Bueno, más o menos, porque no quería meter en líos al que me lo dijo. Y se puso furioso, como nunca lo había visto, era otro. No me pegó esa vez pero me amenazó y también a mi familia. Era como un monstruo, malo, malo. Como si se hubiera quitado una máscara de bueno y estaba de verdad ese ser horrible.

María Esther temblaba y lloraba contra el portón de un edificio. Su boina con algo de nieve contrastaba con las lágrimas en sus mejillas. Elipsio, conmovido, la apretó con fuerza.

—Yo le supliqué que me dejara sola, que no le decía nada a nadie —dijo ella luego de un rato—. Pero él es un hombre muy celoso, posesivo, y creo que además estaba verdaderamente enamorado de mí. Todavía lo está, creo. Entonces no me dejó ir hasta que la policía hizo una redada en el Loop y por poco lo agarran. Se escapó a California y yo pensé que no lo iba a ver más. De eso pasaron como dos años, yo volví a la universidad, a escribir, ahí te conocí a ti, ¿ves?

—La noche que nos conocimos hubo una gresca fuerte —dijo Elipsio.

—Sí. Pero no era la gente de Miguel Ángel. Todo ese grupo es muy secreto, no salen a la calle de esa manera. Pero ahora volvió, y por eso todo se complica para mí.

—¿Qué pasa ahora?

—Tú no quieres saber estas cosas. Mejor. Es peligroso.

—Al estar contigo aquí ya estoy metido hasta los cojones, ¿ves? Mejor me lo contás todo.

—Miguel Ángel anda ahora con unos colombianos que trafican la droga, ¿entiendes?

—¿Marihuana?

—No. Coca. Eso es lo que manda ahora.

—¿Y qué pasa contigo?

—Bueno, antes de irse yo me quedé con unos papeles que él tenía. Gente que le debía plata del juego, y eso es lo que vino a buscar.

—¿Y el pasaporte?

—Ese es el nombre que tiene ahora, Eduardo Valencia. Yo le tengo miedo y no quiero que te vaya a hacer daño a ti, por eso no te busqué más. Es un hombre muy celoso. Ahora yo estoy en el Westtown, con mi familia. Voy poco a clases. ¿Quién te contó de Miguel Ángel y de mí?

—La gente del "mono" González.

—Ay, pero si esos son peores que Miguel Ángel —dijo ella, alarmada.

—¿Cómo así?

—No. Yo no quiero saber nada más. Si estás metido con los González mejor no nos veamos más.

—Yo no soy amigo de esa gente. Son sólo conocidos.

—Tú estás peor con los González que conmigo o con Miguel Ángel. Yo mejor me voy, yo no quiero saber nada más.

De un salto María Esther salió del vestíbulo del edificio y empezó a caminar por entre la nieve. Elipsio, en silencio, la siguió. Sin decir palabra también, ella volteó en la calle Goethe, en dirección oeste, a zancada limpia.

—¿Quieres comer algo? Te invito —le dijo Elipsio, jadeando.

—No. No. Yo no quiero estar más contigo, ¿me entiendes? Tú estás en un rollo peor que el mío con esa gente. Cuídate.

En el primer taxi que pasaba se metió sin decir más. Elipsio, plantado en la acera, ya con una pulgada de nieve, la vio desaparecer en dirección al Loop. Fue en ese momento que se dio cuenta de que había mucha gente por la calle y que la mayoría llevaban regalos y bolsas de compras, más la alegría de las copas en la fiesta de oficina, la fiesta que venía esa noche y mañana, el almuerzo, el pavo pascual. Los niños hurgando bajo el árbol de Navidad, la chimenea con fuego crepitando, los padres con sus levantadoras felices de verlos retozar entre los juguetes, y todas las campanas de la cristiandad, al fondo.

La rueda de Ferris, la rueda de Chicago, llevaba 58 personas en cada coche, 36 coches de madera, enorme: Elipsio hacía cuentas en la servilleta que acompañaba el *bourbon* que bebía, solo, luego del escape súbito de María Esther, en ese bar solitario, vacío, cerca de la Newberry Library, la biblioteca donde Livio le había dicho que estaba la copia original del *Popol-Vuh*, "ese cogeculo maya de gemelos, dioses, maíz, juegos de pelota, infiernos subterráneos y pirámides dobles con quetzalcuales", según la interpretación propia de éste. Cada coche llevaba casi 60 personas, cada coche era una fiesta con champaña, quesos, viandas, una Navidad completa en el verano. Cada coche lleno de mayas, aztecas, toltecas, chichimecas, tarahumaras, escribía en la servilleta. Chicago, la ciudad mítica, la ciudad que se mueve, y Ginsberg que quiere ponerle su hombro maricón a la rueda, *"America, I'm putting my queer shoulder to the wheel"*. El marica Supermán, eso es. Un vagón lleno de maricas. Otro lleno de machos. Hay de todo para la rueda de Chicago. Otro coche lleno de putas, otro de empresarios, ejecutivos, gordos. La mitad en este coche por el peso. En el vagón de los poetas podemos meter el doble, flacos, esmirriados, hambrientos. El vagón de las moscas y las cucarachas. Hacía rato que no volvían las moscas, casi las extrañaba. "Volverán las oscuras moscas, volverán", recitaba.

—Otro *bourbon*, por favor.

—Va a comer algo antes de que cerremos la cocina, tenemos hamburguesas y chile.

—Gracias. Un plato grande de chile con galletas me vendría bien. ¿Tiene Tabasco?

En el *City Beat* anunciaban a "Hound Dog" Taylor en *Theresa's.* Esa noche. Tendría que esperar hasta las diez y eran las cuatro de la tarde. Seis horas. ¿Qué hacer con seis horas en la vida? Se las podía regalar al barman. Le regalo seis horas, señor. No. No las acepto. Son seis horas de lo peor, aburridoras. Le doy tres y me quedo con tres. No. Ni así. Váyase con sus horas a otra parte. A mí no me hacen falta horas. Nadie quiere el tiempo de los otros pero sí el espacio. ¿Me regala este pedacito de tierra, señor, este milimetrico? No. Por nada del mundo, trabaje si quiere tierra, deje de ser vago.

—Otro *bourbon*.

—¿Cómo estaba el chile?

—Muy bueno, gracias. ¿Usted sabe quién inventó el chile?

—Ni idea. Tal vez la gente de Texas, de allá dicen que viene.

—No. Lo inventó un vaquero mexicano que se llamaba Julio Cortázar.

—¿Cortázar? Extraño nombre.

—Era de origen francés. Su padre ordeñaba vacas.

—Cosas así hay en la vida, sí señor. Fíjese que en mi pueblo en Kansas, porque yo soy de Kansas, hay un museo al alambre de púas. Nadie lo cree acá en Chicago, y eso que esta ciudad está hecha por la venta de las vacas, usted sabe.

—Yo sí lo creo —dijo Elipsio con otro *bourbon*—. Hay museos raros. He oído que en Israel hay un museo con los prepucios disecados de gente importante, dicen que tienen hasta el de Einstein y el de Freud.

—Los judíos son gente que cuida mucho sus cosas. Allá en mi tierra había mucha gente que le tenía mala sangre a los judíos. Pero, fíjese, yo no. A mí me caen bien.

—A mí me gustan las judías, con oreja de puerco.

—No entiendo —dijo el hombre.

—Es que en mi tierra llamamos judías a los fríjoles, ¿entiende? —dijo Elipsio, traduciéndole el juego de palabras.

—Ah, ya veo —dijo el barman sonriendo—, chile con judías. Suena interesante.

—Judías tiernas, verdes.

—Ah, yo sí me casaría con una judía —dijo el barman—. Son gente muy trabajadora. Voy a acompañarlo con una ginebrita con limón. Al fin estamos de Navidad hoy, ¿no es cierto?

—Yo lo invito.

—No, esto corre por la casa, y lo último suyo también. Pero con una china si no me caso —continuó el hombre—. Porque dicen que las chinas tienen el coño muy chiquito y las teticas también. Yo vengo de tierra donde las cosas son abundantes. Mi gente vino a Kansas de Noruega, por Montana.

—¿Usted cree entonces que los chinos tienen el pene chiquito también?

—Bueno, ya allí no lo sé. Nunca lo vi. Pero por aquí venía hace tiempo un enano que decían que tenía una verga enorme, casi del tamaño de una de sus piernas.

—Es que los enanos son enanos sólo la mitad —y Elipsio se acordó de Jeremías.

—A este le decían "trípode". Y se enfurecía el hombre. Pero había mujeres a las que les gustaba el enano.

—A lo mejor trabajaba bien el hombre.

—Para un 24 de diciembre como hoy yo me vestí de Santa Claus y al enano lo montamos en un trineo que alguien hizo de cartón. Eso era cuando la gente venía por aquí y se bebía bastante. Antes de que empezaran con esto de las nuevas edificaciones y parques con edificios. ¿Se toma otro *bourbon?* Este también va por la casa. El último porque ya vamos a cerrar.

—Feliz Navidad —dijo Elipsio.

—Feliz Navidad —dijo el barman—. Hoy sí vamos a poder oír bien "White Christmas" de Bing Crosby, ¿no le parece? Con toda esa nieve allá afuera. ¿Vive por estos lados?

—En North Sheffield.

—Humm…, mejor va a casa porque esta ciudad va a estar paralizada pronto.

—Gracias —dijo Elipsio.

Cerca, en la esquina de Clark y Division Street estaba la estación del El.

La nieve es silencio. Mejor dicho, le mete silencio a las cosas, reflexionaba Elipsio dando vueltas por su apartamento y a veces mirando por la ventana. Agua silenciosa, cristal callado. El agua de su trópico era ruido, puro ruido. Las tormentas bajaban retumbando por el valle, haciendo rabiar a los ríos, saltando en caballitos de luz por las tapias, latiguiando los árboles, las plantas, pegándole duro a las tejas con su granizo, a las hojas de zinc. Ver llover en el trópico es dejarse azotar por el ruido, aunque a veces también un raro silencio se le mete a la llovizna, a la garúa.

El día de pascuas apenas había podido arrastrarse, casi gatear por la nieve hasta llegar a un pequeño restaurante abierto al oeste de Armitage, y allí compró suficiente comida como provisión porque Chicago estaba sumergida en metros de nieve, los carros en las aceras sepultados, sólo las antenas enhiestas. Las calles solitarias veían uno que otro tractor tratando de abrir camino o echando sal por montones. Un frío intenso, horrible, corría por los agujeros de los guantes, y se trepaba por el cuello, congelaba nariz y orejas. Las mejillas ardiendo.

Tres días seguidos de nieve cayendo daba la Navidad más blanca que pudiera imaginar, ni leyendo toda la obra completa de Robert Frost, pensaba. Livio, también enterrado en la nieve, "no me queda más remedio que leerme ese pedo en las catedrales del Vargas Llosa, te imaginás", lo llamaba para saber cómo recibía la nieve y para invitarlo a un restaurante griego la víspera de año nuevo, "la víspera de año nuevo, estando la noche serena…", cantaba, y luego, "es un restaurante griego de pura locura zorbiana, y asan un cochinito tierno con tanta delicia como si estuvieran cocinando turcos, mi viejo". Sus padres y su hermano también aparecieron en el teléfono de la mañana. "Regrese, mijo, acá por lo menos no hace frío".

Demasiado calor, les quería responder, pero dijo que pronto, todavía no sé lo que voy a hacer. Probablemente voy a México cuando termine con el libro que estoy trabajando aquí. "Su hermano viene de visita para el año nuevo, le mandaremos algo, ¿quiere manjar blanco, café?". No se preocupen, de eso sobra por acá, hay muchos colombianos, demasiados, pero yo sólo busco a una, cuando la encuentre me voy. Pero de esto sólo en su pensamiento, no les dijo nada, sólo que los quiero mucho. Sus padres eran pobres como el agua que viene de las montañas, pero así de transparentes, y le dolía no decirles la verdad de sus días.

Por fin pudo concertar una cita al día siguiente para la entrevista con los surrealistas. Isidor Nesgoda, siempre muy amable ahora, le dio la dirección. Era el edificio en la calle Southport que él conocía bien. Se podían ver allí en la nochecita y podía traer su cámara. Trabajaba entonces con cuidado en la entrevista, entremezclando preguntas humorísticas y absurdas con algo histórico y documental. Todavía no sabía si la gente de Caracas, quienes al teléfono estaban felices con el artículo sobre Bellow, aceptarían este trabajo, pero se esforzaría por hacerlo bien periodístico y sensacionalista. Al fin y al cabo también se trataba de comer.

En el baño había leído por fin el artículo sobre Upton Sinclair que encontró en el *Bridgeport News*. Poco sabía de este escritor, fuera de que lo leía con pasión un viejo zapatero comunista de Cali, y además siempre lo confundía con Sinclair Lewis, el del *South American Journey*. Se hablaba en el artículo de una famosa novela de Sinclair sobre Chicago, *The Jungle*, y una cita describiendo los establos de Union Stock Yard llamó su atención: "Tan lejos como el sol puede alcanzar, se extiende un mar de corrales. Y todos están llenos –tanto ganado como nadie hubiera soñado en el mundo… El ruido que producían aquí era como el de todos los establos del universo". Recordó el texto de Maugham sobre Chicago, la vaca de la señora O'Leary, y la idea de escribir sobre los mataderos, los corrales, los frigoríficos de carne de Chicago, se le hizo clara utilizando la literatura como base. Debería buscar la novela de Sinclair.

Taima estaba feliz porque había cazado dos cucarachas. Ya hizo su Navidad. Pero estos días de encierro, releyendo los poemas de Lowry, algunos textos de *Evergreen Review* y *Playboy* con sus láminas icónicas, sacrosantas, le servían también para aclarar sus pensamientos y relajar sus nervios, al rojo puro luego de la charla con María Esther. Con tanta nieve nadie sigue a nadie, "el músculo duerme" como dice el tango. Los espías no salen con el frío, topos en su madriguera. ¿Cuál era en verdad el crimen de que acusaban al "mono" González? Nunca preguntó con claridad qué era lo que pasaba, siempre dejó que la versión de los hechos de los otros quedara como verdad, o lo que el asumía por comodidad y seguridad. Por miedo, tal vez. A lo mejor todo lo que decía la Yolanda González era mentira, y otra la realidad. El caso del "mono" debería estar en algún periódico. Lo buscaría junto a *The Jungle*.

A la mañana siguiente confirmó con Nesgoda la entrevista por la noche. De seguro que los surrealistas vestirían sus mejores atuendos narcisistas, por dentro y por fuera, para descrestar a la burguesía latinoamericana. Comprobó por la ventana que poco a poco la ciudad iba saliendo de bajo la nieve, como un inmenso animal que resucita luego de un letargo de días. Ya el tren en la mañana lo despertó con su trueno de Júpiter cotidiano, y aunque era gracioso ver que todavía los carros pasaban por la calle como montados en almohadas de plumas, la ciudad que se mueve volvía a su encuentro.

El bibliotecario Dates le recomendó, junto a *The Jungle*, otro librito de Sinclair que usted como hispano tiene que leer, es algo que él escribió sobre el sitio de Madrid, una novelita llamada *No pasarán*, así en español. Asimismo le consiguió un permiso especial para trabajar en el sótano donde estaban las colecciones de periódicos de la ciudad. Calculando por la notas que llevaba en su libreta, los sucesos que envolvieron a Joselito González con los federales debieron ocurrir un año atrás, más o menos. Decidió empezar con el *Chicago Tribune* en su edición dominical, luego seguiría con *El puertorriqueño*. Difícil empresa porque casi tenía que leer el periódico completo para estar seguro de que no se le escapaba la noticia. Otra dificultad estaba en descifrar los titulares de las noticias, que eran como mensajes cifrados para iniciados. Cuatro domingos fueron suficientes para declararse en derrota por ese día.

—Mañana regreso más temprano —le dijo al bibliotecario.

No se bajó en la estación de Roscoe y Southport sino que fue un poco más hasta Ashland Avenue ya que tenía tiempo y la distancia era corta. Un buen sándwich con pan de centeno y una mezcla atropellante de carnes frías con ese queso que le recordaba el que los norteamericanos mandaban de caridad a las escuelas públicas, en su infancia. Queso para que los ratoncitos trabajen más, diría el rico McPato. Otra pregunta para los surrealistas, ¿qué le diría Walt Disney a André Breton si se encontraran cayendo a tierra desde el Empire State? En la chaqueta llevaba un par de poemas de Nesgoda que había traducido con dificultad, dado lo desconcertante de imágenes y metáforas.

Tocó el timbre y uno de los surrealistas, de los que preparaban viaje andino, bajó a abrirle. Por unas gradas estrechas y oscuras, con olor a humedad y días de encierro, más tabaco y otras yerbas, subieron hasta el tercer piso. Nesgoda los esperaba sonriente en la puerta.

—Estamos leyendo unos poemas de Octavio Paz para ponernos a tono con la charla contigo —dijo.

Elipsio había notado, en las publicaciones de ellos, que se adherían fielmente al odio surrealista internacional contra Neruda y Dalí, y que veneraban a Paz, a Remedios Varo, a Matta, a Leonora Carrington.

—Paz es un surrealista a medias —se atrevió a decir, pensando que en español hubiera dicho "en medias".

—Paz era un buen amigo de Breton —dijo uno de los surrealistas.

La discusión, si la hubo, había terminado. Elipsio conocía bien la ortodoxia surrealista y no estaba allí para desafiarla. Poco a poco iban llegando los otros surrealistas, entre hombres y mujeres, hasta formar un grupo de cerca de 12 personas. Elipsio, luego de repasar someramente la cartilla de los manifiestos y proclamas y diatribas y epístolas insolentes, que servían de antesala al diálogo, empezó a tomar notas, cerveza en mano, de lo que ellos decían sobre su formación, empuje, obras, actividades, entusiasmo, Chicago, Toronto, los *blues,* Maxwell Street, Montreal, San Francisco, Gradiva, Taos, Nuevo Mexico, Trotski, Benjamin Peret, Max Ernst, y dejar claro que no les gustaba el bizco de Sartre y mucho menos su amiguita la Beauvoir, abajo con Bellow, con Algren, Hemingway era basura yanqui, la guerra de Vietnam, y la lista de los contra iba larga y previsible, Elipsio anotando mucho de ello con etc., etc., etc.

Cuando pasó al cuestionario del disparate (nonsense) como él llamaba a la segunda parte de su entrevista, los surrealistas se animaron y dejaron al descubierto su vena humorística y satírica, aunque algunas de las preguntas las encontraron algo irreverentes y osadas. Las cervezas en lata contribuían a los chistes, retruécanos, salidas ingeniosas, que Elipsio tenía que pedir muchas veces repitieran para poder copiarlas. Las fotos fueron de grupo, aislados, contra las paredes adornadas con cuadros de todo minotauro, afiche, *collage,* Magritte, zapatos, máscaras, África, Oceanía, tapices, esculturas de soles aztecas, serpientes emplumadas, amuletos del Tíbet, mandalas, budas cagándose de la risa, desnudos llamados por el deseo y la realidad, falos tatuados por dientes caníbales, cartas de Breton, iluminadas, ampliadas, una foto de Nadja por el Loop, todo tan atiborrado y barroco que no quedaba un solo agujero para el dedo que señala.

En un momento, cuando el que no tenía la boca ocupada con una cerveza, hablaba o improvisaba poemas, Elipsio le pidió a Nesgoda si quería leer sus poemas en la versión al español que Elipsio había intentado, y si alguien sabía algo de esta lengua que por favor haber si lo ayudaba.

Elipsio buscaba afanosamente entre sus papeles, sin mirar al grupo, cuando uno de ellos dijo, casi como un comentario, que se le podía pedir ayuda a Marty, quien era el único del grupo que hablaba bien español. Este comentario podría haber pasado sin que Elipsio le diera mucha importancia, aturdido por las cervezas y el ruido de la charla, si no hubiese sentido, todavía sin levantar los ojos de sus papeles, el silencio que por varios segundos pasó como un ángel barroco por la sala. Sin embargo, y utilizando su mejor rostro de palo, no se dio por bien enterado y preguntó "¿Quién?", para encontrar una respuesta difusa en el "lee los poemas y ya veremos quién te ayuda con ellos".

Marty y los surrealistas, la bruja de la calle Gladys, "no estaba hoy en la reunión", el "mono" González, Lamia, todo se empezaba a acomodar con la precisión de un mecano. Pero ¿por qué habían negado tan claramente a Marty como surrealista? Ellos sabían que él lo conocía bien. Tres veces cantaba el gallo. Eso iba cavilando en el El que lo regresaba a casa. Marty era una de las claves. ¿Cómo aproximársele sin espantarlo, sin correr el riesgo de echarlo todo a perder?

Al entrar a su edificio encontró en el buzón, junto al cheque expreso de Caracas, una nota garabateada de prisa por Gretchen, despelucada. La alegría económica que sintió al ver el cheque desapareció cuando leyó la nota de ella: "Mi hermano se suicidó. Estoy muy sola. Llámame a este teléfono". El teléfono dado repicó por varios minutos sin respuesta. Llamaré más tarde, mierda, mierda, se repetía.

—¿Me puedo quedar unos días contigo? —preguntó Gretchen, temprano en la mañana del día siguiente, en el vano de la puerta mientras terminaba de sacarse la nieve sucia de las botas.

—Claro que sí —dijo Elipsio, conmovido al verla temblando, con un abrigo sucio de dormir en el suelo, probablemente.

—Siento mucho lo de tu hermano. Es todo tan horrible —agregó, no sabiendo cómo darle su pésame.

—Se colgó dentro de un clóset y cerró la puerta antes de hacerlo —dijo ella llorando.

Elipsio la ayudó a quitarse el abrigo y llevó su bolsa de ropa y otras cosas que traía a su cuarto, y de allí trajo una manta de lana gruesa con la cual la envolvió en el sillón central de la sala. Ella miraba el techo sin decir más. Elipsio preparó té de manzanilla y trajo galletas de soda con mermelada.

—Pelié con Judith —dijo ella mientras sorbía el té.

—Está bien —dijo Elipsio—. No te preocupes. Ahora tienes que tranquilizarte y dormir un poco. Luego hablamos.

—No tengo sueño.

—¿Quieres que juguemos ajedrez?

—No, hoy no quiero jugar.

"Las cosas están verdaderamente mal si no quiere jugar", pensó Elipsio.

—Entonces te quedas allí y te leo unos bellos poemas de Lowry, ya verás.

—No. No quiero que me leas poesía, quiero estar en la cama contigo.

—Okey —dijo Elipsio, quien no había pensado en nada erótico hasta el momento.

—Pero no quiero hacer el amor, sólo que me abraces —continuó ella.

Y así se quedaron por largo rato entre cobijas y sábanas, en silencio, el tren retumbando por las paredes y la ventana, hasta que apareció, como invitada de honor, una mosca grande por el cielo raso.

—Las moscas se mueren en el invierno —dijo ella.

—Estas no. Están más vivas que todos nosotros. Déjame le doy un zapatazo.

—No. No te vayas, quédate aquí conmigo. Déjala que viva.

Más tarde Gretchen se quedó dormida y Elipsio preparó café y fue a la sala a fumar un cigarrillo. La mosca se había ido. Repasó sus notas de la noche anterior con los surrealistas, y empezó a ordenarlas al tiempo que daba en la máquina las primeras puntadas introductorias. El material todo debía ser bien atractivo para Caracas, pensó. Mezclaré algo de *blues,* política y vida en las calles de Chicago, ¿y por qué no pedirle a Marty directamente ayuda con los poemas de Nesgoda? Al fin, ellos eran los que lo recomendaron. Marty se sorprendería al saber esto, cierto, y los surrealistas no estarían tan felices, pero qué importa, que se vayan para la física mierda con sus tapujos.

Luego de trabajar por un par de horas, de pulir y remedar su artículo, fue a la cocina a preparar un buen *brunch* para Gretchen, esa combinación de almuerzo y desayuno que tanto les gustaba a los gringos. Dos latas de sopa Campbell dieron un pollo con fideos; un arroz con adobo y cebollas más vegetales también de lata, arvejas, zanahorias, iba en busca de algo valenciano que más parecía paraguayo; dos pedazos de pollo en salsa verde quedaban de lo que compró el día de Navidad. Pan tenía, y café. Cuando todo estuvo listo esperó paciente que ella despertara, empezando a leer *The Jungle.*

Mirándola dormir la comparaba con una joya sacada de los cuentos de Andersen, entremetida en la infancia mágica de hadas y duendes. Su cabello tan rubio brillaba con la luz que se filtraba por la ventana. Si era de noche iba al oro, si era de día iba al cadmio, esplendente.

—Me pelié con Judith —dijo ella mientras tomaba la sopa poco a poco, empujada por Elipsio.

—¿Qué pasó?

—Se puso histérica cuando supo lo de mi hermano, dijo que era un egoísta, que yo también era una egoísta, y que ya estaba cansada de que la gente le siguiera tirando lágrimas encima.

—Judith es una mujer poco paciente —dijo Elipsio, por decir algo.

—Entonces, yo también me puse como loca y le pegué en la cabeza con una botella, estábamos tomando, y le salió mucha sangre, y dijo que iba a llamar a la policía. Yo salí corriendo. Pasé la noche en una casa de refugio para gente abandonada que hay por Diversey. Pero no pude dormir porque no había camas y unos tipos estuvieron molestándome todo el tiempo.

—No fuiste al teléfono que me dejaste.

—Sí, pero esa gente no quería saber nada. Son amigos de Judith también y ella los llamó para decirles que yo estaba loca y que me iba a denunciar a la policía.

—Raro eso en Judith. Lo de la policía, digo.

—Ella no lo va a hacer, yo sé. Pero sólo podía venir a quedarme contigo. Tú me dijiste que aquí me podía quedar, ¿cierto?

—Sí. Estate tranquila. Come la comida.

—No quiero pollo, pero el arroz está rico. ¿Sabías que ahora soy vegetariana?

—No, pero tienes cara.

Ella sonrió y Elipsio agregó:

—Mira, tengo que ir esta tarde a donde Marty para pedirle un favor, ¿quieres venir conmigo? A lo mejor él te ayuda con lo de Judith.

—No —dijo ella—. No le digas tampoco que estoy aquí. Él le tiene mucho miedo a Judith.

Elipsio se quedó en silencio y ella lo miró de frente y dijo:

—Marty sabe todo de ti.

—¿Qué sabe de mí? —preguntó Elipsio alarmado un poco.

—Sabe que estás en Chicago buscando a esa muchacha Lamia, la colombiana. Él está muy celoso contigo por ella.

—¿La ve él a Lamia?

—No. Él tampoco sabe a ciencia cierta dónde está ella. La está buscando por todas partes con sus amigos del "cadáver exquisito".

—¿Qué es el "cadáver exquisito"?

—¿No sabías? Es el grupo político de los surrealistas, él es el jefe. Ellos pensaban que tú eras de la CIA.

—Ah, coño, ahora caigo. —¿Desde cuándo sabes tú todo esto?

—Hace tiempo, casi desde que te conocí. Ellos me hicieron jurar que nunca te iba a decir nada.

—Entiendo. Lamia tuvo una niña, ¿sabías?

—Sí. Era hija de Marty.

—Yo me lo imaginaba. ¿Qué pasó con la niña?

—Desapareció con Lamia luego de una balacera en Pilsen. Allí estaba ella, que había peleado con Marty y Judith y se había ido a vivir con unos colombianos allá. Uno que había sido su novio antes de que se empatara con Marty.

—¿Los González?

—Sí, son gente peligrosa, parece. Marty y Judith hablan poco de ellos. Uno está en la cárcel, creo que el que fue novio de Lamia.

—¿Por qué lo metieron a la cárcel?

—Fue después de la balacera. Yo no sé bien pero ellos falsificaban dólares para comprar armas. Estaban con las Fuerzas Armadas para la Liberación Nacional de Puerto Rico, el FALN. Y están asociados con unas bandas peligrosas de latinos en el West Town, en Humboldt Park, Logan Square, y por aquí, por Armitage al oeste.

Eso era todo. Gretchen, moviendo el pelo de un lado a otro, su gesto característico, no sabía más del asunto o no quería hablar de ello. Elipsio, viéndola al borde del colapso nervioso, no quiso presionarla de nuevo.

—¿Quieres jugar ajedrez? —le preguntó a la vez que decidía no ir a ver a Marty. Debía replantear toda la relación con éste, y para eso tenía que buscar nuevas estrategias de aproximación.

—¿Te quedas conmigo un rato? —inquirió ella, ansiosa.

—Sí, después de lo que me has dicho no quiero ver a Marty hoy. A lo mejor podemos ver qué dan en el *Biograph* esta noche.

—Allí fue donde mataron a Dillinger, ¿sabías?

—Sí —dijo Elipsio, tocando madera.

El día siguiente, último del año, lo pasaron jugando ajedrez y haciendo el amor, entre arroz con fríjoles negros y sopa de pollo con fideos. Ella estaba empecinada con la defensa India del Rey y repetían partidas que sólo dejaban hasta la mitad. Realmente había mejorado mucho su calidad como ajedrecista esos últimos meses y ya no le era tan fácil a Elipsio ganarle. No aceptó unirse a él y a sus amigos esa noche. Elipsio no insistió porque temía que hubiera aceptado y si Sheng se aparecía todo iba a ser muy difícil para él.

—Mejor van a festejar ustedes solos. Yo no estoy para fiestas. No abras la puerta si alguien toca —dijo ella.

Y en efecto, a eso de las cuatro de la tarde unos golpes fuertes hicieron remecer la puerta. Elipsio y Gretchen, que en ese momento jugaban ajedrez sobre la cama, se quedaron en completo silencio. Volvieron a tocar fuerte, por un rato. Elipsio, sin hacer ruido y evitando el crujido de la madera del piso, caminando en medias, se acercó hasta la ventana que daba a la calle. Un carro estaba estacionado enfrente del edificio, prendido. Cuando los golpes parecía que los daban con una mandarria, una voz de otro apartamento saltó con fuerza:

—¡Hijo de la gran puta! Qué más tocas si nadie contesta. Voy a llamar a la policía.

Se oyó un intercambio de voces en el pasillo, ligeros empujones a la puerta, y luego un tropel de varios pies sobre las gradas. Desde la ventana Elipsio vio salir dos hombres apresuradamente y meterse al carro.

—Lo peor es que esa gente va a volver —dijo Elipsio, bastante preocupado.

—No puede ser Judith —dijo Gretchen—. Ella hubiera venido personalmente y no golpearía así la puerta. Son otra gente.

—Sí. Tiene que ser otra gente. En este buscar a mi amiga Lamia he conocido gente bien rara.

—Tienes que tener cuidado. Ellos andaban con esos grupos políticos radicales que se mezclan con delincuentes comunes, de lo peor.

Turbio el fondo, turbia la superficie. Elipsio miró de nuevo por la ventana y no vio a nadie sospechoso. Livio pasaría a recogerlo a las diez, así que tenían tiempo para seguir jugando ajedrez y hacer el amor en los intermedios. Gretchen, tomando té a sorbitos, habló un rato de su hermano, de sus padres.

—¿Por qué no te vas adonde tus padres por un tiempo? De seguro que te necesitan —le dijo Elipsio.

—No quiero que mi padre me riña como lo hizo Judith. Ellos están muy molestos conmigo. Dicen que soy una puta. No lo soportaría.

Livio pasó a las diez, exacto, con una botella de Old Parr y la misma vieja cancioncita colombiana de fin de año, adulterada:

—*La víspera de año nuevo / estando la noche serena / con los helenos la quiero pasar / comiendo pura rellena.*

Metido en el absurdo de la improvisación no dejaba espacio para el diálogo de Kathleen, quien manejaba, y Jeanette, sentada atrás, hermosamente ataviada y con una máscara roja sobre los ojos verdes.

—Sheng debe estar esperándonos allá —dijo ésta sonriendo a Elipsio.

—Ah, Sheng es el pecadillo picadillo de nuestro poeta Elipsio —dijo Livio, quien de seguro estaba trabajando otra vez con las palabras ociosas.

—¿Cómo así? —preguntó Elipsio.

—Mirá bien —apuntó Livio pasándole la botella de Old Parr—. Sheng es un invento chino en Norteamérica, como el *chop-suey*, que fue concebido por obra y gracia del espíritu chino en New York hace años.

—*Chop-suey* quiere decir "picadillo" en chino —aclaró Kathleen quien ya conocía el retruécano.

Y Livio continuaba a las risotadas, con metro forzado:

—*La víspera de año nuevo / estando la noche serena / mi compadre Elipsio la quiere pasar / con la chinita en la verbena.*

Ya estaban quebrando platos cuando entraron al restaurante griego. En el *lobby* de espera se alineaban fotos de Anthony Quinn, Theodorakis, Melina Mercouri, la Callas con Onassis y cuanto griego había hecho fama y fortuna en este mundo. Sheng estaba en el bar, con un martini seco en la mano, esperándolos. Su vestido negro de noche, terciopelado, caía por su cuerpo como las palabras en un hermoso poema de amor, y el collar de perlas fue suficiente para dejar a Elipsio completamente desbaratado sobre la escuálida corbata prestada al vestuario del "Iluminado". Pero Livio estaba frenético con el ruido de los platos quebrándose contra el suelo.

En el centro del elegante salón comedor adornado con festones blancos y azules como el alma griega, un hombre joven vestido a la usanza de Creta sostenía en una mano una pila de platos, y mientras danzaba al compás del *bouzuki* los iba quebrando con gran ruido en el piso.

—Es una maravilla —decía Livio—. Mi sueño es tirarlos por las ventanas.

Livio pidió una botella de *retzina*, ese vino griego con aroma fuerte de corteza de pino, para acompañar un gran plato surtido de entradas griegas: espanakopitas, dolmades, tirópitas, queso feta, aceitunas de Calamata, keftedes, y le repetía los nombres a Elipsio que los sentía caer como una cascada en la fuente Castalia, en Delfos, al lado del oráculo.

Sheng, a su lado, reía y entre la música que iba de los encantos del Mediterráneo a los secretos deliciosos del Medio Oriente, deslizaba de vez en cuando un comentario, un adjetivo de placer y gusto. Se la veía feliz, amorosa con Elipsio, quien por un buen rato le sostenía la mano encima de la mesa. Livio les mandaba besos y seguía payaseando en los sobrentendidos:

—Aquí no me puedo hacer mucho el mustafá turco porque me sacan a patadas, pero si no te cogés esta noche a la chinita la meto en mi "haremcito" también —le decía a Elipsio casi a los gritos y las carcajadas, arriesgando que Kathleen lo oyera.

Al estruendo de la medianoche, con festones y gritos y música y más platos quebrándose, siguieron los besos y los abrazos. Sheng, con las mejillas rosadas, tal vez por el alcohol y el calor de la sala, radiaba al dejarse besar largamente por Elipsio en la boca.

—Ojalá este año tengamos suerte los dos —dijo ella con tanta esperanza como brillo en los ojos.

—Te amo —le dijo Elipsio, sintiéndose cerca de algo verdadero.

Y a los gritos de "opa , opa" todos bailaron luego haciendo una rueda con la gente del salón y dando unos pasos que a Elipsio le recordaban un bailar cumbia saltando. Livio, quien había devorado el cochino relleno con pasión más romana que griega, pidió para acelerar la danza un trago fuerte de Creta llamado *sekudiá*, que no era otra cosa que una bola de fuego sagrado que iba hasta las entrañas mismas del espíritu.

—Esto era lo que bebía Kazantzakis cuando escribía *Zorba* —explicaba.

Cuando Elipsio se despertó a la mañana siguiente estaba en un cojín inmenso en una habitación del apartamento de Livio y arropado con gruesas cobijas. Al dolor de cabeza se opuso un gran silencio. Recordó dónde estaba el baño y allí se duchó rápidamente y encontró aspirinas. El silencio se prolongaba cuando salió. El cuarto de Livio tenía las puertas entreabiertas y pudo ver que éste dormía con Kathleen a su lado. Sheng y Jeanette de seguro estaban en sus casas. Llamó a su teléfono, pensando en Gretchen, pero nadie contestó. A lo mejor duerme. Dejó una nota de mil gracias a Livio y a su mujer y salió a buscar un taxi. La nieve era la misma y era la tarde y el viento también. Las calles desoladas.

Gretchen no estaba en el apartamento, ni una nota, ni su pequeña valija, nada. Sólo Taima sobándose el lomo contra sus piernas, ronroneando.

Los matones del mexicano Miguel Ángel Espina, que no eran otros, regresaron pronto, aunque esta vez con más astucia lo atisbaron al momento de salir del edificio, en el pasillo, y lo obligaron a regresar al apartamento y dejar que lo requisaran por completo, papeles, ollas, muebles, cama, moscas, hongos, Taima, libros, el cuarto del "Iluminado", máquina de escribir.

—Buscamos a María Esther, tú la conoces.

—Seguro que sí —dijo Elipsio—. Pero aquí no está, ustedes pueden ver. Hace tiempo que no la veo.

—No serás amante de ella, ¿verdad?

—Seguro que no —dijo Elipsio—. Somos escritores, poetas, los dos. Yo soy estudiante en De Paul y estoy en el *Proyecto Pa'lante* con ella. Eso es todo.

—A que no sabes dónde anda…

—No. La última vez que la vi fue hace como un mes. No contesta al teléfono.

—Tú pareces un gran cabrón de mierda y apenitas nos estás mintiendo —dijo uno, bastante agresivo.

El intercambio de preguntas y respuestas negativas siguió por un buen rato, a veces algo violento. En un momento, acalorado por la situación, este último matón se levantó de su silla y cogió a Elipsio por el cuello y lo levantó en vilo, amenazante. Luego de un momento lo soltó sobre el sillón. De pronto la puerta se abrió y entró "el Iluminado", como si lo hubiera llamado la santa María Lionza, saludó sonriente a la audiencia y se metió en su cuarto, cerrando la puerta.

—¿Quién es éste? —preguntó el matón.

—Compartimos este apartamento.

—¿La conoce a María Esther?

—No. Para nada. Pueden preguntarle, si quieren.

La verdad era que los matones no estaban para interrogatorios sino para comprobar si María Esther andaba por esos lados. Frustrados y rabiosos, no sabían cómo salir del asunto. Al fin se fueron no sin advertirle a Elipsio que si veía a María Esther le dijera que su esposo Miguel Ángel Espina la estaba buscando y que "se podía ir a esconder hasta la puta chingada pero que allá la encontrarían". "El Iluminado", siguiendo la tradición norteamericana de "este no es mi negocio" no le hizo ninguna pregunta a Elipsio.

De Gretchen supo por Bob que había hecho las paces con Judith pero que no se las veía bien a ambas, que estaban más tostadas que las brujas de Salem. El enredo con la bella despelucada empezaba a agotar la paciencia de Elipsio, y un rechazo creciente a toda la situación se le imponía. Ser un comodín en esta baraja lesbiana lo dejaba mareado e indispuesto. "Se acabó, ya no le sigo más el juego a la despelucadita de mierda". Sin embargo, era tan agradable hacer el amor con ella, tan dulce, poseer su cuerpo tenso y fresco, que la rabia se convertía en amargura, muy a la siglo diecinueve.

La nieve se fue derritiendo día a día en esas primeras semanas de enero, y un sol bastante débil, flacuchento, servía sólo para mejorar los tonos grises que Elipsio vivía por dentro y por fuera. Quedaba sí el viento en cuchillos de pedernal por todo el cuerpo. Terminado el ensayo bastante experimental sobre los surrealistas, fotos, poemas, preguntas y respuestas, portadas de libros, afiches, estampillas, lo envió a Caracas con la esperanza de que bien lo recibieran. Prometía en su carta un trabajo de primera sobre los mataderos y los frigoríficos de carne, los cuales acababan de cerrar, ayudado por los vuelos europeos de Kipling y Maugham, más la marea socialista de Upton Sinclair.

Las primeras líneas de la novela *No pasarán* de Sinclair, las cuales buscaban una visión literaria, muy a la década del 30, del mundo del *jazz* y el *blues,* coincidieron con una invitación que le hizo Christian Lowell para ir con un grupo de alharaqueros jazzómanos de *Ratzos* a un famoso galpón llamado *The Club,* en el sur de la ciudad. Decía Sinclair:

La música había empezado en la selva, pero había atravesado un camino tortuoso desde entonces. Era una música tortuosa, llena de ritmos extraños y contorsiones; se retorcía y lamentaba, saltaba y se bamboleaba; lo hacía todo, excepto lo que uno pudiera prever. Sus melodías eran indecisas, las rimas en su letra estaban ocultas; vagaban como un hombre distraído en un sueño.

Count Basie era el invitado de honor esa próxima noche de sábado. Trataría de invitar a Sheng, aunque dudaba de que ella estuviera dispuesta a arriesgarse a ir a sitio tan peligroso. *The Club* estaba bien al sur de la calle State, cruce con Garfield Boulevard, al oeste del inmenso Washington Park, zona del mejor trote negro, y según Lowell, el sitio de confluencia de todo buen músico que estuviera de visita en la ciudad, desde el mismo Count Basie hasta Cannonball Aderley pasando por B. B. King, maestro de maestros del *blues* puro. Era un sitio de cuidado, repetía Christian, y por eso era mejor ir en grupo.

—Está pegado a la cola de los "Robert Taylor Homes", que es una serie de edificios que albergan a negros pobres, en la miseria, y ahora son el centro de cuanta banda y pandilla azota esos sitios, hermano —le explicaba Christian a Elipsio—. Yo me conozco bien esos andurriales, todo está en mi novela. Esa es la madriguera de los Black Panthers y del Ejército Zimbionés.

Elipsio no sabía por qué pero presentía que allá, adentro de ese complejo habitacional, centro de fuerzas realmente violentas, en algún apartamento con olor a cuerpos sudorosos, carne de puerco frita, papel periódico, marihuana y hollín, licor barato, estaba Lamia, o por lo menos las claves precisas para encontrarla. También era hora de ver qué rostro Marty tenía de frente.

Marty estaba virtualmente contra la pared, aunque en la realidad estuviera sentado en su silla curul romana y en medio de la gran sala de su tienda de antigüedades. Lo miraba a Elipsio fijamente:

—Nosotros creímos que tú eras un agente de la CIA, desde el principio, por eso nunca te dije nada de ella.

—Pero luego, cuando te desembarraste del asunto ¿por qué no hablaste claramente?

—Tenía miedo de que si la encontrabas primero la ibas a convencer de irse contigo para Colombia o México, qué sé yo. Ella está muy resentida conmigo, pero yo la amo de verdad.

—¿Qué te pasó con ella?

—Fue un problema estúpido y lo peor es que Judith se metió y puso todo muy mal, y después pasó lo de esa gente falsificando dólares. Ella está huyendo de los González, que la quieren enredar en lo de los billetes falsos para sacar al "mono" de la cárcel y meterla a ella. Es una treta de los abogados de esa gente. Pero el "mono" es buena gente, aunque es una aguamala, sin espina vertebral, mandado por su hermana.

—Como tú —dijo Elipsio, sin piedad.

Marty se quedó en silencio, resistiendo el golpe.

—Pero, ¿por qué no te buscan a ti? —preguntó Elipsio.

—Porque yo estoy muy quemado, vigilado todo el tiempo por el FBI y la CIA, casi no me puedo mover, y si ella se me acerca me enreda con los González. Ella es la conexión que falta para que los *pigs* me metan en la cárcel. Los únicos que la pueden proteger son los *Panthers*. Allá donde están no entra nadie.

—¿Tú crees que ella pueda estar en el "Robert Taylor Homes"?

—Puede ser. Pero ese complejo de edificios es muy grande, tú sabes, el más grande del mundo, entonces es como buscarla en toda una ciudad, bien hijadeputa por cierto. Pero puede estar en cualquier lugar del sur, uno no sabe. La ciudad dentro de la ciudad dentro de la ciudad…

—Yo tengo el presentimiento de que ella está allí. ¿Te da miedo ir a buscarla?

—No es tanto miedo como el hecho de que estoy muy vigilado. Tú no sabes lo que hay en todos esos edificios. Hasta los González, que tienen un grupo bien fuerte, no pueden penetrar ese mundo negro.

—Podemos pedirle ayuda a Johnny Young.

Marty se rio.

—Estás loco —dijo—, Johnny les tiene más miedo que nosotros, porque los conoce bien. Además, ellos piensan allá que la gente del *blues* es conservadora, conformista, reaccionaria.

—Yo la voy a buscar, cueste lo que cueste, no importa —dijo Elipsio—. Tengo que encontrarla.

Marty se quedó callado por un momento y dijo luego:

—Okay. Yo voy contigo.

—No. Me gusta moverme solo. Pero podemos colaborar. Te prometo que si la encuentro y ella quiere verte te lo digo inmediatamente. Hay que encontrarla antes que los González, la pueden entregar a los federales —dijo Elipsio, agregando—, ¿sabes que la niña murió?

—¿Te lo dijo Yolanda? —Marty hablaba con voz quebrada y baja, casi inentendible.

—Sí.

—Esa mujer así como es de bella es mentirosa.

—En eso es difícil mentir.

—Sí. Y todo por mi culpa —Marty casi lloraba.

—Parece que los dos somos culpables de las cosas malas que le han pasado a Lamia —dijo Elipsio.

—"Uno mata a quien más ama", decía Oscar Wilde, ¿recuerdas? —concluyó Marty.

Esa noche Livio le dijo a Elipsio que irían juntos a ver los grandes corrales vacíos de ganado en Packingtown, Back of the Yards, probablemente mañana o pasado, yo te aviso, trae la cámara, que *The Jungle* era pura caca de realismo socialista, peor que Sholojov, pero que él no iba a *The Club,* "allí no me dejan llevar la ametralladora, y sin ella no voy ni por el carajo. Olvídate de llevar a la chinita a ese chiquero de negros, allá de ella no dejan ni la salsa de soya, ni los palitos".

-0-
ELIPSIO VIO UNA RUEDA

El negro, sombra de muerte de sangre vieja acumulada por decenas de años, era la marca final que dejaron los millones de animales degollados, descuartizados por un ejército de hombres y mujeres pertenecientes a la Union Stock Yard. Esta compañía, establecida en 1864, consolidaba no sólo las diversas empresas aisladas en la degollina de los mataderos y las empacadoras de carne, sino que le dio a Chicago el merecido nombre de Porcópolis, capital mundial del puerco en pedazos. Hasta ese entonces ese nombre pertenecía a Cincinnati, ciudad del medio oeste, de nariz respingada y aristocrática, la cual no pudo resistir más la peste del olor a mierda y sangre del dinero vacuno.

Luego de recorrer los corrales, Livio jugando a los vaqueros con sus manos empuñadas en revólveres invisibles, caminaron dentro de los edificios abandonados, ya en proceso de demolición. En uno de ellos Elipsio reconoció la gran máquina de hacer salchichas, herrumbrosa en la gran habitación desierta. La descripción de Sinclair, en *The Jungle*, de este aparato surreal y grotesco, digno de la imaginación de Raymond Roussell, lo impresionó sobremanera:

En un lado de la habitación estaban los grandes mo-
linos, dentro de los cuales los hombres empalaban
montones de carne y carretadas de condimentos. Al
fondo de estas tolvas giraban afilados cuchillos a dos
mil revoluciones por minuto, y cuando la carne es-
taba bien molida y mezclada con agua, se la empu-
jaba en la máquina de hacer salchichas, atendida
por mujeres. Había una forma de cánula, como el
grifo de una manguera, y una de las mujeres toma-
ba una larga correa de intestinos y le ponía el grifo y
trabajaba el asunto, así como cuando uno pone los
dedos en un guante apretado. Esta ristra de tripa te-
nía cerca de 20 o 30 pies de largo, pero la mujer la
inflaba en un instante; y cuando ya tenía varias lis-
tas, apretaba una palanca y un chorro de carne de
salchicha brotaba, llevándose la tripa con ella como
venía. Entonces uno se podía detener y apreciar, na-
ciendo milagrosamente de la máquina, una cim-
breante culebra de increíble longitud.

No había nadie por los alrededores. En el silencio de la tarde, el sol declinante y frío, el vasto
laberinto de edificios y galpones se repetía como si
fueran cuadros de Hooper tirados al pasar. Los frigoríficos, las máquinas precisas de la muerte, el
golpe brutal del punzón contra la cerviz, el chillido
de los puercos, el balido de las ovejas, el relincho de
los caballos arrastrando carretillas de sangre.

No había calefacción —dice Upton Sinclair—, en el
salón del degüello. Los hombres bien podían haber

trabajado a la intemperie todo el invierno. Por esa razón había poca calefacción en el edificio, excepto en los salones de quemar y cocinar o lugares como esos —y eran los hombres que trabajaban en estos precisos lugares los que corrían más riesgos, porque cuando tenían que pasar a otro salón lo hacían por corredores glaciales, algunas veces sin nada más que una camiseta sin mangas—. En los salones de degüello uno se podía congelar fácilmente si la cuadrilla de animales, por cualquier razón, se detenía por un momento. Quedabas inmediatamente cubierto de sangre y ésta se coagulaba en pedazos sólidos de hielo. Si te reclinabas contra un muro te quedabas pegado por el frío, y si ponías las manos en la hoja de un cuchillo, corrías el riesgo de dejar allí la piel. Los hombres se envolvían los pies en periódicos y sacos viejos, y estos pronto quedaban empapados de sangre y congelados, y luego se volvían a empapar, y así así, hasta que por la noche los hombres estaban caminando sobre grandes bultos como si fueran las patas de un elefante.

Después de caminar por un rato, Livio se detuvo y le enseñó a Elipsio la famosa puerta en tres arcos, con sus torrecitas como colmenas a lo alto, en la calle Exchange, por donde por más de un siglo entraban hombres y mujeres y animales al degolladero diario.

—Esto es lo que resta —dijo Livio—, material para la literatura, ya ves. Mirá, con las toneladas de bosta que sacaban de aquí rellenaron los parques y los terrenos cenagosos y bajos de esta planicie. El parque

Douglas, allá en el West Town, el Sherman Park, en Back of the Yards, descansan sobre la caca de los puerquitos y las vaquitas. Florecitas les salen todavía.

Elipsio tomó unas cuantas fotos para su reportaje. Era impresionante que el olor de más de un siglo estaba allí, nunca desaparecería, no importaban los perfumes elegantes del Loop. *"Hog-butcher of the world"*, volvía y revolvía Carl Sandburg.

Con el gran matadero ya a las espaldas y con la "vaca lechera, no es una puta cualquiera" de nuevo en la boca, Livio tomó la autopista Dan Ryan, esa frontera entre el "bien y el mal", la pobreza y la riqueza, entre blancos y negros. Esta poderosa autopista, contigua a las líneas del tren y el metro, era imagen clara de la eterna división racial de la ciudad, y así había sido planeada por el alcalde Daley para contener a los negros en su ghetto.

A la distancia, de pronto, se abrió una humareda en chimeneas de cemento y acero, mecanos gigantescos de hierro fundido, enormes estructuras circulares, cónicas, paralelepípedas, silos, humo y más humo fundiendo el cielo con un gris espeso, oscuro, atosigante.

—De ese mierdero que ves allá, la fábrica Sherwin-Williams, salen los colorcitos que le alegran la vida a las señoras —dijo Livio, apuntando hacia el enorme complejo industrial con dedo amenazador.

Elipsio, callado, dejaba que las imágenes de la gran maquinaria de la ciudad se fueran pegando como sucias adherencias a una postal que de seguro cargaría por años: vaca muerta, vaca loca, vaca decapitada, pintada, incendiada, digerida, transformada en dinero a borbotones, dinero despachado por el río en viandas y licores exquisitos, sólido oro por entre los puentes que se abren en el río Michigan, las dos alas del poder, volando por entre los rascacielos, sacándole las tripas a esos cuerpos de hombres y mujeres en pedazos, salchichas de la vida diaria, esperando el tren que va furioso al lado de la autopista, tratando de ganarle tiempo al tiempo, al tiempo en que Livio lo mira, así de serio, y se empieza a carcajear, sosteniendo el volante con un dedo.

—¡Poeta en Chicago! —grita por la ventanilla al viento—. Lo veo clarito escribiendo esos versos largos, lorquiando las vaquitas del Packingtown, dándole colorcito acrílico y vinílico a las imágenes. Nerudiando como loco. No me joda, maestro, esta cagada de ciudad lo único que merece es un poema malo de Nicanor Parra. Vomite su poema aquí mismo antes de que le salga un Cardenal en la molleja y vámonos a beber con el proletariado. Ya verá lo que es bueno en miseria capitalista.

Gary, Indiana, ciudad pegada a la cola sur de Chicago, era otro y el mismo carnaval de fábricas y comercio, acero por doquier y aceras atiborradas de obreros, y bares engalanados con botellas, espejos, televisores, madera vieja y mesas empotradas contra las paredes, reservados, decoración de almanaque y Coca-Colas viejas. Pero en éste, donde ahora Livio pedía dos cervezas Budweiser, también se leían carteles de sindicatos, banderas de lucha obrera, gastada.

—Este es uno de esos pocos huequitos que le quedan a los viejos románticos de la izquierda —explicó.

La cerveza no era de lo mejor pero hacía gárgaras divinas aplacando la sed que Elipsio sentía desde rato atrás.

—¿Queda algo de los sindicatos bravos? —le pregunto a Livio.

—Un poco, sí, pero todo es muy corrupto. Ya los viejos anarquistas, socialistas, los comecandela comunistas, todos están en la olla, derretidos dentro del acero fundido de las acerías o a varios pies de profundidad en el lago. Por ahí quedan algunos ilusos viejos y yippies bobos que vienen a darle vuelta a estos museos de la protesta obrera, quieren darle en la panza a la vieja Mama Bell, pero eso de nada vale. Al lagarto capitalista le crecen más colas de las que tiene. Por eso tu Upton Sinclair está más que desaparecido, se lo tragó su misma selva como a la gente de la manigua de Rivera. Los que están en el poder de los sindicatos son mafiosos o gente vendida a Daley. Y ni pienses en los negros y los latinos, esos no cuentan para nada. *Burn, baby, burn*, y se queman a ellos mismos.

A Livio le pareció muy buena su última salida y la celebró ruidosamente. Luego se quedó en silencio observando a un grupo de obreros, sucios, todavía con el resplandor del acero a rojo vivo por todo el cuerpo, que entraban palmoteándose de felicidad frente a la inminencia de un whisky doble y una cerveza sifón lista. "Si ellos lo pudieran detener todo en ese momento, pensó Elipsio, la clave estaría en la eternidad del instante". *Es infinita esta riqueza abandonada,* el poema de Edgar Bayley volvía a tocar verdad este día.

—Es jodido si a Kathleen le da por tener la guagua. Así le dicen los chilenos a los pelados, ¿sabés? —dijo Livio, regresando de no se sabe dónde.

—Un bebé te vendría bien —dijo Elipsio, ejercitándose un poco en el arte del desquite.

—Ni pensarlo, hermano, la verdad. Eso de enredarse con los seres humanos es muy jodido.

—Yo creo que a nosotros los colombianos se nos congeló algo por dentro. Tanta violencia, hermano. Algo que tiene que ver con el afecto —dijo Elipsio arrancándose las ideas de los riñones.

—¿Cómo así? —preguntó Livio, interesado al parecer.

—Es algo que nos permite una distancia con la realidad, ¿entendés? Pero la visión de la cosas en nosotros no va hacia la lucidez, el ver, sino hacia el escepticismo, el cerrar los ojos.

Livio pensó su respuesta por un momento, el cual aprovechó para pedir cebollas fritas con salsa Ketchup a la mesera gorda y roja, tomatuna.

—Dale que dale a eso del análisis, brother, al pensarlo todo como hacen los sicoanalistas argentinos, boludos hasta el bife de chorizo. Olvidate de estarle jalando los pelitos a la panocha de las ideas todo el tiempo. Nosotros en Colombia somos gente caliente, ardiente, guapachosa. Y si nos matamos como perros es por lo mismo, lo otro dejáselo a Kafka.

Las cervezas estaban muy buenas para seguir con el agropecuario tema colombiano, así que Elipsio dijo, para variar:

—Creo que me estoy tragando de la chinita.

—Ya lo he visto. Pero es escurridiza como una trucha, ¿cierto?

—Sí, qué carajo, no sé cómo hacerle. Yo sé que está que se muere de las ganas pero nada, no lo suelta.

—Vos sabés que ella estuvo con otro tipo, con el que cortó un poco antes de conocerte. A lo mejor tiene miedo. Pero también ella no sabe qué pasa con vos, si te vas a quedar en Chicago o no. Vos mantenés todo muy en secreto. Y no es la peladita que te estás cogiendo ahora, que ya me lo contó "el Iluminado". Es todo ese secreto que mantenés. Esto lo sé porque la chinita se lo dijo a Kathleen.

—Es como un•círculo vicioso —dijo Elipsio—. Yo sé que si ella me para bolas me quedo, pero ella no lo hace y entonces sigo con un pie en el estribo, ¿entendés?

—Vos estás de frente en la rueda de Chicago, hermano, dando vueltas en el mismo eje. Dile que te vas a quedar y la chinita se te vuelve una melcochita.

Chicago para siempre. El parque de los hijos chinos. Trabajar ocho horas al día, cambiar pañales. La paz del hogar. Otra cerveza con cebollas fritas, Tabasco, salsa de tomate. Livio y él con sendos cochecitos de niños paseando por Lincoln Park.

—Vos sos más espeluznante que un cuento de Lovecraft —dijo Livio cuando le oyó esta historia.

Llegaron a The Club cantando, alborotando. En tres carros se acomodó la tropa en tropos y trapos de *Ratzos,* Christian Lowell dirigiendo la orquesta de las botellas de *bourbon* y vino. Marty se unió al grupo a última hora y le advirtió a Elipsio que probablemente Judith y Gretchen se les unirían más tarde.

La idea de verlas juntas, luego de los sucesos de fin de año, le sacó piedras de la ira, las cuales tuvo que disolver rápido con un trago del Jack Daniels que Christian pasaba como cantimplora para los sedientos. Haciendo esfuerzos se prometió no decirles nada, hacer de todo algo normal y a otra historia. Al salir de *Ratzos* le pidió como favor al chofer del auto, un peludo gorilesco muy amigo de Bob, que no tomara la autopista o la Lake Shore Drive y que se fuera por la Michigan Avenue o por State, experiencia que le permitiría ver de cerca la noche negra en los barrios negros con sus luces, tumultos, radiopatrullas, gritos desde los andenes, avisos, graffitis. Y esa era la Chicago que ahora iba entre ruedas: *soul,* alma, espíritu, *spirituals, gospels,* evangelios, *blues,* ninguna traducción posible porque esta palabra lo resumía todo. Palabra que une noche con amor, dolor y risa, deja que la lejanía del tren se disuelva en la proximidad de los cuerpos, coloca verdad a la esperanza, embriagante embriagada. Decir *blues* con los labios que se abren para dejar salir una burbuja que va por las calles, por los callejones, se mete en las alcobas, se desliza por la piel de hombres y mujeres para hacerlos más humanos, tal vez demasiado humanos porque en su encanto lleva el rostro del rito y la miseria, canto de libertad que hace hasta de la ira poesía.

The Club era un enorme galpón, en forma de establo, que albergaba ya a esas horas una multitud delirante y traviesa entre el baile, el licor y la música. Pronto Count Basie estaría en el estrado, dijeron un par de gigantes negros al unísono mientras recolectaban el dinero de la entrada; luego, otro par, gemelos de los anteriores, se encargaron de requisar, muy decentemente, por armas de todo tipo (Livio no hubiera pasado su ametralladora, de seguro, pensó Elipsio). Las mujeres eran palpadas cuidadosamente por otras mujeres, bolsas, carteras, peinados. Adentro, un girar de luces por todos lados, giroscopios, estroboscopios, telescopios, periscopios se necesitaba para ver por encima de los cuerpos atiborrados al bar, todo en esplendoroso desorden. En instantes el grupo de *Ratzos* se disolvió y de Christian Lowell sólo quedó al final la divisa rubia de su cabeza entre una floresta de "afros". Marty, atento, tomó a Elipsio de un brazo y le dijo que no había nada que hacer, imposible ir más cerca de la tarima, sentémonos por estos lados y roguemos por un par de cervezas. Su atuendo de hoy, una camisa de burgués siglo xviii y un saco cruzado de botones a los lados, más sombrero a la Gardel, contrastaban deliciosamente con el despelote vivito y coleante del establecimiento.

Por suerte encontraron un par de sillas vacías en una mesa ocupada por varias personas, amables, un poco entradas en años, quienes no se molestaron en abrir campo para ellos. Reían cómplices frente a la realidad ensordecedora y caótica que los rodeaba.

Al lado de Elipsio, una mujer negra, ya no tan joven por cierto, le dijo que siempre era así, a los gritos, y hasta peor cuando se aparecían James Brown o Aretha Franklin, y no me diga de *The Temptations,* porque ahí ya no vengo, pero hoy es más pacífico todo. El hombre a su lado, su marido al parecer, apuntó algo a lo que ella dijo, pero Elipsio no entendió nada aunque aprobó con gran sonrisa. Era la hora de empezar a los saltos con el entender o el no entender, sin ningún problema.

Luego de un corto intervalo donde raudos hombres movieron sillas, acomodaron la batería, rodaron el piano, los soportes para las partituras, empezaron a desfilar las trompetas, los trombones, los saxos, la guitarra, el bajo. Todos los cobres contra el viento de los aplausos cuando apareció entre multitud de luces, bajo y regordete, muy elegante, con su bigote ya cano pero la sonrisa de siempre, así en la portada de los discos, Count Basie, el "conde", aquel que Henry Miller, en su *Coloso de Maroussi*, entronizó en la aristocracia del *jazz,* junto al duque y al rey. El gran conde Basie entre la algarabía de jóvenes y viejos, los brazos en alto, *black power* en la sala, *black is beautiful* en los corazones, se recogió la chaqueta y con las manos extendidas se tiró por el piano en algo que para Elipsio venía de ese *One O'Clock Jump* que oían en las noches de Cali, el disco viejo que él cargaba, sin tocadiscos en casa, en las fiestas de los "camisarroja", Lamia alelada, sonriendo al verlo a él balancearse, mecerse siguiendo el *swinging the blues,* y él enseñándole a ella a seguir el ritmo del *jazz,* contándole historias del libro de Ulanov, con la selección de Panassie a la mano, y Count Basie chirriando, rayado por las agujas romas del tocadiscos, los tratos malos en las repeticiones infinitas, el polvo de la calle, y la ciudad que era Cali a la distancia ahora era Chicago, sin ella, Lamia perdida dentro de la multitud, incluso podía estar gritando allí, cerca del escenario, aplaudiendo, meciendo la cabeza, pensando en él y en Cali. Y aquí se levantó de su asiento el saxo tenor para irse en un solo a darle paso al trombón contestatario, quien de seguida le abrió la procesión a otro saxo tenor (ya no Lester Young, lastimosamente), y luego para rematar el baturrillo de los cuernos y cornos la trompeta, que dejaba la puerta lista para que entrara la orquesta toda en pandilla, Count Basie dándole al piano, sus pies al aire: *Pat your foot,* como una vez dijo para definir su música, "date palmaditas en el pie", simplemente, pero con la disciplina de un ritual generoso, sensual y desenvuelto, los cuerpos danzando, agua viva por todo el gran establo de la música que era este *The Club,* blancos y negros, verdes y rojos, azules y amarillos, Elipsio prendido a los coros, a las frases cortas, medidas en dos, a las largas, que se repetían con un ritmo y una melodía de efectos enervantes, extendiéndose en la noche interminablemente, contaminándolo todo, cambiando las imágenes como un poema mayor, repicando a veces como el transiberiano de Cendrars, suave como el viento y los mares de Perse, misterioso como un hotel en Buenaventura de Enrique Molina.

Marty había ido rato atrás por un par de cervezas y al parecer la masa se lo devoró sin misericordia. Elipsio permanecía adherido a su asiento al lado de la pareja amable y distinguida. El esposo no quería bailar, ella insistiéndole, danzando en su puesto con sus hombros, su cabeza, sus caderas, y el hombre dijo que por qué no bailaba con Elipsio, él está bien joven como tú, riendo, y ella saliendo a bailar, Elipsio detrás, y no alejaron más que unos metros al lado de la mesa, en un pequeño espacio, otros se unieron, dándole al piso de cemento a los saltos, los balanceos, las vueltas torcidas y retorcidas que la música les pedía.

No fue muy difícil para Elipsio empezar a sentirse muy bien y cercano al grupo que se había formado en la mesa y pronto estaban intercambiando invitaciones a bebidas, cigarrillos, y entre los cortos intermedios el diálogo fue por las montañas de Colombia, las curvaturas insólitas del *jazz,* los valles del Mississippi, Chicago de nuevo, presente, Chano Pozo, Santana, Mongo Santamaría, los mambos que rico el mambo, y todos reían. Pasadas las dos de la mañana Elipsio empezó a pensar que Marty se había esfumado por completo, y al ir a dar una vuelta por el despatarrado bar ya no vio a ninguno de los contertulios de *Ratzos,* y ni sombra de Judith o Gretchen, "la despelucadita maricona". A esa hora la orquesta terminaba de tocar pero la charla en su mesa de tres parejas seguía sin parar gracias al fervor de los whiskies. La señora amiga, compañera de baile, le dijo en un momento, aparte, que quería pedirle un favor. Elipsio se sorprendió un poco.

—No es nada para mí, es para estos amigos acá —dijo señalando a una de las parejas al otro lado de la mesa.

Elipsio dijo que sí, por supuesto, qué se les ofrece, y los dos se acercaron, sentándose a su lado.

—Mi nombre es Marquetta, mucho gusto —dijo la mujer—. Mi esposo se llama Carmel.

Elipsio les apretó las manos, dijo su nombre, y se maravilló de que no lo encontraran improbable. Eso se lo dejaba a sus buenos amigos latinoamericanos.

—Se trata de nuestro hijo —dijo el hombre, y todos prestaron atención, en grave silencio—. A él lo mataron hace un par de meses en Vietnam.

Marquetta, adornada con su vestido largo de fiesta de fin de semana, sacó un pañuelo para secarse las lágrimas.

—Lo siento —dijo Elipsio.

—Gracias —dijo el hombre—. Su mejor amigo, usted sabe, era un joven puertorriqueño, y este joven, que todavía está allá, nos ha escrito una carta larga sobre nuestro hijo, pero la carta está en español y nosotros no conocemos a nadie que nos la pueda traducir, ¿entiende? Nosotros le pagamos, no hay problema, si usted nos la traduce, es decir, sólo es leerla para nosotros.

—No. No tienen que pagarme nada. Lo hago con mucho gusto. ¿Dónde está la carta, la tienen aquí?

—No. Ese es el problema ahora. Usted tendría que venir a nuestra casa, no es muy lejos.

—Pero estoy lejos de mi casa y parece que los amigos con los que vine ya se fueron.

—Nosotros lo llevamos a su casa, no se preocupe. Yo tengo un carro aquí afuera, ¿sabe? Allí se toma otro whisky con nosotros y nos hace ese favor que le agradezco.

La casa de Carmel y Marquetta estaba cerca del Regal Theater, un poco arriba de la calle 47, en el Grand Boulevard. Era una casa clase media, cómoda aunque pequeña.

—Era nuestro único hijo, Bobby —dijo ella, mostrándole una fotografía de los tres, el lago y la ciudad al fondo.

Nunca había sentido Elipsio la guerra de cerca, siempre insensible a toda esa matazón, pero ahora la veía clarita avecinándose con sus buitres y alimañas ponzoñosas. Carmel le sirvió un generoso *bourbon* en hielo y otro para él, seco. La carta en la mano.

Elipsio la leyó completa, en silencio, para hacerse una idea general, pero tuvo que contenerse porque las manos le empezaban a temblar. Un poco más de whisky y empezó a traducirla con el mejor acento, lentamente, pasando los escollos del dolor a trago fuerte. Era una carta simple pero luego de una larga introducción describiendo la amistad entre los dos, las campañas juntos por ríos y selvas infestadas de *commies* y napalm, empezó las más lacerante descripción que Elipsio pudiera imaginar, y en inglés, peor, las cosas le sonaban con más fuerza, de la patrulla que les tocó hacer la cual terminó con la muerte a su lado, del hijo de Carmel y Marquetta. Detalle por detalle las palabras del puertorriqueño caían como la sangre del muchacho y se regaban por la mesa, por el cuarto. Elipsio trastrabillaba a veces tratando de saltarse un pedazo, una descripción, pero le era imposible. Una fuerza poderosa lo arrastraba a él también a esos huecos del dolor sin límites.

Al terminar la carta los tres se quedaron en silencio. Ella la cerró de nuevo y la apretó contra el pecho. Elipsio, tal vez sin corazas ni defensas por el efecto de los tragos y de las palabras, les apretó las manos a los dos y formó una rueda, un círculo, orando los tres en el silencio por el muchacho ido a los 19 años, este próximo mes de febrero, acuario como su papá.

Luego de un rato Carmel dijo que si quería lo llevaba ya a casa, pero Marquetta dijo que mejor se tomaban un café fuerte, por la bebida, pero si usted quiere otro whisky ya mismo se lo sirvo, le dijo a Elipsio. Pronto la historia de la vida de ellos en Chicago empezó a salir entre los recuerdos y la tristeza. La llegada pobres a Memphis primero, ella de Alabama, él de Mississippi, se conocieron en la estación del ferrocarril, Illinois Central Station, 1948, se casaron a los tres años, y yo ahora tengo una ferretería aquí en la 43.

—¿Qué hace usted en Chicago, si le puedo preguntar? —dijo Marquetta.

Y Elipsio se los dijo todo. Con pelos y señales. Por primera vez habló, sin miedo ni tapujos, de su

niñez, de sus padres, de su hermano, de su vida
de escritor, de la cárcel, Cali, las calles, y les dijo
todo de Lamia, de la búsqueda por la ciudad, de
los tropiezos encontrados, y nada dejó fuera de
ese confesionario que era la cocina veritas de esta
pareja desolada.

—Yo no creo que ella pueda estar en los "Robert
Taylor" —dijo Carmel luego de oírlo muy atentamente, interesado—. Ese es un sitio bien peligroso ahora. Allí no entra un blanco, nunca. Es el nido de los
Disciples y de los *Vice Lords*. Gente muy difícil. Bala
se dan todos los días. Es gente de las drogas.

—¿Y los *Black Panthers?*

—Poco. Después que les mataron esa gente acá
en Chicago hace unos años, usted sabe, y luego les
mandaron otros a la cárcel, ya poco queda de ellos.
Ahora son más bien pacíficos.

—Pero ella está conectada con gente de la política
acá, en el lado sur. Eso lo sé de todos sus conocidos.

—No crea mucho lo que la gente dice en estas
cosas. Estos son tiempos muy difíciles. Nosotros,
cuando nuestro hijo se metió con el ejército hasta
estuvimos contentos porque lo sacábamos de una
gente por estos lados —dijo Marquetta, y agregó—: Mire, nosotros no conocemos a nadie allí,
tal vez uno que otro pero no tenemos amigos, pero
sí podemos preguntar a ver si alguien ha oído algo,
¿entiende?

—Gracias —dijo Elipsio—. Se lo agradezco mucho.

—No hay de qué —dijo el hombre—. Usted ha
sido muy amable con nosotros. Se lo debemos.

Hagamos una cosa. Si usted se viene a mi negocito este próximo sábado, en una semana, a lo mejor ya sabemos algo si es que ella está por esos lados, en los "Robert Taylor". Déjeme bien escrito y clarito el nombre de ella, y dígame bien cómo es, todo eso.

En el camino a North Sheffield, a la madrugada, Carmel hablaba de su padre (*uncle* le decían los blancos y a nosotros *boys,* nunca éramos "hombres"), el algodón pegado a las manos, el pañuelo en la cabeza de las mujeres, las canciones de trabajo en la plantación, la casa grande llena de blancos déspotas y miserables, los dientes cariados de su padre riendo, tocando la armónica al lado del río.

—Usted sabe una cosa, mi amigo, yo odio a Mississippi. No puedo remediarlo. Lo odio —concluyó Carmel con las manos aferradas al volante.

Taima, acurrucada a su lado, levantó la cabeza siguiendo con ojo fino el vuelo de las moscas verdes pegadas a la ventana. "Voy a tirar esos malditos hongos al carajo", se dijo en el mal dormir de los ruidos y las presencias, mientras arrastraba mantas y abrigos hasta el teléfono. Un frío horrible se metía de nuevo por los intersticios de las puertas y ventanas. Era Sheng y era domingo, día de fiesta, ella se lo recordó.

—No me invitaste a ir a *The Club* —dijo ella con voz suavemente recriminatoria.

—No es sitio para ti, me lo advirtió Livio, yo no lo conocía. La verdad que puede ser peligroso.

—¿Nos podemos ver hoy? Tengo libre —dijo ella.

—Claro, claro. Dime a qué hora pasas.

—Te invito a almorzar al barrio chino, a eso de las dos, pero yo pago, ¿entiendes?

—Bien, te espero desde ya. Apenas me baño.

Era la primera vez que Sheng iba a entrar en su apartamento. Como pudo le metió un poco de orden al desastre de mugre, ropa tirada, platos sucios y malos olores que era difícil ventilar. Con esfuerzo sacó la matera pesada de los hongos apestosos bajo la mesa y la puso en el balconcito trasero, que nunca usaba. Era un pequeño porche de madera, negro de hollín, descanso para la escalera de incendios y sitio para ver el paisaje. Desde allí, estirando las manos, casi se podían tocar las barandas y los andamios de la estación del tren. El frío afuera era inaguantable, en camisa como estaba. Sin embargo, dejó la puerta abierta unos minutos largos para airear la cocina, su alcoba. Por suerte, y tal vez a causa del frío y la puerta abierta, las moscas desaparecieron. Taima salió disparada hacia la sala.

Sheng sonrió al verlo y se dejó besar rápidamente en la boca, pero no se quitó el abrigo ni los guantes.

—Hace frío aquí —dijo, caminando hacia la sala.

—Parece que la calefacción no anda bien. Tengo que hablar con el dueño.

—¿Estás listo? Los restaurantes los abren hasta las 3 y a veces hay cola.

Dieron una vuelta por el apartamento, ella mirándolo todo con sus ojos limpios, de enfermera, la pulcritud oblicua eran. No dijo nada, sólo comentó que estaba barato por ese precio, y bien localizado.

De nuevo en la sala Elipsio le dejó un fólder con sus artículos sobre Chicago, publicados, y fue a ponerse un suéter y abrigo.

—Se ven muy interesantes tus trabajos. Lástima que yo no pueda leerlos. ¿Sobre qué escribes ahora?

—Creo que te dije que estoy haciendo un reportaje extenso sobre los mataderos, Union Stock Yard, Back of the Yards, Bridgeport.

—Tú le estás dando la vuelta a Chicago con tus trabajos —dijo ella.

—De eso se trata —dijo él.

—¿Escribirás algo sobre los chinos?

—No. Pero sí escribiría un poema para ti.

—Pobres los chinos, se quedarán sin su artículo, pero es un honor para mí, gracias.

—Nada de eso. Es simplemente que me estoy enamorando de ti, en serio.

Ella reía, sin decir nada.

El restaurante que había escogido, *Lee's Canton Cafe*, no tenía ni por asomo la vistosidad de los clásicos restaurantes chinos. Estaba sí en la calle South Wentworth, muy cerca del espectacular edificio de la Cámara de Comercio del barrio chino. Luego de esperar pacientes que una familia completa terminara de abrir y leer y descifrar las galleticas de la suerte, Elipsio y Sheng se sentaron en una mesa con mantel de plástico, flores de lo mismo y un menú bien surtido, inentendible.

—A mi padre le gustaba mucho este restaurante. La comida es muy buena —dijo ella.

—Uno se hace la idea de que todo restaurante chino, para ser bueno, tiene que ser una copia de un palacio de la Ciudad Prohibida. Este parece más para perros calientes.

—No está para los turistas sino para la comunidad. La comida es muy auténtica, diferente. Aquí vienen los de la Sociedad de Amigos de China, a la que pertenecía mi papá.

—La familia es muy importante para ustedes, ¿cierto? Pero nunca hablas mucho de la tuya.

—Todos están en China, excepto la de mi mamá, algunos viven en Pittsburgh y en San Francisco. También en Taiwan.

—Tú no estás muy ligada a tu gente aquí, así parece.

—Mi padre era muy huraño. Tenía estos amigos que te digo pero nos mantenía muy alejadas de todo. La sociedad china está dominada por los hombres. Poco cuentan las mujeres.

—No le vendría mal una dosis de liberación femenina —dijo Elipsio, levantando un poco la voz, provocativo.

—Ni lo pienses —dijo ella riendo.

A pedido de Elipsio ella decidió por la comida.

—Vamos a compartir dos platos de primera —dijo, sin mirar la carta—. Dragón triple, que es una mezcla de puerco asado, pollo y langosta con hongos y vegetales, y otro plato de lucio amarillo con jengibre, al vapor. Es un pescado.

—No lo conozco.

—Es un pez de estas zonas, de río. Ya lo verás. Es largo y aplanado, con unos dientes filosos. Feo pero delicioso. Mi padre lo pescaba en el Canadá, en el verano.

Si el amor entra y se queda en el estómago, vivo con esta chinita toda mi vida, pensaba Elipsio a cada bocado. Era imposible saber por qué la salsa, las algas, las carnes, los vegetales, habían adquirido una majestuosidad antigua, milenaria. Y así se lo dijo a ella.

—La comida de ustedes es bastante simple, pero muy buena —anotó ella.

—Lo crudo y lo cocido. En el Valle del Cauca, donde está mi ciudad, lo que comemos es comida de esclavos. Todo lo que le puedes echar a la olla. No hay nada sofisticado —dijo él.

Ella insistió en pagar y en llevarse las sobras en cajitas de cartón. "Las palabras sobre la almohada pueden perderse una vez, pero no dos", sentenciaba la galleta de la suerte de él. La de ella, era extensa y extraña: "No soy quien nació antes de mí, ni quien nacerá después. Tampoco soy el que vive ahora. No vale la pena preocuparse por esto". Ella las guardó juntas en su bolsa, sin comentarios.

En la calle Cermak fueron caminando hasta el pequeño edificio, de armazón reticulado, de la Sociedad de Amigos de China donde su padre se reunía con sus amigos. Era un sitio pequeño, polvoso, atiborrado de libros en formato grande y periódicos. Unos cuantos afiches y cuadros de hombres adustos, con trajes tradicionales. Sheng habló por un momento con dos hombres que salieron de sus espejuelos y del silencio de sus libros. Cargaban un buen cerro de años chinos a sus espaldas, haciendo venias y sonriendo por entre huecos de dientes.

Las palabras sonaban como piedras en un río lleno de peces, carpas de oro, negras, ojos saltones, cola ancha. Sólo imágenes para interpretar libremente, sin significados.

—Aquí conocí de niña a Lin Yutang, el del libro que te regalé, ¿te acuerdas? —dijo ella.

—Te tengo que confesar que nosotros, de muchachos, en mi ciudad, lo odiábamos a Lin Yutang, aunque me gustan mucho las traducciones que me regalaste, bellísimas. Tal vez no lo queríamos por ser tan confuciano y profesoral —dijo Elipsio, recordando que uno de los libros de éste fue incluido en la quema de libros que hicieron una vez los "camisarroja" en el Parque La María de Cali.

—¿Cierto? Era un buen hombre. Los chinos somos todos muy confucianos.

—Nosotros éramos más taoístas, amigos de Lao-tsé.

—¿Por qué será eso, Lao-tsé?

—Tal vez porque no somos chinos, pero la verdad es que no es tan serio, tan formal como Confucio, es más despistado, loco, si quieres, un poco como Zhuangzi.

—A ustedes los colombianos les gusta poner las cosas patas arriba todo el tiempo. Livio es un buen ejemplo.

—Yo soy una persona formal y seria —dijo Elipsio, arreglándose el cuello de la camisa.

—Tú eres un gran mentiroso —dijo ella, riendo de nuevo.

De regreso al norte de la ciudad ella tomó la avenida Halsted para ver si Johnny Young todavía andaba por

Maxwell Street a esas horas. Sheng se había hecho amiga y aficionada de Johnny, comprando sus discos y charlando con él en *Ratzos* los fines de semana. Mala suerte hoy, Johnny no estaba por ningún lado. El mercado, sucio y maravilloso, estaba cerrando, y sólo una mujer con voz entre risas, llanto y evangelios, cantaba ayudada por un par de guitarras y un bajo. Caminaron por entre los desperdicios, esquivando los borrachos que salían de los hormigueros como bares y de las madrigueras como portones y callejones llenos de botellas de licor barato. El frío de la tarde les sacaba a éstos bocanadas de fuego, las manos en los bolsillos, el sombrero calado. La mujer cantaba contra la calle semivacía y su voz se perdía por los rieles del ferrocarril a la distancia. Elipsio le puso un billete de 5 dólares en el gorro sucio que pasaban.

—Por lo menos eso le dará un instante de felicidad —dijo.

—Y eres tú el que dice no creer en Confucio —dijo ella.

—¿Conoces un buen sitio para tomar café? —preguntó él.

—Sí. Es una cafetería vienesa en North Clark. Tienen el mejor café y pasteles de crema deliciosos. Sólo que los austriacos no me gustan mucho. Se parecen a los japoneses.

—Nunca lo había pensado, ¿cómo así?

—Son fascistas todos. No tienen humildad, puro orgullo de raza. Sólo dan vueltas en sí mismos.

—Eso casi nos pasa a todos, ¿no crees? Digo lo de dar vueltas en nosotros mismos.

—Sí, pero nos salimos en un momento. Vemos a los otros. Ellos no. No pueden ver el ombligo sucio que tienen.

El café por cierto era maravilloso, los pasteles exquisitos y las señoras empolvadas olían a Strauss. *Kaffee mit Schlasahne*. Elipsio, gracias a su atuendo y a su pelo descuidado, se sentía como un "roto" chileno en fiesta de "pitucos" peruanos y "tilingas" argentinas. Sheng, con su belleza oriental y su elegancia simple, bien cuidada, le daba en la misma madre a todas las embalsamadas y pintarrajeados que estaban muriéndose de Venecia esa tarde en Chicago.

—Le he puesto música a otro poema de Po-Chu-I, ¿quieres leerlo? Aquí lo tengo —dijo ella buscando algo en la cartera.

—No. Prefiero oírtelo cantar. Te gusta mucho ese poeta.

—Sí. Era el favorito de mi padre. De niña me enseñaba chino leyendo sus poemas. Un poco absurdo porque es un chino antiguo, poco usado, culto. Pero los poemas son hermosos.

—Tú hablas siempre de tu padre y nunca de tu madre —dijo Elipsio, inquisitivo.

—Cierto —dijo ella—. Pero en nuestra cultura las mujeres son seres privados, los hombres son públicos. Una aprende cierto silencio.

—Tu cultura china es maravillosa. Nosotros somos un desastre. A veces siento envidia de una cultura antigua, donde todas las cosas tienen un sitio.

—Tú y Livio siempre están hablando mal de Colombia, y hasta lo gozan. Eso es extraño para mí.

—Nunca aprendimos a querernos, eso es cierto. Nos queremos en grupitos familiares, de amigos, cofradías, pero como nación, como cultura, no mucho. Y no hables de América Latina, esa es una idea de intelectuales, no existe en la realidad. Desde México hasta Argentina nos odiamos de frontera a frontera.

Ya de nuevo en su Wolkswagen, al empezar la noche, ella manejó en silencio en dirección desconocida para Elipsio. Presentía que lo iba a dejar en su apartamento como las otras noches, pero no. Pronto estuvieron en Lake Shore Drive en dirección norte. El lago iluminando su oscuridad de invierno a la derecha. Elipsio la miraba de reojo y la sentía bien cercana. Su relación con ella había ido dejando colocados como en un perchero muchos recuerdos compartidos, amigos comunes, complicidades simples. Y esto le daba una profundidad, una intimidad mayor a la que sentía por María Esther o Gretchen, no importaba que con Sheng nunca hubiera hecho el amor. Luego de un rato estaban de regreso, el lago ahora a la izquierda, y ella seguía silenciosa hasta que en un momento paró el carro frente a un edificio de apartamentos. Elipsio lo reconoció.

—Aquí vivo yo —dijo ella—. ¿Quieres oír el poema? Lo he cambiado un poco, localizado en Chicago. Así me es más propio.

—Sí —dijo Elipsio, temeroso de agregar una palabra más.

Era un apartamento pequeño, tan limpio como sucio era el de él. Cada objeto, en su unicidad, cobraba una elegancia y un poder estético impresionante.

Algunos muebles, de madera oscura con altorrelieves de plantas y dragones, perdían su acento pesado por la desnudez de las paredes, sólo tocadas por un cuadro grande del poeta Li-po, escribiendo, bebiendo, bajo un árbol. Elipsio dejó sus zapatos en la puerta, siempre temeroso del olor de sus medias.

Luego de servirle un aguardiente fuerte, de olor extraño, llamado *Baitio*, trajo su guitarra y cantó:

En Chicago vivo, extranjero,
la lluvia cae, hora por hora,
la lluvia cae.
Oscuro está el cielo,
y sin dormir, se va mi tiempo,
se va mi tiempo.
Amplio el lago se une al cielo,
las nubes hundidas tocan el agua.
Afuera de mi cuarto
habla el barquero,
al final de la calle
canta el pescador.
Borrascosas velas golpean
las blancas olas.
Frente a mi puerta, el caballo y su coche,
son ahora un río que corre
como la noche simple,
y al final de la calle
canta el pescador.

Elipsio le pidió que la repitiera, y luego la besó, la besó tan hondo como si fuera un pez que ha saltado fuera de la pecera y busca en la boca de ella el agua que le falta. Y allí mismo en la sala, en la alfombra, se fueron dando vueltas de nuevo, como aquella vez en la vieja mansión, perdidos el uno en el cuerpo del otro hasta llegar a la cama de ella, ropas y mantas y sábanas en el aire, sin parar ya un instante, ardidos ardiendo ardientes, ella arqueada con sus senos pequeños contra el cuerpo de él, gritando de placer al sentirse penetrada, y él pidiéndole a los dioses celestes que le permitieran contenerse, gozarla y gozarse hasta que se acabara la historia.

—¿Tienes preservativos? —le preguntó él, sacando voz de un adentro jadeante, casi inefable.

—Sí —dijo ella, con la luna por ojos—, empecé de nuevo con las pastillas esta mañana.

—El juicio a mi hermano es en un par de semanas —dijo Yolanda.

Lo esperaba en *El Burro,* el bar roñoso de Pilsen. El olor a humedad, escape de gas, humo y licor viejo, reventaba pobreza por todos lados. Yolanda estaba en el bar, tomando una gaseosa, mientras el barman limpiaba vasos y ordenaba botellas.

—¿Sabés algo de Lamia? —preguntó Elipsio.

—Sí –dijo, lacónica–. Creo que hemos encontrado el sitio donde está ahora. Vamos a ir ahora a buscarla y queremos que nos acompañes.

Luego de las advertencias de María Esther y de Marty, Elipsio sentía gran desconfianza y mucho temor por esta gente.

—No sé para qué me necesitan —dijo.

—Tú nos puedes ayudar a mediar en el problema. Necesitamos que ella se presente al juicio. Es la única que puede salvar a Joselito, a menos que se suspenda el juicio. Por otro lado, tú la quieres, ¿verdad? No buscas que le pase nada malo, y si estás allí cuando la encontremos entonces todo es mejor para ella.

Era una lógica cuyas tablas de verdad estaban corroídas por los gorgojos. Sin embargo, Elipsio entendió al fondo de las antítesis que lo que Yolanda buscaba era tal vez proteger a Lamia de algo peligroso en el encuentro con la gente del "mono" González.

Era un edificio cerca de la intersección de las avenidas North y Milwaukee, frente a los baños turcos. Jesús y José y otro hombre de cuerpo enorme, que nadie le presentó a Elipsio, quedaron esperando en un automóvil mientras Yolanda y él hacían sonar el timbre. Esperaron respuesta, pacientes, pero nada. Luego de unos minutos Jesús y el hombre enorme se acercaron a ellos. Sin decir palabra timbraron furiosamente. Ninguna respuesta. Entonces el gigante dijo:

—De aquí no ha salido nadie hoy. Segurito.

Jesús no necesitó más que un ligero golpe de la ganzúa para abrir la puerta. Estaban armados, Elipsio lo podía notar.

Otra puerta medianera y unas gradas alfombradas, desgastadas.

—Es el apartamento 4 —dijo el hombre.

Subieron sin decir palabra. Al llegar a la puerta Yolanda tocó suavemente. Silencio de nuevo. Volvió a tocar. Su cuerpo y el de todos al lado de la puerta, sin dar frente.

—Hijos de la chingada —dijo el gigante en voz baja—. Allí hay gente adentro.

Elipsio, temblando de pánico, vio que el hombre tenía un arma pequeña en la mano, casi un juguete. Jesús volvió a intentar la ganzúa y el pestillo cayó. Sin embargo, algo detenía la puerta, una tranca quizás. Entonces el hombre enorme puso su zapato contra la puerta y de un solo empujón la abrió, sin violencia casi. En un segundo los dos hombres estaban adentro del apartamento con pistolas en las manos. Yolanda sostenía algo con la mano dentro de su cartera. Elipsio, atrás de todos, trataba de contener el tembladeral del cuerpo. Pero el apartamento estaba vacío. Los tres buscaron con ahínco por todos lados, papeles, objetos, muebles, ropa. Nada. Sólo una lista de comida, a mano, con la letra de Lamia, Elipsio la reconoció enseguida, grande. Yolanda también. Entre otras cosas Elipsio leyó pañales y leche, niños, plátanos y café, Colombia. Salieron. Yolanda estaba visiblemente frustrada. Dio un golpe con el pie a la puerta antes de salir.

De regreso a su apartamento Elipsio se abandonó a pasar el susto en un sillón. Un té de yerbabuena lo calmó un poco y Taima en su regazo ronroneaba dejándose acariciar. El teléfono timbró varias veces pero no contestó. Casi quería desaparecer, huir por entre los callejones, salirse del río por sus meandros. Presentía que eran muchos los que también buscaban a Lamia, la policía federal, la gente de Marty, qué carajo, el FBI. Era falsificación de dólares, bombas, terrorismo. Kathleen, quien de las cosas de latinos en Chicago sabía un poco, gracias a la información de heridos y muertos en el hospital, lo mantenía informado. No demoraba en llegar la policía a su puerta. ¡Maldita sea! Ningún escape. Sheng podía ir a la cárcel, Livio, "el Iluminado". Él, el culpable de que gente inocente fuera a la cárcel, como Lamia en Cali, sus vidas en ruinas. El arruina-vidas, el apestado.

Por suerte para él, Sheng le dijo al día siguiente, mientras caminaban por la desolación invernal del Navy Pier, el lago encrespado al fondo, que iba a Pittsburgh por más de una semana con su madre, visita familiar. La extrañaría, pero en este preciso momento sentía su partida como un golpe de suerte. Luego de los avatares de Chicago, de los encantos de otro mundo que le presentaba Sheng, sus sentimientos por Lamia estaban trabados en un deseo de encontrarla para remediar culpas, en un amor por lo perdido, pero ya no era amor loco, belleza convulsiva lo que lo atraía. Eso iba en camino a Sheng, quien con sólo voltear sus ojos oblicuos le despertaba las más osadas metáforas de deseo y pasión. Hacer el amor con ella no fue un fin sino comienzo de una relación que rotaba de la ternura y delicadeza extremas a los altares de las altas fantasías, perversiones, ritos extraños y sagrados. Casi todo en su imaginación, por cierto, pero real allí en el acto de amor. De la veneración a la unión de contrarios, escape del laberinto, encuentro del hilo, de la puerta que es única, verdadera.

No era fácil pensar comunicarle a Sheng sus pensamientos sin arriesgar incomodarla, sin acelerar los pasos de su relación con ella, ya de sí lentos, y tropezar. Nada le daba más miedo ahora que destruir de un solo guarapazo esta relación tan cuidadosamente trabajada, tan esperada, por ella especialmente. Debatía en su interior si contarle o no lo de Lamia. La respuesta negativa que se daba era producto del miedo que tenía de que ella nunca entendiera esto, que lo mirara con ojos de desconfianza y recelo, el gran estafador, el mentiroso que acechaba en sus pensamientos. Encontrar a Lamia era más que necesario, perentorio, urgente, para contrarrestar las fuerzas negativas que su búsqueda generaba. Debía poner distancia con Gretchen, con María Esther. Ojalá no volvieran a asomarse nunca más en su vida. ¿Y si Lamia todavía lo amaba con locura, lo necesitaba, le pedía ayuda? No era bueno que la vida diera tantas vueltas de canela, pero esa bien podría ser la realidad, y a él le quedaría en la balanza el huir con Lamia de Chicago, saltar por la borda con ella, o simplemente encontrarla para ahí mismo abandonarla, tomar el camino opuesto.

La ferretería de Carmel, en la 43, estaba al pasar un inmenso mural de pinturas y fotografías empastadas celebrando la lucha por el poder negro, la belleza negra, y el rechazo a la opresión, al horror de la vida en guerra contra el enemigo blanco, escurridizo, taimado, puritano, cristiano amante del buen oprimir, explotar. El brazo en alto con el puño apretado, ese guernicar con la crudeza del muralismo mexicano, fue la nota sobresaliente que Elipsio se llevó mientras buscaba el número correcto. Este arte no le interesaba en lo más mínimo, pero el alarido de violencia que de ahí se desprendía lo impresionó sobremanera.

Era una ferretería atiborrada de miles de objetos de todo uso mecánico como si fueran palabras en la obra completa de John Dos Passos. Uno podía imaginarse el monstruoso aparato que pondrían en movimiento en caso de amalgamarse en un solo mecano. Carmel le dijo de esperarlo en una pequeña oficina al fondo. No había terminado de fumar el cigarrillo que prendió al entrar cuando Carmel regresó y le dijo que se pusiera la chaqueta de nuevo porque iban a salir.

El ruidaje de radios transistores y de carros y amplificadores de las tiendas de tocadiscos, incrementados por los gritos, risas, conversaciones, palabras tiradas al tropel de la calle, desbocadas, era casi tan insoportable para Elipsio como el resultado de una alocada composición de música electrónica. Y este ruido que salía de almacenes de todo tipo, de barberías y bares, de ventas de chucherías en los andenes y de utensilios de increible uso y abuso, iba a parar como un insecto enorme sobre las ventas de comida, mercados de tripa, menudo de cerdo, intestinos, patas de vaca, coyunturas, cangrejos, bagres, coles, repollos, los cuales edificaban una felicidad y risa de contento entre la gente negra para así domesticar con festones la pobreza, la miseria, y transformarlas en un goce de uso propio, doméstico.

Carmel sostenía a Elipsio del brazo, haciendo de guía y protector a la vez. Varias cuadras al oeste caminaron, y luego de cruzar Martin Luther King Drive, el Gran Boulevard, se metieron por un entrevero de callejones por debajo del El hasta detenerse en una especie de galpón o establo semiderruido, el cual llevaba un letrero cayéndose por una de sus puntas, *"Templo de la Esperanza"*, decía. Elipsio, quien siempre confiaba en las palabras, sintió en la premonición del azar buenos augurios.

—Vamos a esperar aquí al reverendo Clarence Logan, el pastor —dijo Carmel mientras se sentaban en un escaño devorado no sólo por el tiempo sino por la eternidad de la pobreza.

El pastor tardó en llegar, lo cual Carmel aprovechó tal vez para orar por su hijo porque no apartó los ojos de la sola cruz en el altar. Elipsio se entretuvo viendo el polvo danzar dentro de los rayos de sol que se colaban por los vidrios rotos en los vitrales a lo alto. Pensaba entonces en su infancia y en las fascinantes horas en esta contemplación del universo de polvo en movimiento: planetas, lunas, soles, satélites, meteoritos.

El reverendo Logan fue escueto, al grano. Elipsio podía encontrar una respuesta si regresaba al día siguiente, domingo, al servicio religioso, y se sentaba en una banca al fondo, solo; dentro del libro de himnos enfrente de su asiento encontraría instrucciones a seguir. Eso era todo lo que él podía hacer, y que Dios lo perdone si nos está engañando y todo esto viene para hacerle mal a alguien, o que lo favorezca siempre si es verdad lo que dice.

Carmel lo invitó a almorzar en un restaurante con olor a col fuerte con carne de cerdo, salsa para barbacoa y frituras de todo tipo. Estaba muy silencioso, pero de pronto dijo, en voz baja y lenta, tratando de que Elipsio lo entendiera bien:

—Yo quiero que tú comprendas que esto lo hago por la memoria de mi hijo, que mi mujer y yo nada tenemos que ver con estas organizaciones, lo mismo el reverendo Logan. Tú sabes que los negros desconfiamos mucho de los latinos, que no nos quieren para nada, y que todo lo que viene de afuera es peligroso para nosotros, dañino. Ojalá tu presencia no traiga más dolor a nuestra casa. Yo me estoy arriesgando mucho en todo esto.

—Usted es una magnífica persona, Carmel, y le agradezco mucho lo que hace por mí. Usted no tenía que hacerlo. Puede estar seguro de que lo que le digo es verdad y que yo no tengo ninguna intención de hacerle daño, por lo contrario, si usted cree que hay algo que pueda hacer por usted yo estoy dispuesto a hacerlo, no lo dude.

Luego hablaron de *blues* y Carmel lo invitó a venir con ellos al Regal Theater, el santuario de la fiesta negra en la calle 47 y Martin Luther King Drive, donde podía oír a Aretha Franklin o a B. B. King, "*Home sweet Chicago*". Todo el mundo participaba en el *blues* allí, cantando, orando.

A la mañana siguiente Elipsio, endomingado con una corbata extraída del vestuario del "Iluminado" y peinado lo mejor posible, se plantó en las puertas del *Templo de la Esperanza* en la calle Calumet. Llegar fue fácil pero inquietante dadas las miradas frías, enconadas, de los habitantes de esas barriadas negras. Afortunadamente la mayoría de la gente se aprestaba a ir a los servicios religiosos, a trabajar, y los pendencieros o facinerosos de las bandas juveniles o de delincuentes dormían el carnaval orgiástico de la noche anterior. Sin embargo, esa fría desconfianza que los negros sentían por todo y por todos lo marcaba, preciso, como si alguien lo hubiese subrayado en la página del libro de ese día.

Las voces dentro del tabernáculo, cantando el Evangelio, los himnos, predicando, oscilando entre la súplica, el dolor, el llanto y el gozo, lo conmovían por su belleza estética, por el solo desgarrador de una voz implorando a un cielo extraño y distante la posibilidad de un mundo donde lo humano negro, tan negado, estuviera protegido por lo divino, y en el corazón de algunos, gritando, un mundo donde los blancos desaparecieran para siempre: el paraíso terrenal negro, limpio de carapálidas.

El templo, con sus feligreses, no mejoraba su condición en ruinas a pesar de la presencia de los cuerpos negros sobre la elegancia sureña, faulkneriana, de los vestidos, las flores en la mesa como altar. Elipsio se acercó a la banca designada por el pastor Logan, quien ahora presidía los cantos y los brazos en alto de hombres y mujeres. La banca estaba ocupada por un hombre joven, de lentes oscuros, de ciego. Cuando Elipsio llegó a su lado el hombre se marchó, dejando el libro de himnos que tenía en las manos en un pequeño estante frente a su asiento.

Elipsio, bastante nervioso, tomó su puesto, luego de esperar un momento, y levantó el libro y lo hojeó como buscando el himno correspondiente. Un papel con unas palabras a máquina y una dirección estaba entre las páginas. Lo puso en su bolsillo.

Ahora era una mujer, en el estilo de Mahalia Jackson, la que cantaba los salmos con voz hermosa y conmovedora. Un mar revuelto en la cabeza de Elipsio combinaba la presencia de Lamia, que sentía inminente, con las oraciones a voz en cuello de la mujer y las respuestas a coro de la audiencia, gritando, suplicando, chillando, orando a un dios otro, venido del desierto y las espinas, de rostro blanco, salvador.

Ya en el El, de regreso al Loop, leyó el papel: "Chase Park, North Clark y Leland, 4 p. m., libro en la mano. Esperar". Era molesto no saber con claridad qué día, pero supuso que era ese mismo domingo. El mapa indicaba un pequeño parque en el norte de la ciudad, lo cual lo tranquilizó un poco. Era un territorio más pacífico que los "Robert Taylor Homes", obviamente.

Decidió no regresar a su apartamento sino esperar en el centro de la ciudad, en las inmediaciones del Loop, aprovechando un tímido sol de mediodía y que el frío amainaba entre los rascacielos. Un poco de nieve, caída en la mañana, le daba un toque blanco a los árboles desnudos, a los buzones de correo y de periódicos, a los postes curvados de la luz. Encontró abierta la misma cafetería en North Clark donde se entrevistó con Yolanda y sus secuaces antes de ir a ver al "Mono". Al frente, la imagen de Cristo crucificado era hoy más imponente, dada la soledad del domingo, quizás. Alguien había abandonado algunas secciones de la edición dominical del *Chicago Herald Tribune*. Entre las noticias de Vietnam, cada vez más desoladoras y crueles, las "maldades" contra la pobrecita ITT de Allende y los comunistas en Chile, vía Kissinger, todavía se debatía editorialmente la matanza en la prisión de Attica, New York. "A los negros los están friendo hace ya siglos y no lo van a dejar de hacer porque a Martin Luther King le dio por decir que tenía un sueño y a Kennedy se le movió el costado católico y apostólico", pensaba mientras iba desgranando los sofismas y estadísticas típicas de la falaz retórica norteamericana. Podía, tal vez, seguir completando su mosaico de artículos chicagoenses con uno sobre los negros, utilizando de fondo los escritos de Richard Wright, *The native son*, y el evangelio del racismo según Johnny Young y Carmel y su mujer. Casi terminado su reporte sobre Union Stock Yard y Upton Sinclair, era hora de moverse a buscar la "papa" en las calles literarias y controvertidas de la ciudad.

La línea marrón del El, que pasaba frente a su casa en North Sheffield sin parar en la estación, lo dejaría a varias cuadras, calculó, de Chase Park. Huevos fritos, tocineta, papas francesas, café malo y aguado, panecillos con mantequilla y mermelada de fresas, lo dejaron listo para ir a ver qué había en esa otra vuelta de la rueda.

El vecindario de Chase Park, Uptown, y Elipsio se encontró recogiendo los pasos que meses antes había dado para buscar la casa de Carl Sandburg, era una mezcla de viejo esplendor y decadencia feroz, riqueza en la suntuosidad de algunos edificios y pobreza en el rodar de los rostros de inmigrantes recién venidos, ilegales probablemente, escurridizos, temerosos. Buen sitio para camuflarse, desaparecer. Antes de llegar al parque se detuvo en una droguería-almacén en la avenida Lawrence y compró una copia de *The boss*, el libro de Mark Royko.

El parque Chase no era muy grande, más bien pequeño si se lo comparaba con otros parques de la ciudad. No le indicaron dónde esperar, así que decidió caminar a su alrededor, deteniéndose a ratos en una banca a leer y a observar la poca gente que se atrevía a desafiar el frío en un parque. Ya llegaba a la desesperación de las 5 de la tarde, el frío aumentando, cuando una mujer joven, de rostro azteca, se le acercó:

—Si me dice su nombre... —dijo en español.

—Elipsio.

—Hay un poeta colombiano que a usted no le gusta, ¿verdad?

Era una pregunta de Lamia. El corazón le empezó a palpitar fuertemente.

—Guillermo Valencia —dijo sin dudarlo mucho.

—¿Cómo se llama ese señor con quien alguien le dejó una carta?

—El mago Malhechor, en la estación del ferrocarril.

—¿Está seguro de que nadie lo siguió?

Elipsio se estremeció. Instintivamente miró a los lados. No había pensado en eso en todo el día. La gente del "mono" González.

—No. Aunque no sé. Lo siento.

—Nosotros lo venimos siguiendo desde la iglesia —dijo ella.

Salieron del parque y se enrumbaron norte por una vereda al lado de un gran cementerio. Elipsio no se atrevía a preguntar nada. Un temor muy grande lo paralizaba. Ella caminaba rápido, en silencio. Elipsio notó ahora que una pareja, hombre y mujer, los seguían, a la distancia.

—Nos siguen —dijo.

—Sí, no se preocupe —dijo ella.

En una de las calles ella se detuvo de pronto frente a un automóvil y le ordenó entrar rápidamente. Casi en un segundo estuvieron en movimiento. Dieron varias vueltas por el área, no muy lejos, pero Elipsio pronto perdió ubicación. El automóvil se detuvo frente a un edificio de ladrillo, de esos construidos en serie para alojar a los soldados que regresaban luego de la primera guerra mundial. Subieron por gradas al segundo piso. La mujer abrió la puerta de un apartamento al fondo del pasillo. Elipsio vio una sala pequeña, libros en las paredes, cuadros, un televisor.

—Espere un momento —dijo la joven y desapareció.

Elipsio trató de calmar su excitación mirando los libros en los estantes, las pinturas. De pronto sintió que alguien respiraba a sus espaldas.

—Lamia —dijo con voz quebrada.

Pero no era ella. Era Yolanda, la misma.

Elipsio sintió algo pesado, inerte adentro, como si alguien le apuntara un arma directamente, un punzón o el brillo de los puñales en la cárcel. Se dejó caer en un sillón de la pequeña salita y metió la cabeza entre las manos, perdido. Era un cansancio infinito.

—Eres más hábil de lo que yo me imaginé —dijo Yolanda, seca.

—Yo sólo la busco a ella, no estoy detrás de nadie, ¿me entendés? —dijo Elipsio sin sacar las manos de la cabeza.

—Lo sabemos. Lamia también lo sabe. El problema no eres tú sino la gente de mi hermano —dijo Yolanda.

Elipsio se levantó de la silla y la miró profundamente.

—¿Cómo así? —le preguntó.

—Hace rato que tú estás vigilado, y Lamia tiene miedo de meterte en líos si la ves.

—¿Los federales?

—No. La gente de mi hermano. Ellos son los que la buscan.

—¿La gente que te acompaña a vos, Jesús y José?

—Sí. Esos son solamente dos. Hay más. Yo sigo las órdenes de mi hermano.

—No entiendo.

—No es fácil ni vale la pena que te enredes con nosotros. Lamia está pensando si te ve o no. Es algo que no depende de ella. Te llamamos luego para darte una respuesta.

—Tenés que decirme qué es lo que pasa.

—No. Lamia, si te ve, te explicará todo si ella quiere.

—¿Dónde está ella?

—Está fuera de la ciudad pero vendría a verte. Tienes que esperar. Pero no la busques más ni hables con nadie, especialmente no le digas nada a Marty.

Al salir se cercioró de que podría encontrar la manera de volver a ese sitio, unos cuantos detalles a pesar de la oscuridad. Winona era el nombre de la calle. Pidió que lo dejaran en *Ratzos*. El bar estaba un poco vacío y silencioso a esa hora. Bob andaba libre esa noche así que se sentó en una mesa y pidió algo de comer. Sopa de miso con las enredaderas correspondientes a la macrobiótica era la orden del día, pero se decidió por espaguetis con bolas de carne y Tabasco. Antes de comer llamó a Livio. No estaba. Kathleen quería hablar de Sheng, decirle, como si él no lo supiera, que era una muchacha maravillosa, que se portara bien con ella, que dejara ese cinismo tan colombiano, que una vez en una relación Sheng era una mujer muy firme, si se iba a quedar en Chicago a lo mejor podía trabajar con Livio, "¿robando plantas en los parques?", pensó él pero dijo a todo que sí, yo la amo también, nunca le haré daño, no te hagas problema, me caso con ella mañana mismo, Kathleen reía.

Los días de espera se iban lentos como las moscas en la mañana o los pasos de Taima por el entarimado.

Las cucarachas habían desaparecido y la gata empezaba a mirar con interés el vuelo de las horribles moscas. Elipsio terminó el trabajo, en dos partes extensas, sobre los mataderos y su literatura, y lo envió a Caracas con fotos y recortes de periódicos. Salir al correo y a comprar comida fue todo el tiempo que se permitió fuera del apartamento. Esperaba todo el día y la noche al lado del teléfono, el cual timbró pocas veces, la voz de Livio, de verse para ir a *Wise Fools Pub;* por supuesto, de Bob diciéndole que si la temperatura continuaba bajando, hasta unos 20 grados bajo cero, podían ir a caminar una de estas noches por encima del lago, o del "Iluminado" sólo para saber cómo iban las cosas. Por lo demás silencio.

Una creciente depresión lo empezaba a invadir mientras leía las últimas páginas de *The Jungle* cuando recibió una llamada de Sheng, desde Pittsburgh. Fue corta aunque era el canto de los ángeles, celestial. En el océano de sus contradicciones y quebrantos emocionales deseaba casi que Lamia desapareciera, que la llamada fuese para decirle que no lo quería ver más, zape gato. Pero no fue así. Miércoles en la tarde, noche para él porque recién acababa de quedarse dormido, la voz de una mujer al teléfono, sin identificarse, le dio una dirección en el campus de Northwestern University, en Evanston, al norte de la ciudad. Mañana a mediodía.

Cuando se despertó, muy temprano al día siguiente, un sensación de incomodidad y desasosiego lo invadía. Presentía otro fracaso, otra jugada extraña de Yolanda y su gente. Decidió entonces, desafiando el frío y la nieve que empezaba a caer, ir rápidamente hasta la calle Winona y buscar el edificio donde lo llevaron el domingo. Allí tenía que haber algo más.

Cambió de tren en Fullerton y se bajó en la estación de West Argyle. Caminó hasta Winona protegiéndose con la bufanda y empezó a revisar edificio tras edificio, implorando a su memoria que le devolviera el rastro conocido. Tuvo suerte y pudo reconocer una pequeña fuente de comida y agua para los pájaros. Esa era la ruta de la otra noche. A ese lado de la calle. De pronto todo se hizo claro y allí estaba el edificio. Al lado del timbre de los seis apartamentos encontró un solo apellido en español. Timbró en ese. Esperó un poco y volvió a timbrar. Por el vidrio de la puerta vio en las gradas, bajando, a la mujer joven de Chase Park. Al llegar ella a la puerta lo reconoció detrás del vidrio y no le abrió.

—Abrame la puerta, por favor —dijo Elipsio.

—No. Aquí no hay nadie. Yolanda no está.

—Si no me abre la puerta le voy a pasar esta información a la policía —dijo Elipsio en inglés y subiendo la voz.

La mujer se quedó en silencio, dudaba.

—O me abre o llamo a la policía y digo que aquí hay gente ilegal. Ustedes no me importan para nada, ¡hijos de puta! —repitió Elipsio, amenazante, en español y en inglés, convencido de la verdad de sus palabras por su ira.

La muchacha, atemorizada, abrió la puerta.

—Le dije que aquí no hay nadie, no haga ruido por favor —dijo, suplicante.

—Yo quiero ver eso —dijo Elipsio, empujándola para abrirse paso y subiendo las gradas de a tres en tres.

La muchacha lo siguió, aturdida, tratando de detenerlo agarrándose a las faldas de su chaqueta. Pero no fue difícil para Elipsio arrastrarla hasta la puerta entreabierta del apartamento al fondo. La empujó con fuerza y allí, parada en la pequeña salita, con una niña en los brazos, estaba Lamia, más delgada que antes, pálida, pero bella como siempre.

Elipsio las abrazó a ambas y empezó a llorar, a llorar con grandes explosiones de lágrimas, algo pesado, metálico, fuerte, le salía del pecho mientras las besaba a las dos en la frente, en las mejillas. Y Lamia también lloraba, quedamente, su piel suave, su cabello entre las manos, todo allí presente en el suceder de las calles de Cali, en sus caminatas por el paseo Bolívar, el barrio Centenario, San Antonio, las lomas cerca a El Aguacatal donde hicieron el amor la primera vez, las charlas, las cervezas y el humor cruel de las tertulias en El Nacional, el libro de Michaux, "nosotros dos aún".

La muchacha joven tomó a la niña en sus brazos y Elipsio y Lamia quedaron de frente, mirándose ahora sin decir palabra, invadidos por la consternación, como si pronunciar una palabra pudiera romper todos los vidrios de la realidad y dejarlos a ambos en pleno desierto solitario, al fondo de las ausencias.

—Te he estado buscando —dijo él, casi sin aliento, al cabo de un largo rato.

—Lo sé —dijo ella—. Estás lo mismo, no has cambiado nada.

—Vos estás más delgada y lo mismo de bella.

—Eso es bueno para las mujeres, ¿no es cierto? —su acento paisa, imperdible.

—¿Tu hija? ¿Cómo se llama? —le preguntó Elipsio, pasándole la mano por la cabeza a la niña dormida.

—Trilce, es el nombre que le puso su padre.

—¿Marty?

—Sí —dijo ella.

—¿La conoce?

—No. No sabe ni siquiera si existe, en verdad. Todo es muy difícil y complicado, no me pidas que te lo explique. No es fácil. Ha pasado mucho tiempo.

—¿Estás bien?

—Sí y no. Nos metimos a hacer cosas peligrosas, locuras, y ahora todos estamos arrepentidos pero no hay nada que hacer. Tenemos que sufrir las consecuencias.

—No tienes que contarme nada, si no quieres. Sólo quiero verte, saber que estás allí.

—No te puedes quedar mucho. Yolanda está por llegar.

—Ella me había dado una cita en Evanston, hoy a mediodía. ¿Ibas a ir?

—No. La decisión que se tomó era decirte que yo había desaparecido. Definitivamente. Que leyeras por fin la carta que te dejé, allí te lo decía todo.

—Pero es una carta de varios años, nunca la leí. Quería leerla contigo. Aquí la tengo, en el bolsillo.

—Ya no vale la pena, no tienes que leerla, mejor.

—Me decías que no querías verme más, ¿cierto?

—No vale la pena —repitió ella.

—¿Qué pinta esta Yolanda en todo esto?

—Ella y su hermano me protegen a escondidas de su propia gente. Por eso no querían que te viera. Pero tú les saliste adelante cuando te fuiste al sur y le soltaste todo lo de nosotros a la gente de la *Organización para la cultura negro-americana,* entonces ellos dijeron que tenía que verte de urgencia porque podías hacer mucho daño si andabas por allí hablando con cualquiera, con todo lo que sabías.

—Yo nunca hablé con esta gente, ¿quiénes son?

—Es un grupo que salió de los Black Panthers, amigos nuestros. Son buena gente. Yo estaba escondida por un tiempo en Brownsville, ahí cerca del *Templo de la Esperanza.* El pastor Logan es del grupo, muy amigo mío.

—¿Qué hicieron ustedes?

—Falsificamos dólares y algunos pusieron bombas.

—¿Marty también?

—No. Eso fue antes de que yo me metiera con él. Yo estaba con el "mono".

—¿Vendieron los dólares?

—Sí. Miguel Ángel Espina los compró. Tú sabes quién es.

—Esa es la mafia mexicana.

—Sí. Eso fue un error también. Pero la gente que estaba con nosotros y el "mono" es peor, ¡ave María!

Pero luego te cuento, ahora tienes que irte. Yolanda ya llega. No quiero que te vea.

—¿Le vas a decir que me viste?

—No sé. Creo que no. Todo es muy peligroso. No debes hablar con nadie y no me busques más.

—¿Cuándo te puedo ver de nuevo? ¿Tienes teléfono?

—Déjame el número de tu teléfono, yo te llamo. O te llama Raquel.

—¿Quién es Raquel?

—Ella —dijo Lamia, señalando a la muchacha con la niña en sus brazos—. Perdona que no te la presenté.

—Ya nos conocemos de antes. Pero no te puedo prometer que no te voy a buscar si te desapareces de nuevo.

—Por favor, no lo hagas. Créeme que te llamo.

—Vos siempre fuiste de una sola palabra, te creo. Pero si no me llamás pienso que me necesitás y vuelvo.

Lamia se levantó de la silla, sonriendo tristemente. Realmente estaba delgada, aunque sus senos espléndidos eran los mismos tras la blusa. Elipsio sintió el galope erótico cuando ella lo abrazó y besó para despedirse. De amor no hablaron nada.

El espacio entre dos seres. Lamia al otro lado de los abismos. Desde allá lo miraba. Pero él también sintió un extraño vacío al verla, tenía que reconocerlo, como si el pasado hubiese quedado congelado: un vaso de agua de vidrio en la nevera. Ella no había dado un solo paso en su búsqueda. Era de él todo el esfuerzo para encontrarse. La única explicación podía estar en la carta. Letras grandes. La leerían juntos bajo un arbusto carbonero. Entonces era vacío y rabia, lo que se traducía en dolor.

Esta noche *Ratzos* echaba buenas chispas en la hoguera libre de los ritmos y los encuentros amorosos. Tommy Long había regresado de un salto por los matorrales de Colorado y Kansas y dejaba que su guitarra intentara ruidos nuevos. Elipsio esperaba frente a la cerveza que por dos *quarters* de muestra Bob repetía fielmente, que aparecieran Sheng, desempacada esa tarde de Pittsburgh, y Livio con Kathleen, probablemente Jeannette. Vendrían pronto para ir a *Wise Fools Pub* a oír a Mighty Joe Young. Estaba contento de poder ver a Sheng de nuevo, de sentirla por fin cerca, suya en su risa y en el encanto de su cuerpo, en la poesía a pincel y tinta de sus palabras. Sin embargo, el otro que era su ser atrapado por los trebejos de su vida, todavía se estremecía al mínimo recuerdo de Lamia en su apartamento de la calle Winona. En verdad casi no hablaron nada, fueron unos minutos, más llanto que palabras. Y ahora el silencio. Esperaría un par de días más y si ella no llamaba iba a volver, no importa qué. Nada sacaba claro de este embrollo a no ser que Lamia demostraba tener mucho miedo, incluso de la Yolanda González. Era como una prisionera en ese apartamento. ¿Qué verdad había en todo esto? ¿Era cierto haberla visto? ¿No sería ella el sueño de un sueño en el pasado? Tantos meses de búsqueda y ahora sabía que estaba allí, con número, con calle, y tenía que no buscarla, esperar. Era la tortura de la inacción, del no poder moverse. Dolor y frustración, de nuevo. Obviamente los que la buscaban no lo hacían para que declarara en el juicio del "mono". Debía ser algo más concreto, contante y sonante. Dinero, quizás. Eso era: Lamia y los González se quedaron con el dinero de los billetes falsos. Y Marty, ¿por qué ella no lo había llamado, incluso para decirle de la existencia de su hija? El vacío, eso es, el vacío.

En los ojos risueños de Bob, quien en esos días había descubierto los tigres de Blake, vio que alguien estaba a su lado: era Gretchen. Tenía los ojos rojos, de nuevo.

—¿Quieres jugar ajedrez? —le preguntó ella desde el fondo de una derrota triste, como un caracol tratando de salir de una botella, bocabajo.

—No. Lo siento. Espero a mis amigos. Livio, tú lo conoces.

—No se te ve más por aquí —dijo ella.

—Escribiendo. Hay que ganarse la vida. Y tú, ¿cómo estás?

—No sé. No sé si estoy.

Elipsio empezó a sospechar que estaba alta en drogas, marihuana, algo más que la bebida. El pelo alborotado era el mismo, sin embargo. "Oro triste", como decía Borges.

—¿Dónde estás viviendo?

—En casa de Christian Lowell, ¿lo conoces?

—Claro —dijo Elipsio, sorprendido.

—Otra cerveza.

—¿Y Judith?

—La mandé a la mierda.

—Bien hecho —dijo Elipsio—, allá es donde debe estar.

A sus espaldas, de pronto, Sheng, tapándole los ojos, besándole el cabello.

—¿A que no sabes quién te trajo un regalo de Pittsburgh? —Preguntó con su voz de bambúes y mariposas.

Elipsio la beso, con fuerza y pasión, y por el rabillo del ojo vio que Gretchen se iba del bar con su cerveza y su tablero de ajedrez. Sheng le traía un libro de poemas de William Carlos Williams, y allí ese poema *"Asphodel, that greenny flower"*, el cual él había leído en la revista *El Corno Emplumado*. La besó otra vez, vaporosa con su vestido largo de mil flores.

Livio, por su parte, andaba radiante, celebrando el no-nacimiento próximo de su primogénito. Así se lo dijo a Elipsio en voz baja para que Kathleen no lo oyera:

—Control demográfico, hermano. Ya verá usted si le da por echar más chinitos al mundo, con todos los que hay, pero yo de esa sí me escurro.

Sheng se preocupó un poco porque Bob le dijo que probablemente Johnny Young estaba enfermo, en casa. Nadie sabía de él en los últimos días. No tenía teléfono y tampoco había dejado dirección.

—Marty la sabe, yo fui con él a su casa —dijo Elipsio—. Lo llamo y vamos a verlo.

—Él sufre de la presión y tiene el corazón muy averiado —dijo ella—. Tenemos que ir pronto.

—No es sitio para que vayas tú, puede ser peligroso.

—No importa —dijo ella—. Voy contigo.

Abrazados, besándose a las risas y a los chistes, salieron hacia *Wise Fools*. Elipsio, aunque no la vio, sintió la mirada de gata apaleada de Gretchen desde algún rincón. Livio, por alguna razón de la noche, la había emprendido contra Norman Mailer:

—Su "White Negro" no es sino paja sartreana, ganas de cagar negro sin haber comido morcillas —decía, celebrando como siempre sus salidas a las carcajadas.

Kathleen lo oía amorosa, casi feliz, descargada. Se veía que el susto de estar embarazada había pasado. Nada notaba en ella Elipsio de traiciones y adulterios, los cuales de seguro no eran más que invenciones de Livio, quien se obstinaba en crear realidades sobre la realidad, como si una sola no le fuese suficiente, novelista en el aire del aire. Pero en cuanto a su maledicencia literaria, nadie lo podía refutar porque el Livio Contreras lector, en francés, en inglés, devenía creador, dándole duro y preciso al texto, como un pájaro carpintero a su árbol de turno.

El estallido de las cuerdas de la guitarra de Mighty Joe Young se unía al del bajo y la batería para abrir la noche de Chicago, plena de luces intermitentes, a la magia de la música, a ese *blues* urbano que tenía de todos para todos, picando, repicando sus notas cortas y alargadas, lánguidas o aullantes, de la fiesta al llanto. Nadie como Mighty Joe Young para envolver los dedos de la guitarra al paso de la

música, revolverlos, volverlos seda, y dejarlos suel-
tos para apuntar en dirección a las fuerzas de su
voz por la sala:

Cosas que yo hacía y que no haré no más.
Cosas que yo hacía y que no haré no más.
Me sentaba contigo, de la mano, mi amor.
Y ahora lloro porque no estás en casa no más.
Te busqué toda la noche, nena, toda la noche
y mi búsqueda fue en vano.

Y eran las cosas que él ya no haría con Lamia las
que lo enredaban en el dolor de esa letra tan senci-
lla, tan directa a los sentidos del animal herido que
Elipsio era hoy. Perdida ella aunque encontrada. Por
otra parte, entre Lamia y Sheng se abría un abismo y
al solo recuerdo de la voz de Lamia un amor viejo,
residual, le saltaba con resortes por todo el cuerpo.
Imposible olvidarla, pensaba esta noche de verda-
des, abrazado a Sheng, amándola también, escindi-
do, partido en dos, cada mitad un ser que era él
mismo, completa de sí. Pero ya Lamia no lo amaba,
eso era lo cierto. El amor está en los ojos, en la carne
que nos tienta. Ella no tembló como él al abrazo de
despedida. Lamia amaba a Marty, esa era la relación,
y la hija de los dos, bella la niña chupándose el dedo,
dormida, en los brazos de Raquel. Trilce.

—Te has quedado muy serio, ¿te pasa algo? —preguntó Sheng por entre la algarabía de la guitarra y los
bajos. "Te busqué toda la noche, nena", repetía Mighty
Joe Young.

—No. Tal vez que esa letra del *blues* me toca. Lo que hacíamos y no haremos más. El libro que no volveremos a leer, la persona que no saludaremos más. Eso lo decía Borges, el poeta argentino. El tiempo, esa cosa que nos aplasta. Ves, uno se va por los caminos tristes, a veces.

Sheng lo besó en la boca, suelta, vibrante, como la misma música de Mighty Joe Young. Livio, divertido, los miraba. "Ahora sí mi maestrico, aquí le echó su polvito en el jardincito a la chinita, que viva Gengis Kan", decía en buen español frente a Sheng, y ella reía sin comprender comprendiendo.

Era ella ahora toda para él, abolidas las fronteras, y eso lo llenaba a Elipsio de otro temor. "Tengo que salir de este monstruo con dos rostros tan jodido en que me estoy convirtiendo, pensaría esa noche mientras hacían el amor, y meterme de frente con ésta, mi chinita, hasta los tuétanos. Basta ya de Lamia".

Marty vino en una vieja camioneta Wolkswagen a buscarlo en *Iluminated Flowers and Pots,* el negocio de Livio. Sheng había quedado de unirse a ellos para ir a casa de Johnny Young. Sin embargo, Jane, la novia del "Iluminado", le dijo a Elipsio que había llamado para decir que no podía ir con ellos, algo de urgencias médicas en su trabajo en el hospital, inexplicables, y que lo llamaría en la tarde.

Marty hablaba poco ese día, y si bien estaba vestido con chaleco y reloj de bolsillo, mancornas, pisacorbata, sombrero de hongo y bastón, su rostro develaba profunda preocupación.

—¿Supiste algo de ella? —preguntó por fin.

—No —mintió Elipsio, sin saber todavía cómo lidiar ese toro.

—Yo tampoco. Estoy atrapado. No la puedo buscar.

—¿Quién de verdad te lo impide?

—Pondría a mucha gente en peligro. Mientras no la busque, mejor.

—¿Y si aparece de pronto, te llama por teléfono?

—No. Ella cree que yo la odio, que estoy furioso con ella, que no quiero verla. Eso es lo que sé. Pero no puedo comunicarle lo que siento. Sé que fueron cosas peligrosas las que hicieron pero eso ya no me importa. Te digo sinceramente que quisiera vivir con ella, saber si la niña existe o no.

—¿Peliaste con ella muy feo?

—El todo fue mi hermana, Judith, que no la quiso nunca. Yo me porté mal también. Yo la amaba y la amo, te lo juro, pero tenía que proteger a mis amigos, ¿me entiendes? No era cosa mía, era de toda la organización. Podíamos quedar atrapados allí.

—¿Y si ella aparece y quiere irse contigo? —dijo Elipsio, y al momento pensó que estaba arriesgando un poco lo que sabía con ese tipo de preguntas. Pero Marty no se dio por aludido.

—Me iría con ella de inmediato. Lo dejo todo.

—¿Adónde? —más riesgos.

—A un pueblo perdido en el desierto de Utah que conozco. Siempre soñamos con ella de irnos a vivir allá.

Cada palabra de Marty un cuchillo de pedernal sobre el teocali de una pirámide azteca. Guerra florida, perdida. Elipsio sintió el amor de Marty por Lamia revoloteando por dentro del carro, pájaro vivo, quetzal. El suyo era el otro doble de Quetzalcoatl, el buboso, Xolotl, monstruo que puede sacrificarse, terrestre.

El tráfico por la autopista Dan Ryan era pesado, lento, pero un sol hermoso de invierno combatía bien contra la depresión manifiesta de Marty y la oculta de Elipsio. Cuando salieron en la convergencia de la avenida Marquette, hacia el cementerio Oatwood, Elipsio pensaba que la ausencia de personas en las calles no sólo estaba motivada por el frío y el trabajo sino por esa "invisibilidad" del negro de que hablaba el escritor Ralph Ellison. El negro sin "cultura", sin "identidad", con valores prestados del mundo occidental, religión, vestido, lengua; el negro que recoge las sobras del mundo blanco para hacerse oír, y hacer de su voz, de su música lo único visible, *blues, jazz, rock*. El sucio de las calles, los escombros de un campo de batalla, los avisos de los negocios como banderas de la desolación.

Marty se detuvo en el mismo edificio roñoso de tres pisos donde vivía Johnny Young, aunque esta vez le pidió a Elipsio que lo acompañara. La puerta estaba abierta, sin chapa ni aldaba. Subieron las gradas mugrientas, semiderruidas, pegadas a una pared de papel arrancado a los pedazos. El apartamento estaba en el segundo piso. Nadie contestó. Insistieron. Una puerta al lado se abrió. Era un hombre de pelo blanco, suéter marrón, lleno de agujeros, el hombre:

—Allí no hay nadie ahora —dijo—. Se fueron.

—¿Los conoce?.

—Sí, claro. Este Johnny que toca la mandolina tan bien. Gran amigo. Alma buena. Creo que anda de viaje. Su esposa sí está muy enferma. Vinieron de su familia y se la llevaron.

Esta vez fue él quien se negó a ver a María Esther. No, le dijo, preferiría no hacerlo, por lo pronto. Ten cuidado, dijo ella, porque la gente de la Yolanda González anda en alianza con la de Miguel Ángel Espina. Están como locos detrás de esa muchacha, que tú también buscas, dicen.

—¿Por qué la buscan?

—Es cosa de dinero. Parece que ella se quedó con una plata que ellos dicen les pertenece. ¿No quieres que vaya un rato a tu apartamento?

Por un segundo pensó en el cuerpo de ella, en el olor a canela de sus pantaletas, y estuvo a punto de decir que sí.

—No —dijo, sin embargo—, no debemos vernos. Todo esto me pone muy mal y hay que estar mosca, ¿sabes?

Las moscas verdes, de ojos saltones, lamiéndose las patas, limpiándose las alas, listas a volar al menor sonido. María Esther quería que la perdonara por haber sido tan brusca con él la última vez. Estaba muy nerviosa, dijo.

—Yo lo estoy más ahora —dijo él como excusa y verdad—. ¿Sigues con Espina?

—Por lo pronto me ha dejado tranquila. Una gente amiga me ayudó en eso y he vuelto a la universidad, con el *Proyecto Pa'lante*. Este fin de semana leeré poemas en la Universidad de Purdue, en Hammond, Indiana. Eso está aquí al sur de Chicago, cerca de Gary.

—No sé. Gary es mi pueblo favorito, lleno de lo peorcito que hay por acá.

Sentía cierto descanso en que María Esther hubiese resuelto al menos algunos de sus problemas. No obstante, su actitud de pánico y rechazo la pasada Navidad, le producía una sensación de rechazo, de distancia. Se le habían enfriado las pelotas, como dirían en Colombia. Además, la presencia de Sheng le pedía una forma de pureza, un quedar limpio de ataduras y enredos. El amor de Sheng lo invitaba a hacer la primera comunión. Livio lo vio claro cuando una vez le dijo que notaba en él una peligrosa inclinación a la monogamia, a la tediosa fidelidad.

Lamia no llamó en el plazo previsto así que decidió regresar al apartamento de la calle Winona. Difícil describir, ahora que la había visto, su situación anímica con respecto a ella. Delgada, pálida, madre, preocupada, perseguida, parecía pedir su ayuda. Sin embargo, la distancia que sentía abrirse entre ambos la alejaba de él.

Esperó paciente frente al edificio de apartamentos para ver algún movimiento pero no vio a nadie. Decidió timbrar y una voz masculina contestó. Preguntó por Yolanda y la voz dijo, "espere". Pero no esperó. Huyó al anteportón de un edificio vecino y trató de reconocer al que abría la puerta. Era Jesús. Tomaba sus precauciones. Oscuridad sobre oscuridad. ¿Dónde estaba Lamia ahora? ¿Allá adentro? ¿En otra parte? Era como ir descendiendo de nuevo al abismo. La maldita comedia de sus días en Chicago. Decidió regresar a casa pasando por la biblioteca pública para recoger una copia de *Native son* de Richard Wright. El bibliotecario Dates, quien tenía un especial interés en sus trabajos, le recomendó los libros de James T. Farrell, el autor de origen irlandés, y los poemas de Gwendolyn Brooks. No tenía el más mínimo deseo de escribir pero debía hacerlo, ahora más que nunca para demostrarle a Sheng su independencia económica, pobre pero decente, la dirección clara de sus búsquedas. Nada había escrito en meses de sus propios poemas o cuentos. Sólo garabatos, colchas de retazos, fragmentos en un papiro comido por el mar muerto de la falta de concentración y disciplina, orden mental.

Lamia lo llamaría. De eso estaba casi seguro. Ahora que se habían visto ella lo iba a llamar. Lamia nunca incumplía lo prometido. Era cuestión de esperar. Horror al vacío. ¿Dónde estaba ella? ¿Dónde estaba él? Recordó en Cali hablando con ella, un día, de la distancia que hay entre un ser y el otro, esa preocupación constante.

Esos días la nieve había vuelto a cubrir todo el armatoste de la ciudad, y el frío, nunca invitado, se acomodó hasta debajo de las alfombras sucias. Era imposible ver a Sheng todos los días o con mayor frecuencia, porque ella, luego de una feroz racha amorosa a su regreso de Pittsburgh, quería para sí y su madre gran parte de su tiempo libre, lo cual Elipsio empezó a interpretar como una segunda escala en su relación con ella, más próxima al cielo pero no tan cercana. Como los niños, se acercaba de a poquitos al ser amado.

Su editora en Caracas llamó feliz al recibir el doble reportaje, traducciones y fotos, sobre los *stockyards* y su literatura. El dinero estaba en camino. Su trabajo surrealista, con fotos de Gradiva y portadas de libros, quedaba en el caldero. "Te lo pagamos, no te preocupes", dijo ella. La promesa de un artículo sobre el sur de la ciudad y Richard Wright la entusiasmó: "Deberíamos hablar también de Martin Luther King y Malcolm X, que son muy conocidos acá". La lucha de siempre, ella tiraba hacia el periodismo lo más que podía. Era "la papa", no quedaba más remedio, pensó.

Una de esas noches solitarias y gélidas en un *Ratzos* semivacío, y luego de charlar a tequila limpio con Isidor Nesgoda sobre Vietnam y el surrealismo, los cadáveres exquisitos de la muerte absurda, y volverse y revolverse del campesino rojo de Mao al campesino de París de Aragón, Bob le dijo que lo esperara, porque era la noche propicia para ir a convocar a Blake en medio del lago Michigan.

Bob estaba en camino de convertirse en un nuevo poeta del lago, de la ciudad, o por lo menos hacia esa dirección tiraban sus poemas extensos de tensa superficie y variable profundidad. Sus poemas empezaban a tener buena acogida entre los *barflies* de

Ratzos, y algunos como Christian Lowell, agudo crítico, levantaban los ojos frente a la intensidad de las imágenes y relatos poéticos. Incluso una revista de Oklahoma aceptó uno de ellos. Bob reía, sin pretensiones, con marcada humildad.

La nieve lograba que el carro de Bob patinara a cada momento, y eso que iban a poca velocidad por la Lake Shore Drive, rumbo al Parque Grant. No mucha gente se aventuraba por esos lados en una noche así, lo cual incrementaba la felicidad de Bob, botella de *bourbon* en la mano. Cerca de la Buckingham Memorial Fountain encontraron un sitio para dejar el carro, esperanzados en que la policía no pasara por allí mientras caminaban por el lago. Podía arriesgar cárcel por eso, era algo que Elipsio supo después por Livio.

Bob fue el primero en saltar la baranda y entrar al lago congelado. Elipsio lo seguía viéndolo calibrar el peso sobre los bloques sólidos de hielo. "No mires atrás", recomendó Bob. Era blanco sobre blanco sobre blanco al entrar al cubo de espaldas a la ciudad, hacia el adentro de una estepa maravillosa, impredecible. Bob se detenía un momento, le pasaba la botella a Elipsio, y ambos bebían del trago fuerte. Al fondo, "horizonte cuadrado", un extraño crujido, repetido en ecos cortantes, venía a contrastar con el silencio alrededor. A una distancia de cerca de 50 metros de la costa, Bob se detuvo y dio frente a la ciudad. Elipsio lo siguió.

Todas las compuertas de luz que la ciudad represaba a sus espaldas se abrieron, pero para quedarse allá, a la distancia, sin entrar al lago, estallando en el cielo inmenso de negro iluminado por ventanas, reflectores, bombillos, lámparas, focos, todo lo que producía luz en este nuevo incendio de Chicago, la ciudad haciéndose, moviéndose dentro de sí misma, crepitando estática. Entonces Bob, de su memoria apasionada, empezó a recitar, lentamente, con voz fuerte, casi a los gritos:

¡Tigre! ¡Tigre! Luz quemante
en los bosques de la noche.
¿Qué ojo o mano inmortal
pudo diseñar tu asustante simetría?
¿En qué profundidades distantes o cielos
arde el fuego de tus ojos?

Corría, por el lago, Bob poseído por los poderes secretos de Blake, retumbando su voz contra la superficie sólida. Elipsio recuperaba dentro del eco las estrofas aisladas:

Cuando las estrellas arrojan sus lanzas
y acuan el cielo con sus lágrimas,
¿rio él al ver su obra?
¿Quien creó al Cordero también te creó a ti?

Y ahora gritando, corriendo por el hielo, resbalándose:

¡Tigre! ¡Tigre! Luz quemante
en los bosques de la noche.

¿Qué ojo o mano inmortal
se atrevió a diseñar tu asustante simetría?

Elipsio, petrificado sobre el hielo, pudo entender claramente que Bob estaba extrayendo de la ciudad su poesía, como una cabria saca las substancias de lo más adentro de la tierra.

Poco le gustó a Livio la idea de acompañarlo a tomar fotos en el sur de la ciudad, en los ghettos negros: "De cierto que los latinos somos invisibles en este país, que no contamos para nada, pero lo que es, los negros nos ven claritos y no nos tragan de a mucho. Nanay, brother. Ir allá a oír *blues*, okey, de primera, pero tomarles fotos a ellos y a sus casas, ni por el putas, hermano". Asimismo, el viejo Carmel no sonaba muy contento con su llamada, estaba ocupado, dijo, y no quería saber más del asunto con esa muchacha. "¿Tomar fotos? No. A la gente por acá no le gusta eso, y menos de gente que no es, usted sabe. Si quiere llámame y vamos a oír a Koko Taylor, que ahora está cantando en el *Checkerboard's*".

Casi le era imposible tomar papel y tinta y máquina para empezar a poner en orden sus ideas sobre Richard Wright y sus cuadros del Old South Side. Pero debía hacerlo. No debía dejar enfriar para nada a sus editores de Caracas. Sus gastos, dada la frecuencia con que ahora veía a Sheng, se habían aumentado considerablemente. Él insistía en pagar la mayoría de las cuentas. Era una salida imbécil, lo sabía, porque el mundo norteamericano no responde a la galantería hispana, y menos en esos días de explosión feminista. En el fondo de él algo atávico, profundo, lo impulsaba a querer mostrarle a ella un lado claro de su vida, traducido en cierta solvencia económica.

Una idea inicial para su artículo venía de un libro que recientemente había ojeado en la biblioteca pública. Era la novela de William Golding, *El señor de las moscas*. Nada más cercano a él ahora que las moscas formaban ya parte de su paisaje diario. "El muchacho de las ratas", como referencia a la inmensa rata que Bigger, el personaje de *Native son*, mata al comienzo de la novela, podía ser un título en juego con el anterior. Ratas y moscas. Eso era. Lo que vive en las alcantarillas y lo que de allí sale volando, zumbando. "La ciudad de las ratas", recordó. Sólo faltaban unas fotos, precisas. Él conocía un poco el área, caminable hasta cierto punto, como lo comprobó al ir a buscar a Carmel y al pastor Logan, pero no con una cámara de fotos. "Esto es algo serio", y la sola idea le daba un culillo enorme.

Su objetivo era capturar en imágenes la caída de Bigger, su viaje al cadalso, siguiendo la línea de destrucción y abandono de toda esa zona que hasta pocos años antes había sido llamada "la metrópolis negra". "Murió como una rata", pensaba escribir al final de su artículo, para ir más allá de Kafka en la zoología de la derrota. Empezaría por tomar fotos del edificio, si existía, donde Wright pone a vivir a Bigger con su madre y hermanos, en esa única habitación donde comían, dormían, cocinaban, uno sobre otro más las imponentes ratas: el 3721, en Indiana Avenue. *Kichenettes*, era el nombre de ese tipo de aposentos en el infierno.

Sheng se enteró por Kathleen de su planeada aventura fotográfica por la "olla de todas las ollas", como llamaba Livio a esa parte de los barrios del sur, y trató de disuadirlo o acompañarlo, "vamos en mi carro". Con suavidad y firmeza Elipsio le dejó ver que ese era su trabajo, y que no podía arriesgarse allí con ella, "lo hace todo más peligroso". Ella le dijo que era muy testaduro y que ella como enfermera había ido varias veces a los barrios negros para seguir a un paciente. "Lo sé, lo sé, dijo él, pero en verdad no es un gran riesgo. Es peor ir a tomarle fotos a los vietcongs o hacerle pelar los dientes con una sonrisita a 'Tirofijo' en Marquetalia". "Yo no sé", repuso ella, bastante preocupada.

Tenía que preparar el viaje minuciosamente. La cámara, el arma más peligrosa, iría camuflada en una cartera ancha de cuero que "el Iluminado" había encontrado en Nuevo México. El mapa, con todas las indicaciones posibles debía llevarlo en la cabeza y en el bolsillo. Saber exactamente el itinerario de buses y trenes. Dinero suficiente pero no mucho. Chaqueta de cuero, no quedaba de otra, bluejeans desteñidos y rotos. Zapatos sucios, viejos.

La mañana prevista para salir al campo de batalla empezó a caer una ventisca de nieve y el frío se hizo más intenso. Decidió esperar hasta mediodía para ver si la cosa se calmaba un poco y se preparó un café y ya en su sillón recordó un pasaje de *Native son* que había traducido y aprovechó la ocasión para corregirlo de nuevo:

La nieve había terminado de caer, y la ciudad blanca, detenida, era una vasta extensión de techos y cielo. Bigger pasaba horas pensando en esto, en plena oscuridad, y ahora allí estaba, toda blanca, detenida. Pero lo que pensaba antes de la ciudad la hacía real, con una realidad que no tenía ahora a la luz del día. Cuando descansaba en lo oscuro, pensando en ella, la ciudad daba la impresión de tener algo particular, lo cual desaparecía al momento en que la observaba directamente.

Cierto es, pensó Elipsio, esta es la ciudad que se construye desde adentro. Todos sus habitantes, incluso los transeúntes como él, moscas sobre la superficie del lago, son ella misma, realidad e irrealidad en un alargamiento de metáforas que se pierden en el vacío de sus horizontes planos, en la línea de sus rascacielos; y el garabato que dibujan los rieles del tren a lo alto de las andamiadas, en el hueco oscuro de los túneles, coloreándolo todo con el óxido de sus chirridos y frenos y velocidad trepidante, es imagen precisa de las vueltas que en ella todos damos sin parar.

Esto escribía cuando sonó el teléfono. Era Raquel, la acompañante de Lamia. No pudo contenerse. Fueron tantas las preguntas que le hizo al unísono que terminó por atropellarse ante la falta de respuesta.

—Ella quiere verlo —dijo Raquel.

—Ahora mismo voy. ¿Dónde están?

—No es tan fácil. Tiene que tener mucho cuidado, ¿sabe?

—Claro que tengo mucho cuidado, no te hagás problemas.

—Trate de que nadie lo siga cuando venga para acá.

—Nadie me va a seguir, lo prometo.

—Usted no sabe. Hay una gente que lo está vigilando a usted todo el tiempo.

Mierda, pensó Elipsio, volvía la intermitente paranoia con sus ojos en la espalda.

—No te preocupés que tendré mucho cuidado.

—Ella lo espera en el apartamento de Jeremías, en la calle Gladys. Ella dice que usted sabe dónde es.

—Sí, lo sé. Gracias. ¿Cuándo la puedo ver?

—Mañana mismo, por la tarde. Pero tenga mucho cuidado, ¿sabe?

De nuevo en su sillón, Taima en sus piernas, sintió el traqueteo de su corazón como si fuera el tren sobre los rieles. Lamia estaba allí, otra vez, mierda, en casa del enano jodido. A lo mejor me patea de nuevo, pensó. Lamia, Lamia, qué hacer para no amarla del todo, no sentir esa ternura infinita frente a lo triste de sus ojos, no sentir la culpa como un gorila inmenso sobre los hombros. La carta en el bolsillo de la chaqueta. ¿Se podrían sentar juntos, como él había soñado tanto, y leerla?

Sin fuerzas para arrancar hacia el sur decidió aplazar el viaje, y cuando lo pensó mejor, encontró que si era verdad que lo estaban siguiendo tan de cerca, ir a donde Lamia, luego de una visita a los ghettos, tomando fotos, lo ayudaría a limpiarse de cualquier

insecto perseguidor. Nadie, ni siquiera los esbirros
de los González, se atreverían a meter la cabeza en
la boca de las panteras negras acechantes.

Era guerra, otra forma de guerra, pero guerra en
verdad. Desde el El pudo ver, ahora con mayor detenimiento que otras veces, cómo iban cayendo los
viejos edificios, las vetustas casas de madera y estu-
co, piedra sobre piedra, dando paso a la arrogancia
de los edificios comunales, moles sin padre ni madre, frías en lo práctico de su servicio social. Y así
como los tristemente célebres "Robert Taylor Homes",
centro de todas las flores de la miseria, estos edificios surgían como hongos en los vecindarios azota-
dos por el éxodo de los que tenían al menos una
pierna para correr.

Elipsio notó que la estación del tren, en la calle 35
con Wentworth, estaba recién remodelada y una sensación de seguridad lo invadió, aunque esto duró sólo
el tiempo de poner pies en tierra. Allí, de entrada, lo
azotó un olor a basura empujada por el viento, a orines
rancios en los postes y rincones, a gasolina y frenos
de autopista y mierda de hombres y animales por
debajo de los soportes de la estación, a licor barato
desde los bares y pequeños abastos. Y esa fue la primera foto que dejó el *flash* pegado en el hollín de los
pilares de acero y el brillo del cemento de la calle,
descubriendo el cuerpo de un hombre acurrucado en
uno de los huecos negros bajo las escaleras. Dos ojos
brillando de hambre, alcohol y frío.

Trató de pedirle excusas pero el cuerpo desapareció junto con la luz del *flash*. Era un día gris, vaciado en plomo, aunque a ratos despuntaba un sol débil, enfermizo. Allí, en la calle 35, empezaba el puente elevado sobre la autopista Dan Ryan, el cual tenía que cruzar para ir en dirección este. La innumerable fila de canales de esta fabulosa autopista rugía a sus pies con miles de vehículos pasando de norte a sur y viceversa. Un par de fotos tomó de la autopista y sus puentes, con los rascacielos de la ciudad, al fondo. Esta autopista, que sigue la línea de división tradicional entre los barrios negros al este y blancos al oeste, la calle Wenworth, fue construida gracias a los esfuerzos segregacionistas del alcalde Daley, con el propósito firme de crear una barrera más sólida entre los vecindarios negros de Near South Side, Bronzeville, Grand Boulevard, y los viejos barrios irlandeses, polacos, lituanos, como Bridgeport, McKinley Park y Canaryville.

El frío sobre la autopista era inaguantable y corrió lo más que pudo hasta llegar al pasonivel sobre la carrilera de trenes, la Rock Island Railroad. Nada más tétrico que pasar a pie ese túnel de estalactitas oscuras, lluvia ácida congelada, pozos de hielo negro, paredes ahumadas. Se sintió bien feliz al salir del antro y empezar a caminar por las aceras del Illinois Institute of Technology, con su moderna arquitectura, producto de la fiebre innovadora de Ludwig Mies Van der Rohe. La amalgama y la proximidad del poder y la riqueza con la pesadilla de la miseria y el abandono, era lo que golpeaba siempre. Enfrente, a su derecha, como piezas de un dominó monstruoso, los edificios de vivienda del complejo "Stateway Gardens" se alineaban hacia el sur, uniéndose con los del "Robert Taylor Homes". Un grupo de muchachos, que iban o venían de jugar *basketball*, se detuvieron a mirarlo. Tal vez exageré el disfraz, reflexionó, temeroso. Ni pensar tomarles una foto: "Para la revista *Life*, una sonrisita, diga *cheeeese*". Algo feo le dijeron a los gritos y las risas pero siguieron su camino, apresurados, bravucones.

Al llegar a la State Avenue decidió cambiar de actitud, tratar de calmarse. "Es la maldita cámara". El hecho de tener que sacarla y tomar una foto le crispaba los nervios hasta la parálisis. Era más fácil sacar la verga y mostrársela a la policía. Por lo menos no lo iban a matar por eso. Unos cuantos cachiporrazos, a lo más. Tenía que obrar como si lo que llevaba en la bolsa de cuero fuera un pedazo de jamón para la cena. De pronto, con un impulso violento, medio suicida, sacó la cámara y le tomó una foto a un par de hombres cargando un baúl enorme, en la acera del frente.

El movimiento fue tan rápido que por un momento pensó que nadie lo había visto. La cámara fue a la cartera de nuevo en un segundo. Esperó la luz del semáforo para cruzar la calle. Sintió entonces que alguien le tocaba el hombro. Era una señora de edad, gorda, cargando una bolsa de papel llena de vegetales.

—Usted no le toma fotos a la gente acá —dijo con voz gruesa, y agregó—: Váyase para el centro si es turista.

—Soy periodista —dijo él mientras cruzaban la calle.

Algo respondió ella que a Elipsio le sonó como "a quién le importa" y siguió su camino sin mirarlo más, como con desprecio. Otros rostros serios y enjutos se voltearon para observarlo detenidamente.

El sol era un poco más fuerte ahora y la temperatura no tan fría. Tal vez por esta razón encontraba más gente en la calle. Algunos vendedores ambulantes de perros calientes y otras delicias se habían atrevido a sacar sus kioskos impulsados por bicicletas. El desfile de la pobreza y la derrota era impresionante al desembocar en la avenida Michigan, todavía luciendo, desteñidos, los viejos edificios decimonónicos del desaparecido poder blanco. Cerca de la esquina divisó un pequeño supermercado, bastante deteriorado, pero con grandes ventanales entre avisos que daban a la avenida. Decidió comprar cigarrillos y ver si podía, subrepticiamente, tomar fotografías protegido por el vidrio.

—Kent —pidió y el hombre en la caja lo miró dos veces. Nada dijo. Le pasó la cajetilla y lo miró de nuevo. Nada agradable en su mirada. Era como el odio. Elipsio pagó y dijo entre dientes que iba a buscar otra cosa. El cajero se distrajo atendiendo a otras personas. Parapetado detrás de un estante, y con buena vista a la calle, sacó la cámara y disparó varias fotografías. Por suerte no necesitaba ahora el *flash*. Edificios, transeúntes, perros callejeros, automóviles. Guardó la cámara rápidamente y buscó la salida. El hombre de la caja, sacando la cabeza detrás de un estante, lo llamó:

—Hey, hombre, espere un poco, ¿cuál es la prisa?

Elipsio sintió algo frío por dentro. Regresó hacia la caja.

—¿Se puede ver qué es lo que lleva en la bolsa? —dijo el hombre con las manos debajo del mostrador.

Elipsio se acercó más y sin decir palabra sacó la cámara y la puso encima del mostrador. Varias personas miraban. El hombre miró dentro de la bolsa vacía.

—Puede esculcarme si quiere —dijo Elipsio.

El cajero observó la cámara por todos lados, revisándola cuidadosamente y luego miró a Elipsio sin decir palabra. Entonces éste decidió jugar su carta de poquer carcelario y le clavó los ojos en los ojos con la mayor frialdad posible. Fue un juego de ojos en segundos, imperceptible quizás para las otras personas que observaban en silencio, pero el hombre de la caja bajó la mirada y le pasó la cámara.

—Por aquí toda la gente es buena —dijo.

—Sí —dijo Elipsio y guardó la cámara en la bolsa.

Lentamente, sin prisa, con la mirada fija en el hombre salió del abasto. De periodista a policía secreto en dos cuadras, "¿qué me espera en la otra?", se preguntó. Ya en Indiana Avenue, que estaba una cuadra al oeste de la Michigan, no se sintió con fuerzas para bajar hacia el sur en busca de la casa de Bigger. Si la calle 35 era difícil, peligrosa, y eso que tenía la ventaja de tener allí mismo el gran campus del Instituto Tecnológico, meterse hacia los confines de los proyectos de vivienda al sur no era saludable, en verdad. De un momento a otro a alguien se le iba a atravesar un mal pensamiento con respecto a él y a su cámara y eso podía traer desastres. Directo al Cook County Hospital, y no para ver a Sheng o a Kathleen sino para visitar la morgue.

Se arriesgó a una foto más al aviso de la intersección de Prairie Avenue y la 35, centro de los centros del distrito de Bronzeville. Pensó en Gwendolyn Brooks, la poeta negra que le había recomendado el bibliotecario Dates. De allí había sacado el título de uno de sus libros. La incluiré en mi artículo, se dijo pasando rápidamente la calle en dirección a la famosa avenida Martin Luther King Drive, el antiguo Grand Boulevard o South Parkway Drive. Esta avenida, rebautizada unos años atrás en homenaje al martir negro, quien de paso tuvo sus cuarteles en esta zona, todavía ostentaba algunas de las magníficas edificaciones, palacios, palacetes, mansiones, que hicieron su gloria a finales del siglo XIX y comienzos del XX, antes de que el crecimiento de la población negra, producto del éxodo de los campos del sur por la mecanización de las cosechas de algodón y los restos de la política de Jim Crow, hicieran huir a los blancos.

Al cruce de estas avenidas se encontró con un monumento dedicado al soldado negro en la primera guerra mundial. Le tomó una foto de turista y luego se refugió en el frontón neoclásico del edificio de la *Supreme-Liberty Life Insurance*. Realmente estaba agotado. Dos o tres malas palabras se le habían cruzado en el camino, una desde un autobús. Como pudo tomó un par de fotos más, nada importante. Su reportaje de la derrota era su derrota misma. A lo mejor podía autorretratarse. Tenía hambre y frío. El reloj del edificio marcaba un poco más del mediodía. Sin pensarlo más saltó a la calle cuando vio un taxi y lo hizo parar. Rápidamente entró y le pidió al taxista ir lo más rápido al centro. Si alguien lo seguía allí hubiera quedado rezagado. El taxista era un hombre blanco, italiano quizás.

—No es esta una zona muy tranquila ahora —dijo mirándolo por el espejo retrovisor.

—Seguro. Hay mucha tensión por acá.

—Y mucha bala y cuchillo. ¿No vio en los periódicos de esta mañana que hubo un par de muertos en la 47?

—No —dijo Elipsio—. ¿Qué pasó?

—Pandillas. De lo más peligroso. Se matan entre ellos mismos. Los muertos parece que eran mexicanos o puertorriqueños. ¿Es usted latino?

—Sí —dijo Elipsio, sin ganas de hablar más.

—Lamia —dijo él cuando ella abrió la puerta. La abrazó, acariciándole la cabeza con la mano. Otra vez las malditas ganas de llorar. Ella reía y repetía su nombre. La besó en la frente, en las mejillas. Ella se dejaba besar sonriendo tristemente, los ojos rojos. Tan delgada ahora. Acabada, dirían en su tierra.

La niña dormía en su cunita al fondo. No había nadie más en el apartamento liliputiense de Jeremías. Elipsio miró a los lados.

—Jeremías se fue a vivir por el momento en casa de un amigo —dijo ella—. Aquí estamos sólo las tres. Es pequeño pero a nadie se le ocurrirá buscarnos aquí. ¿Estás seguro de que nadie te siguió?

—Sí, no te hagás problema. ¿Qué pasó? ¿Por qué no me llamaste? Yo fui a buscarte a ese apartamento.

—No me pidas que te explique nada, perdóname. No puedo. Es todo tan complicado y que lo sepas no cambia nada, sólo que tuve que huir también de Yolanda y del "mono". Ellos no estaban conmigo, de verdad.

—¿Qué pasó con ellos?

—Se rumora que "el mono" va a salir de la cárcel a cambio de volverse informante del FBI. Yolanda tuvo que escaparse porque, si esto es verdad, corría peligro.

—La gente que la acompañaba está en el apartamento de *uptown*.

—Esa gente es muy peligrosa. Esos son los peores de todos.

—¿Quiénes son esos?

—No importa. No vale la pena. Mejor no te metas en esto.

—Mierda. Me dejás en el aire. Yo quiero ayudarte a salir de este despelote.

—Me ayuda mucho saber que estás aquí conmigo, me siento muy sola.

—Vámonos a Colombia o a México.

—No. Yo no quiero volver a América Latina. No me siento allá. A mí me gusta vivir aquí. Es la tierra de mi hija.

Elipsio sintió el golpe hacia adentro. Lamia había cambiado, incluso mucho más que él. Era la misma pero era otra a la vez.

—¿Necesitás dinero? —le preguntó.

—No —dijo ella—. No es cuestión de dinero. ¿De verdad quieres ayudarme?

—Claro, te lo repito mil veces si querés. ¿Qué querés que haga?

Ella se quedó en silencio, mirándolo fíjamente.

—¿Quieres café? —le preguntó.

—Sí.

Lamia se acercó a la estufa y la prendió. Puso encima una olla que estaba al lado. Se quedaron en silencio. Elipsio, sentado en un pequeño banco de madera, se sentía gigante y enano al mismo tiempo. Todo era doble en ese momento, él, ella, el apartamento de Jeremías, la vida de ellos, de sus amigos, de los enemigos. Lamia regresó con el café.

—Quiero que busques a Marty —dijo, y le tomó la mano.

Elipsio la miró profundamente. Eso sólo temía: todo preparado. El frío en la testa. Descarga en la mollera. Vaca muerta, degollada. Mierda.

—Yo todavía te amo —dijo ella, distante y triste, lo cierto—, pero he cambiado mucho desde que nos separamos.

—No tenés que decirlo, no importa.

—Quiero que me ayudes a volver con Marty. Él es el padre de mi hija.

—¿Sólo por eso?

—No —dijo ella.

—Yo hablé con él hace un par de semanas. Él te ama todavía, mucho. Me habló de un pueblo perdido en el desierto de Utah —se lo dijo con rabia, con sorna, con la delicia de dientes filosos contra los labios. Sin embargo su voz era extraña, como si trajera noticias de otra parte.

Ella pareció no notar el tono de sus palabras porque rio, casi con alegría, por primera vez.

—Es un viejo sueño —dijo.

—No hay mucha diferencia con la realidad, ¿no creés?

—Sí. ¿Qué más te dijo?

—Que te está buscando todo el tiempo, pero está muy vigilado él también. Tiene miedo de comprometer a su gente y de comprometerte a vos —ya todo estaba dicho.

—¿Le hablaste de mí, de la niña?

—No. No le dije nada. Me pareció peligroso hacerlo sin hablar contigo antes.

—¿Me ayudarás para volver a hablar con él? Tú eres la única persona que puede hacerlo. Él no confiaría nunca de alguien como Raquel. Y él te oye porque yo le hablé mucho de ti. Siempre estuvo muy celoso por esto. Pero tiene un corazón muy generoso.

—Bien. Te lo prometo. Ya me las ingenio para unirte de nuevo con él. ¿Eso es lo que querés, verdad? —más rabia sería odio, y hasta eso no alcanzaba. Allí estaba ella, anhelada, con su pelo hermoso. Tal vez cansancio, derrota.

—Sí —dijo ella—. Gracias. Tú eres muy bueno, siempre fuiste bueno, aunque quisieras portarte como malo muchas veces.

—Todavía tengo un demonio adentro —dijo él, sonriendo, muecoso.

—¿De verdad que no leíste la carta que te dejé?

—No. Siempre la conservo.

—¿La tienes ahí?

—Sí.

—¿Quieres leerla conmigo? —dijo ella con voz muy firme.

—No. Ahora no. Otra vez —dijo él—. Mejor me contás de tu vida en la cárcel, en el Buen Pastor. ¿Qué pasó con vos? ¿Cuándo saliste?

—¿Verdad que no sabes nada de lo que pasó? Allí estuve poco tiempo. Me interrogaron mucho, pero parece que no encontraron en mí nada que les importara, y a los pocos días me dejaron ir.

—¿Cierto? —Elipsio estaba verdaderamente asombrado—. Yo siempre pensé que te habían metido mucho tiempo, como a mí.

—Ahora veo que es cierto que no leíste la carta. ¿No sabes entonces lo que pasó en Cali conmigo luego de que tú desapareciste? ¿El mago Malhechor no te dijo nada?

—No. Nada. Me entregó la carta. Eso es todo. Me dijo que te habías venido para los Estados Unidos.

—Él fue el que me dijo que te escribiera la carta.

—¿El mago?

—Sí —dijo ella y se quedó en silencio. Luego dijo, en voz baja, pesada—: Todo cambió mucho rápidamente. La gente amiga se esfumó, ¿sabes? No leíste la carta, ahora veo. No sabes nada. Si quieres te lo cuento todo.

—Mejor no me contés nada ahora, ¿querés? —dijo él.

—Sí, es mejor —dijo ella.

No fue Marty quien lo recibió en la tienda de antigüedades en North Halsted. Judith hablaba con uno de los surrealistas, del grupo que acababa de regresar de Perú, donde según parece se habían metido toda la ayahuasca de Iquitos y andaban como si tuvieran llamas en los pies. Judith, quien también parecía tocada por una planta mágica, saludó a Elipsio con una sonrisa de dientes tan filosos que lo hizo a éste sentirse como si tuviera la cabeza de Holofernes. Para evitar malos entendidos se subió el cuello de la chaqueta.

—Marty no está, no sé a qué horas llega —dijo.

—Sólo quería saludarlo. Vuelvo otro día.

—Espera —le dijo ella, y rápidamente se despidió del surrealista.

Mientras esto sucedía Elipsio se entretuvo revisando la edición príncipe de *Nostromo*, con su cubierta verde de pasta dura. Judith se le acercó:

—Ya sé que tú también estás detrás de esa muchacha Lamia —dijo.

—No creo que sea cosa que te importe —dijo Elipsio tratando de contenerse. Gretchen se lo había soltado todo. Lastimosamente la despelucadita de mierda no pudo contenerse, pensó.

—Sí, me importa, y mucho. Porque esa mujer enredó a mi hermano en un mierdero hijueputa de latinos y mafiosos, ¿entiendes?

—Tu hermano se enreda solito, para eso está grande —le respondió Elipsio, rabioso pero todavía con los frenos puestos.

—Todos esos latinos, juntos con la mujer esa, eran una partida de estafadores, mentirosos, de malditos insubordinados sin nada en la cabeza, sólo ganas de robar y joder.

—No sé por qué la agarras con los latinos. Lo mismo podrías decir de los grupos de maricas, hombres y mujeres, de los negros y sus luchas civiles, de los judíos contra los soviéticos, de los chinos contra Mao. Hay de todo en todos, y esa gente es como la otra gente —siguió Elipsio, maravillado de su calma.

—Pero esta vez ustedes no van a enredar a mi hermano, porque yo estoy aquí para defenderlo de nuevo —dijo ella, que se veía no prestaba atención a lo que él decía.

—Mira, creo que no tenemos nada de qué hablar —dijo Elipsio y empezó a buscar la salida.

—A la colombiana esa habría que hacerla meter a la cárcel cuando saque la cabeza de donde está escondida, y con ella a toda esa caterva de bandidos malditos —le gritó Judith a la cara, violentamente.

Entonces Elipsio se volteó hacia ella y mirándola con firmeza le dijo:

—Mira, pedazo de mierda, a ti es a la que tendrían que meterte de cabeza en el primer manicomio que se encuentre —y azotó la puerta.

Esa noche había quedado con Sheng de ir a ver una película de Louis Malle en el Biograph. Pero antes pasó por *Ratzos* y le dejó una nota a Marty, advirtiéndole no decirle nada de eso a Judith. Bob no lo había visto hacía más de una semana, y eso que dejó allí su violín una noche, cosa extraña en él. También, dijo Bob, una de las muchachas meseras le había comentado que dos hombres, latinos, preguntaron por Elipsio insistentemente la otra noche. No parecían de lo mejor, ni de estos lados, dijo la muchacha.

Todo esto lo preocupaba mucho, aunque pensaba que la supuesta vigilancia era más intimidación que otra cosa. Ganas de que él hiciera algún movimiento en falso. Sin embargo, la sensación de tener un mundo oscuro tan cerca, vigilándolo, siguiéndolo, lo ponía muy tenso. Asimismo empezaba a sentir una ira inmensa por todo y contra todo. Era como el reverso de la culpa que por tanto tiempo había cargado, pensando siempre que Lamia había pasado mucho tiempo en la cárcel, torturada quizás. Pero no. Salió inmediatamente, ella lo dijo. ¿Qué hizo entonces? ¿Se fue a vivir con el mago Malhechor? No. El mago se lo hubiera dicho. Siempre directo en todo. ¿Con Raimundo? Imposible. Raimundo no se hubiera aguantado nunca su cantaleta proletaria. ¿Qué era lo que había cambiado? ¿Quiénes quedaron en la ciudad luego de la persecución del ejército? La respuesta estaba allí, sin lugar a dudas, en la carta que él conservaba. Y aunque la seguía cargando en el bolsillo, ahora no era la tabla de salvación sino el peso muerto de su estupidez. ¿Por qué no la leyó en el tren, esperando salir de Cali antes del terremoto, en Costa Rica mientras bebía y juerguiaba con "Ratoncito" Pérez?

En este momento comprendía que sólo la podría leer cuando Lamia desapareciera de su vida. Ya no la iba a leer con ella bajo una ceiba, besándola, al lado de un lago, entre los bosques y las montañas, entre lo suave de las sábanas en una cama de hotel. La ira es a la culpa lo que el olvido es a la memoria, otro rostro y el mismo. Debía encontrar a Marty cuanto antes y sacudirse ese drama para siempre. En cuanto a los que lo perseguían nada podía hacer. La no-acción taoísta era la mejor respuesta. En el fondo reconocía que Judith tenía algo de razón, Lamia se había enredado con gente de lo peorcito. ¿No sería ella también de lo peorcito, como diría aquélla? No. Lamia no era un ángel, pero cargaba un gran amor por todas las cosas. Siempre. El dolor era como un tapón al fondo de la garganta, su dolor.

Esperó por Sheng unos minutos a la entrada del Biograph. Para controlar sus nervios de punta trató de encontrar un poste de teléfono que estaba en un callejón detrás del teatro. Allí cayó John Dillinger acribillado por varias ráfagas de ametralladora. No murió como un perro ni como una rata, murió como un tigre que se descuida, que en vez de comerse a los otros empieza a comerse las uñas, pensaba. El mundo de los *gangsters* de Chicago era ese ir a cine en Cali los domingos al teatro del Barrio Obrero, el Belalcázar, o San Nicolás. Por ahí cerca, en North Clark, todavía retumbaban las balas como gritos de los hombres de Bugs Moran, cayendo uno sobre el otro el día de San Valentín, la masacre. Ya estamos en febrero, recordó. ¿Le compraría flores y chocolates a Sheng?

Ella llegó corriendo junto a Livio, Kathleen y Jeannette. De vuelta toda la tribu, en sesión de pipa de la paz. Venían felices, riendo, cantando, pidiéndole disculpas por la tardanza, como si acabaran de hacer el amor en grupo. Elipsio disimuló lo mejor que pudo su mal estado de ánimo. Por suerte la película de Malle, *Murmullos en el corazón*, lo alivió un poco. Le encantó la idea incestuosa de la película. Algo en él quería violar todas las leyes ese día.

Ya de regreso en *Ratzos,* Elipsio les contó con detalles y adornos sus aventuras fotográficas por Bronzeville y el Grand Boulevard, deteniéndose a veces para crear un buen suspenso. Sheng tenía la boca abierta entre miedo y admiración, lo mismo Livio que no trató de disimularlo.

—Magnífico, maestro, a este paso usted se va a convertir en el nuevo Studs Terkel latino.

—¿Quién es Studs Terkel? —preguntó Elipsio.

—Es un periodista de acá, de la radio, quien también escribe reportajes sobre Chicago, entrevistando gente —le explicó Kathleen.

—¿Como Ben Hecht?

—Menos literato, más sociólogo, pero lo mismo de güevón —dijo Livio, riéndose.

La alegría de Sheng esa noche era contagiosa. Elipsio no sabía bien de dónde provenía pero en parte era que Johnny Young había aparecido, sano y salvo, luego de una exitosa *tour* por New Jersey y New York. Su esposa estaba mejor. Volvería a tocar en *Ratzos* pronto, pero ese fin de semana alternaba con Junior Wells en *Sylvio's*.

—Vamos a oírlos —propuso Elipsio. El tequila mejoraba visiblemente su situación anímica. Algo empezaba a tomar distancia.

—¿Por qué no hacemos una fiesta en casa para Johnny? —propuso Livio.

Kathleen y Jeannette estuvieron de acuerdo. "Mi haremcito".

En medio de la charla, Elipsio besándole las manos y la boca a Sheng cuando podía, una de las muchachas meseras se acercó a éste y le dijo que Bob quería hablar un momento con él. En el bar estaba Christian Lowell, completamente borracho, triste porque Gretchen había regresado con Judith, aunque una editorial vanguardista en San Francisco había aceptado su novela. "La despelucadita va a despelucar a medio mundo", se dijo Elipsio.

—Casi al momento que saliste, hace un rato, pasó Marty a recoger su violín, qué coincidencia —Bob le dijo en voz baja.

—¿Le diste mi recado?

—Sí. Dijo que lo busques en su tienda esta noche después de las 12 o mañana a mediodía. Si no que lo llames.

Esa noche no fue posible ir a verlo porque amaneció con Sheng en el apartamento de ella. Hacer el amor con Sheng era, más que religión, libertad. Algo que él sentía muy poco, atrapado siempre en la marabunta de sus acciones y el enredijo de sus pensamientos. Sheng y su cuerpo, tan libre, flotando en el lago que formaban los manantiales de su sexo, lograban sacarlo por instantes de su continuo bataholear. Ya en la mañana ella preparó un desayuno chino, para responder a sus pedidos: pasteles de fríjoles, tortillas de huevo rellenas con carne de pato, pan con mermelada de almendras y cerezas, café colombiano.

Sheng no tenía que ir al hospital hasta tarde en la mañana, así que vistiendo una bata verde con grandes flores en amarillo y azul, se sentó en la mesa con él.

—Mi mamá quiere conocerte —dijo sonriendo—. Y eso me hace muy feliz. Pero yo quiero esperar todavía, ¿no te parece?

—Tú decides. Yo no quiero forzar nada. Soy bastante chino en mi paciencia, mucha paciencia, como decía un detective chino en la radio, cuando yo era niño.

—A mi papá le gustaban las películas de Charlie Chan. Un detective chino que no era chino, pero a él lo divertía precisamente eso, los estereotipos infantiles de los norteamericanos, decía.

—Nunca lo vi, qué pena. Nosotros oíamos en un programa de radio al que te digo, se llamaba Chang Li Po.

—Como el poeta —dijo ella mirando hacia el cuadro en la pared.

—Pero con el Chang de detective.

—¿Está bien que no te presente a mi mamá por ahora?

—Sí. Comprendo. No te hagas problema. Hay tiempo para el tiempo, lo dijo otro chino.

—¿Quién?

—Eh Li Shio —dijo él. Estaba contento.

Y mientras Sheng hablaba de su padre, él pensaba que en realidad no amaba a Lamia. No podía amarla porque el cuerpo de Lamia, todo su ser, empezaba a desaparecer detrás del de Sheng. ¿Había una luz en el cuarto oscuro?

Cerca del mediodía ella lo dejó en la biblioteca pública. Iba en busca de los libros de Gwendolyn Brooks y también desde allí estaba cerca de lo de Marty. No hacía mucho frío para ser febrero, el mes no más cruel, pensó, sino más hijo de puta. Nieve, pronosticaban, hasta el cuello.

El bibliotecario estaba feliz de que incluyera a Gwendolyn Brooks en sus trabajos.

—Ella nació en Topeka, Kansas —dijo—, pero es más de Chicago que los Chicago Cubs. También tiene que leer a Farrell. Llévese el libro de ella que le dije, *Bronzeville Boys*, y este de Farrell, *Studs Lonigan*. Con eso hace dos reportajes de primera. ¿Sabía usted que el día de San Patricio pintan de verde el río Michigan?

—No —dijo Elipsio, pensando desde ya en un artículo verde como un chiste quevediano.

El bibliotecario Dates había pegado uno de sus reportajes sobre Algren en la cartelera encima de su escritorio. Elipsio se lo agradeció.

Marty también le había dejado instrucciones con Bob de entrar por la puerta de atrás del negocio, entre los tarros de basura. Tocó fuertemente y el

mismo Marty abrió. Vestía con chaqueta roja, brillante, pantalones negros con listones relucientes de
húsar, camisa de chapetón.

—Lamia quiere verte —le dijo Elipsio sin esperar
más.

—¿Dónde está? —preguntó el hombre, verde que
te quiero verde de la angustia.

—Ella quiere que yo prepare un encuentro entre
los dos.

Marty se quedó en silencio.

—¿No me estás engañando, verdad?

—No. Ella me dijo que te dijera que el pueblo en
Utah se llama Antimony.

—¿Y la niña? —Elipsio casi no pudo oír la pregunta de Marty, su voz en pedazos.

—Está bien. Es muy linda. No me preguntés a quién
se parece porque yo de eso no sé nada. Se llama Trilce.

Marty sonrió, feliz, sin saber qué hacer, decir. Le
dio un abrazo.

—¿Dónde está ella? —preguntó.

—Me pidió no decirte. Ella te lo dirá. Por lo pronto yo voy a coordinar dónde se encuentran. La cosa
no es fácil porque ella tiene mucho miedo.

—Yo también —dijo Marty.

—No le digás nada a tu hermana. ¿Te dijo que yo
estuve aquí antes, buscándote?

—No. ¿Cuándo?

—No importa. Por favor, y no tratés de buscarla
más. Ella te busca ahora por mi intermedio. Ten calma. Yo te aviso.

—¿La vas a ver pronto?

—Sí.

—¿No te molestaría decirle que yo la amo y que si quiere nos vamos a Utah?

Tal vez a causa de que la sensación de irrealidad que lo acompañaba esos días se hacía más intensa, colocándolo siempre en ese espacio lejano, le fue difícil articular la respuesta, dolorosa en su íntimo fracaso. Dijo:

—No. Sé que ella también te ama. ¿Estarías dispuesto a irte con ellas ahora mismo, dejándolo todo?

—Sí —dijo Marty—. No lo dudes.

Y se fueron. Elipsio lo arregló todo, el encuentro besándose como locos, las largas charlas, el viaje. Incluso los acompañó esa noche de febrero, día de San Valentín, por cierto, temprano, a la estación de buses Greyhound, cerca del Loop. En el camino le compró una muñequita de plástico a la niña, también un osito de peluche. Lamia lo besó y le dijo un adiós largo, para siempre. La estación de autobuses como la había visto el primer día que llegó a Chicago, con la dirección de ella en el bolsillo. Él no sabía para dónde iba luego de Chicago, le dijo.

—A lo mejor me caso con una china y tengo muchos hijos.

—No, tú no. Tú no vas a tener hijos hasta que estés muy viejo —vaticinó ella acariciándole la cabeza.

Marty le dio un abrazo con otro gracias largo y estrecho. Iba vestido como Yul Bryner en *Siete hombres y un destino*. Elipsio se lo dijo.

—En el oeste compro las pistolas —respondió sonriendo.

La calle era negra y el autobús dejó de iluminarla.

Casi no se dio cuenta pero al poco rato estaba entrando en *Ratzos*. La noche, el El, Chicago y sus puentes, la estación de Fullerton, las luces, todo eso había desaparecido y sólo quedaba esa realidad del bar. Bob estaba feliz. Otro de sus poemas había sido aceptado en San Francisco, y uno de los surrealistas, el viejo profesor, le había dicho esa noche que su poesía era una plasta de mierda romántica. Nada más elogioso para Bob.

Elipsio, al lado de la cerveza que le había empujado Bob, sintió que tenía que llamar a Sheng. Algo como la desesperación venía encaramado en su espalda desde la estación de buses. Sacudirse: la necesidad. Bob le pasó el teléfono.

—Quiero verte esta noche —le dijo cuando ella contestó.

—¿Te pasa algo? —preguntó ella, alarmada.

—No. Nada. Todo es lo mismo, pero quiero verte esta noche —repitió él, jugando su carta de siempre.

—¿Quieres venir a mi apartamento? Yo prefiero no salir —propuso ella.

—Está bien. Iré más tarde —dijo él y colgó.

Entonces sacó la carta del bolsillo, la vieja carta arrugada, desteñida, con la letra de ella, grande, como de niña, probablemente sus dibujos. La carta que ya era parte de su ser, la carta en movimiento por sus venas, por sus entrañas, por el esqueleto de su peregrinar. La carta con la verdad de sus días, de los días de ella.

Empezó a romperla primero por la mitad, luego en cuatro partes, metódico, con fuerza, era gruesa, luego en ocho, en más pedazos, las letras, las palabras salían de adentro como las hormigas de su cueva, correlonas, picorrojo, y él las aplastaba con sus dedos, con sus uñas las partía en dos, en cuatro, hasta que hubo miles de pedacitos de papel, cadáveres de insectos como confeti en el mostrador, desbordando los ceniceros, las partía más, ahora hasta con los dientes.

Cuando terminó vio que Bob y algunos más en la barra lo observaban en silencio. Bob recogió todos los pedazos y poco a poco los tiró a la basura. Luego, sin decir palabra, sirvió dos tequilas enormes, con limón y sal. Levantó su vaso y brindó.

Elipsio, chocando su vaso con el de Bob, sintió que éste, más que nadie, lo sabía todo, poeta como era.

Sheng estaba desnuda debajo de su gran chal amarillo, imperial.

Ikaria, mar Egeo, 5 de agosto de 1998 –
Clifton, Cincinnati, 26 de mayo del 2000

COLECCIÓN DORADA DE INTERÉS GENERAL